IDENTIQUE

DU MÊME AUTEUR

Présumé innocent, Albin Michel, 1990.
Le Poids de la preuve, Albin Michel, 1991.
Je plaide coupable, Albin Michel, 1995.
La Loi de nos pères, Lattès, 1998.
Dommage personnel, Lattès, 2000.
Ultime Recours, Lattès, 2003.
Le Silence des héros, Lattès, 2007.
L'Angoisse du juge, Lattès, 2009.
Innocent, toujours, Lattès, 2010.

www.editions-jclattes.fr

Scott Turow

IDENTIQUE

Traduit de l'anglais (États-Unis)
par Antoine Chainas

Roman

JC Lattès

Titre de l'édition originale :
IDENTICAL
Publiée par Grand Central Publishing,
un département de Hachette Book Group, Inc.

Maquette de couverture : atelier Didier Thimonier
Illustration par NLM / Science Source

ISBN : 978-2-7096-4585-0

Pour Dan et Deb

« Je suis en ce monde comme une goutte d'eau
Qui cherche une autre goutte d'eau dans l'océan
Elle s'y laisse tomber pour y trouver sa pareille
Et, inaperçue, inquiète, s'y abîme. »

William Shakespeare, *La Comédie des erreurs*[1]

1. François-Victor Hugo pour la traduction française, in *Œuvres complètes de Shakespeare*, Pagnerre, 1873. (*N.d.T.*)

Personnages

La famille Gianis

Paul Gianis : un avocat
Cass Gianis : frère jumeau de Paul
Lidia Gianis : mère de Paul et de Cass

La famille Kronon

Hal Kronon : P-DG de ZP, une entreprise d'investissement immobilier
Zeus Kronon : fondateur de ZP et père de Hal
Dita Kronon : sœur de Hal, victime du meurtre
Teri Kronon : tante de Hal et de Dita, sœur de Zeus et meilleure amie de Lidia Gianis

Les enquêteurs

Evon Miller : responsable de la sécurité à ZP
Tim Brodie : ancien policier de la brigade criminelle, en charge des premières investigations concernant le meurtre de Dita

I.

1.

Paul – 5 septembre 1982

Lorsque Paul Gianis repense au meurtre de Dita Kro-non, plusieurs années auparavant, ses souvenirs le ramè-nent toujours à cette journée du 5 septembre 1982. C'est le dimanche de la fête du travail, les hauts nuages bril-lent dans le ciel comme un collier de perles, l'après-midi est luxuriant. Zeus Kronon, le père de Dita, a ouvert les portes de sa vaste demeure, située sur un terrain pentu en banlieue. Il a invité plusieurs centaines de ses amis paroissiens de l'église orthodoxe grecque Saint-Démétrios à célébrer le nouvel an ecclésiastique. Au pied de la colline, sur les berges verdoyantes de la rivière qui font office de parking, Paul arrive en compagnie de sa mère et de son frère jumeau, Cass. Il sait que les prochaines heures seront un véritable calvaire pour eux.

Cass sort sans attendre du vieux coupé Datsun.

«Il faut que je voie Dita», se justifie-t-il en parlant de sa petite amie, la fille de Zeus.

Paul aide sa mère à s'extirper du siège passager. Celle-ci regarde son deuxième fils jeter son manteau sur son épaule et commencer à gravir la colline.

«Theae mou», murmure-t-elle d'un air consterné. Main-tenant qu'elle a évoqué Dieu dans sa langue natale, elle se signe d'un geste rapide.

En l'absence de son frère, Paul demande : « Maman, qu'est-ce qu'on fait là en vérité ? »

L'intéressée, Lidia, feint l'incompréhension, les sourcils froncés. Paul insiste :

« Papa hait tellement Zeus que tu refuses tous les ans d'assister à ce pique-nique.

— Il ne le hait pas autant que moi », réplique Lidia d'une voix dont le calme est rarement démenti. Elle s'appuie au bras de son fils. Ils entament tous les deux leur ascension le long de l'allée gravillonnée qui mène à la grande maison blanche de Zeus : une bâtisse à pignons bas et étroits, ornée de colonnes doriques.

« Cette fête est organisée pour l'église, pas pour Zeus, explique la vieille femme. Beaucoup de nos anciens voisins me manquent. Et je n'ai pas vu Nouna Teri depuis des mois.

— Tu parles à Teri tous les jours.

— Paulie mou – littéralement "mon Paul" –, je ne t'ai pas obligé à venir.

— J'y suis forcé, maman. Tu as une idée derrière la tête. Cass et moi le savons.

— Vraiment ? J'ignorais que tu étais devenu télépathe le jour où tu avais reçu ton diplôme en droit.

— Tu as décidé de créer des problèmes à cause de Dita.

— Des problèmes ? » renifle Lidia. À soixante-trois ans, leur mère a un peu forci mais a conservé son allure majestueuse. Celle d'une femme de haute taille au regard féroce et à la chevelure grisonnante ramenée en arrière. « Dita se débrouille très bien sans moi dans ce domaine. Même sa tante Teri le dit. Si Cass épouse Dita, ton père ne lui adressera plus jamais la parole.

— C'est insensé, maman. Tu n'es plus au pays. On dirait que tu crois au mauvais œil. Cass et moi n'allons pas prolonger ces querelles stupides avec Zeus. Et puis nous avons vingt-cinq ans. Tu dois laisser Cass faire ses propres choix.

— Tiens donc », pouffe Lidia. Elle serre le biceps de son fils pour détendre l'atmosphère. Toute l'intelligence de leur *mère consiste à rire lorsqu'elle affirme quelque chose qu'elle pense vraiment.*

Au sommet de la colline, le pique-nique est un régal des sens. Le bref service religieux vient de s'achever. Les résines et les épices, auxquelles se mêlent les arômes de quatre agneaux en train de rôtir dans leur foyer de chêne, fument encore dans les encensoirs, tandis que les notes frénétiques et haut perchées d'un bouzouki souhaitent la bienvenue aux centaines de convives réunis sur la pelouse.

Teri, la sœur de Zeus et la meilleure amie de Lidia depuis l'âge de sept ans, les attend avec sa chevelure peroxydée d'épouvantail. Elle les embrasse. À son côté, le fils de Zeus accueille les invités. Hal incarne à quarante ans le stéréotype du gros balourd un peu obséquieux. Le genre de personne qui se jette sur vous tel un corniaud baveux. Paul continue cependant de l'apprécier. Vingt ans plus tôt, bien avant que la dispute sur le bail de l'épicerie de son père ne consomme le divorce entre les deux familles, Cass et lui le suivaient partout comme des chiots. Hal semble résolu, ainsi que Paul, à ignorer ces dissensions. Il embrasse la vieille femme, qu'il appelle encore « Tata Lidia », puis entreprend de faire la conversation à Paul. Teri et Lidia en profitent pour s'éloigner. Elles rejoignent un groupe d'amis à l'ombre protectrice d'une des nombreuses tentes de réception bleues et blanches érigées sur la propriété. Paul s'enfonce à regret dans la foule, parmi ces gens issus de son enfance. Ceux-ci se comportent encore comme au pays et leurs attentes pesantes n'ont fait qu'attiser son désir de fuite.

Il effectue quelques pas. Sa petite copine, Georgia Lazopoulos, l'aperçoit et se dirige aussitôt vers lui. Sa robe d'été en vichy bleu souligne son aspect courtaud et légèrement enrobé. Son adorable sourire fait ressortir ses fossettes. On la compare souvent à Sally Field. Bien qu'ils se fréquentent depuis leur quatrième année de fac, leurs lèvres se touchent à peine lorsqu'ils s'embrassent. Georgia est la fille de Nik, le révérend de l'église Saint-Démétrios. Elle sait que ses gestes sont épiés dans les moindres détails.

Elle a déjà préparé une assiette en carton à l'intention de Paul. *Agneau et pastítsio* : ses mets préférés. Il accepte le plat avec reconnaissance, mais recule un instant pour surveiller Cass. Il le localise au milieu d'une couvée d'étudiants. Même à une trentaine de mètres, Paul a la conviction de parvenir à capter l'attention de son jumeau. Et lorsque cela se produit, il lui adresse un imperceptible mouvement de menton en direction de leur mère. Ils ont convenu de rester sur leurs gardes et d'intervenir si Lidia s'approche de Dita. En revanche, ils escomptent qu'elle se tienne loin de Zeus et de son épouse, à qui elle n'a pas parlé depuis des années.

En privé, Paul partage l'opinion de sa mère concernant la jeune femme. Cependant, il n'en comprend pas moins le désir d'autonomie de son frère, qui est aussi le sien. Dita, avec sa langue bien pendue et ses manières provocantes, paraît surclasser toutes les conquêtes précédentes de Cass en dépit de la désapprobation parentale.

Les gens normaux ne peuvent saisir à quoi ressemble l'existence lorsque l'on ne sait pas où finit sa propre vie et où commence celle de son frère. Pour Paul, l'humanité se divise en deux catégories : Cass et le reste du monde. Même leur mère, force titanesque qui les a toujours dominés avec la constance, la puissance d'une colonne de marbre, ne peut rivaliser avec une telle proximité.

Les différences apparues à l'université sont l'un des défis les plus étonnants auxquels Paul Gianis est confronté. Cass est un fêtard, il tient tête à ses parents. Paul, lui, a intégré la fac de droit au sortir du bac. Après une période de flottement, son frère a réussi le concours d'entrée à l'école de police du comté de Kindle. Il doit commencer les cours dans une semaine.

Au moment où Paul se retourne vers Georgia, il trébuche sur quelqu'un derrière lui. Ses bras battent l'air, il pousse un glapissement. Son assiette s'envole. Il atterrit à plat dos tandis que la jeune femme responsable de sa chute se penche sur lui et lui plaque les bras au sol.

« *Ne bouge pas, dit-elle. Attends de récupérer.* »

Elle s'appelle Sofia Michalis.

Les premiers mots qui émergent de la bouche de Paul sont : « Où étais-tu passée ? » Il ignore s'il entend par là qu'il ne l'a pas vue depuis plusieurs années ou que le temps a achevé de la transformer. Les deux sont vrais. Sofia a toujours été une fille maligne dotée de beaucoup de sang-froid, mais personne n'aurait jamais pensé qu'elle deviendrait si séduisante. À la fac, elle faisait partie de ces étudiantes que les garçons qualifiaient, avec la cruauté qui les caractérisait, de « tragédie grecque ». Elle était en effet affublée d'un nez trop gros pour son visage, mais possédait depuis toujours un corps de tueuse. À présent, elle a conscience de ses atouts.

Paul s'assied en riant, s'examine. La manche de sa chemise Brooks Brothers marron clair porte une trace d'herbe, cependant il n'a mal nulle part. Il accepte la main qu'elle lui tend et se relève. Plusieurs personnes venues à la rescousse retournent à leurs occupations.

Sofia explique au jeune homme qu'après avoir alterné la fac et l'école de médecine pendant sept ans à Boston, elle a décroché son doctorat en juin. Elle débute un internat ici, à l'hôpital universitaire.

« Dans quel branche ? s'enquiert Paul.

— Chirurgie.

— Bon Dieu », s'extasie-t-il. S'il avait pu imaginer une seconde un tel parcours. « Ça veut dire que je pourrai avoir des agrafes gratuites en cas de pépin ?

— Ma mère regrette encore de ne pas m'avoir appris la couture. »

Ensuite, Sofia lui demande de ses nouvelles à lui. Il prêtera serment dans deux mois et entrera comme procureur adjoint au cabinet de Raymond Morgan, à Kindle.

« Et en dehors de ça ? interroge-t-elle. Toujours avec Georgia ?

— Toujours. »

La jeune femme se mordille la lèvre inférieure et son visage semble s'animer. Il sait ce qu'elle pense : quand vas-tu enfin comprendre ?

« *Elle est là, quelque part, ajoute-t-il avec un geste vague, comme si Georgia avait dû rester près de lui de peur qu'il ne s'enfuie.*

— Je vais aller lui dire bonjour.

— Bien sûr. » *Paul a le sentiment que sa dulcinée a été contrariée par leur conversation. Sofia s'éloigne avec un petit salut. Il résiste à la tentation de la suivre des yeux, mais la présence de la jeune femme s'imprime sur ses rétines. Il a l'impression que Sofia est devenue une de ces personnes qu'il a longtemps enviées, quelqu'un capable d'affronter le monde. Il éprouve une sensation désagréable lorsqu'il aperçoit Sofia en compagnie de Georgia une seconde plus tard. Les deux femmes ont des ambitions si différentes. À la demande expresse du révérend Nik, Georgia a quitté la fac. Elle est désormais responsable guichet à la banque locale. Paul l'aime. Il l'aimera toujours, néanmoins il n'est pas certain de vouloir l'épouser. Georgia et sa famille attendent ce mariage depuis longtemps. Voilà son problème. La vie avec Georgia serait agréable mais pas forcément intéressante.*

Plongé dans ses pensées, Paul se rend compte soudain qu'il a perdu la trace de leur mère. Quand il la repère enfin, il constate avec effroi qu'elle est en pleine conversation avec Zeus. Lidia considère son hôte avec une expression inflexible. À l'âge de soixante-six ans, son interlocuteur a encore un air ténébreux et singulièrement attirant. Sa chemise blanche et sa cascade de cheveux argentée le mettent en valeur. Il fait de son mieux pour rester agréable face à la froideur de son invitée. Paul a toujours trouvé Zeus trop égocentrique pour réussir en politique et, pourtant, le vénérable homme se présente au poste de gouverneur dans le camp des Républicains. Deux mois avant l'échéance, il figure parmi les favoris dans la course aux primaires. En cas de victoire, il laissera sans doute les rênes de son entreprise monumentale, propriétaire d'une multitude de locaux commerciaux à travers tout le pays, à Hal. Avec lui, l'activité court certainement à sa perte.

Paul remarque tout à coup que la splendide fille de Zeus s'est dirigée vers lui. Elle se glisse à son côté et l'embrasse à pleine bouche. Un baiser humide où subsistent des relents d'alcool. Chaque fois qu'il voit Dita, elle semble éméchée. Paul met un instant à comprendre qu'elle fait semblant de les confondre, lui et son frère. La plupart des gens ont du mal à faire la différence. Il l'écarte en douceur.

« C'est toi, Paul ? s'étonne-t-elle. J'ai de la chance que tu n'en aies pas profité. Cass est jaloux ou bien vous partagez tout ? » Ses cheveux noir de jais se marient à la perfection avec son regard sombre et aiguisé. Son allure sculpturale dessine une silhouette ferme. Elle rit, colle sa poitrine à son bras et force Paul à reculer.

Celui-ci a l'habitude d'éviter Dita à cause de ce genre de pitreries. Il sait toutefois qu'il se conduit selon les attentes de sa belle-sœur. Dita aimerait le séparer de son frère.

« Tu te crois peut-être drôle, Dita. Mais, si j'étais toi, j'éviterais d'attendre près du téléphone que Johnny Carson m'invite à jouer les trublions dans son émission.

— Oh, Paul, détends-toi. Tu as vraiment besoin de te retirer le balai du cul. » Savourant le triomphe de la première manche, Dita marque une pause. Elle le toise. « Pourquoi tout le monde me déteste, chez toi ?

— Nous ne sommes pas contre toi. Nous sommes pour Cass.

— Exact. Et Cass a besoin d'une fille comme Georgia. Ennuyeuse à mourir. »

La douleur d'entendre parler ainsi de Georgia est cuisante. Il doit se retenir, ainsi qu'il le fait souvent, de gifler sa belle-sœur. Dita est futée. Une qualité qui la rend dangereuse. Il se détourne. La jeune femme décoche une dernière flèche.

« J'aurais largué Cass depuis longtemps si je n'avais pas le sentiment que la rupture vous ferait trop plaisir. »

Au fil des ans, quand Paul se souvient de cette journée où tout a basculé pour sa famille, la détresse de Dita lui paraît évidente. Mais, à l'époque, il est aveuglé par le danger qu'elle représente pour son frère et son incapacité à l'en protéger.

Paul fait demi-tour et, tandis qu'il s'éloigne, une certitude aussi puissante et nette qu'un coup de clairon se fait dans son esprit : il méprise cette femme.

2.

Libération conditionnelle
8 janvier 2008

Evon Miller, cinquante ans, responsable de la sécurité pour ZP Investissements Immobiliers, parcourait le sous-sol du tribunal annexe à la vitesse peu commune d'une ancienne athlète. Elle ignorait pourquoi elle était là et où elle allait. Petite et musclée, elle tomba par hasard sur le numéro de la salle qu'elle cherchait et s'arrêta brusquement. Elle lut l'inscription mal orthographiée dans une pochette plastique à côté de la porte : « Audition d'application des peines ». Dans la pièce, elle retrouva son patron, Hal Kronon, P-DG de ZP. Celui-ci lui avait envoyé un e-mail pour la convoquer d'urgence et était à présent en pleine conversation avec son avocat, Mel Tooley, ainsi qu'un autre type en costume qu'elle ne connaissait pas.

Evon avait été enquêtrice au FBI pendant vingt ans avant de dégoter ce boulot. Elle avait appris que l'État, souvent évoqué comme s'il s'agissait d'une maladie effrayante, tirait plutôt sa spécificité du manque d'appa-rat avec lequel il exerçait son pouvoir. La Commission des libérations conditionnelles qui, chaque mois, examinait les possibilités d'élargissement pour des dizaines d'êtres humains, allait se réunir dans cette pièce basse de plafond et dépourvue de fenêtres, sur des chaises pliantes disposées autour de deux tables en Formica. Derrière les sièges, le Grand sceau des États-Unis – soixante-dix centimètres de plastique – était accroché légèrement de guingois au mur sale. Un pupitre muni d'un micro était érigé face aux membres de la commission. On avait réservé deux tables supplémentaires à l'intention de l'assistance et des intervenants qui plaideraient la cause du condamné. Le carton à l'entrée stipulait que l'audience était prévue pour 14 heures. De toute évidence, elle avait été reportée.

Le patron d'Evon, un homme ombrageux, avait enfilé sa chemise à la va-vite dans son pantalon sur mesure. Sa cravate était de travers. Dès qu'il l'aperçut, il l'entraîna dans un coin. Elle lui demanda les raisons de sa présence. Son mail avait été assez sommaire.

« J'essaie d'éviter la sortie de prison de Cass Gianis. »

Evon ne savait pratiquement rien du meurtre de la sœur de Hal. Dita était morte en septembre 1982. Le procès était clos depuis bien longtemps lorsqu'elle avait emménagé à Kindle, quinze ans auparavant. Jusque-là, Hal s'était toujours abstenu d'en parler. Les informations dont elle disposait se résumaient à ce qu'elle avait lu récemment dans les journaux. Cass Gianis était le frère jumeau de Paul Gianis, sénateur et candidat actuel à l'élection de maire. Cass avait plaidé coupable pour l'assassinat de Dita, sa petite amie de l'époque.

« Mais je ne vous ai pas convoqué pour cela, ajouta Hal.

— Pourquoi, alors ?

— Le dossier YourHouse », chuchota le P-DG. Hal négociait depuis des mois l'acquisition de YourHouse, l'un des constructeurs de lotissements les plus importants du pays. Une transaction estimée à plusieurs centaines de millions de dollars. Avec la baisse des prix de l'immobilier pour les résidences familiales indépendantes, il flairait la bonne affaire. Il pourrait ainsi diversifier les activités de ZP comme on le lui conseillait depuis des années. « Nous avons manqué de rigueur. Quelque chose nous a échappé à Indianapolis. Le site est peut-être pollué. Il nous faut des experts en environnement au plus vite.»

L'éventualité d'une contamination des sols laissait Evon perplexe. Pire : elle connaissait Hal, il l'envoyait sans doute à la chasse aux fantômes.

«D'où vient l'information?» interrogea-t-elle.

Hal continuait à murmurer. Ses lèvres frémissaient à peine.

«Tim a établi une surveillance de Dykstra et des autres membres de YourHouse après notre départ hier.

— Bon Dieu, Hal.»

ZP employait Tim Brodie, un enquêteur de la criminelle à la retraite, depuis des décennies. Celui-ci, payé au forfait annuel, s'acquittait de diverses missions officieuses pour Hal. Evon avait peu de considération pour les détectives privés. La plupart d'entre eux étaient soit des amateurs soit des vieilles gloires. Ils flirtaient tous avec les limites de la loi et étaient susceptibles de mettre en péril l'entreprise. Charger Brodie d'espionner ses adversaires, voilà une des initiatives risquées et impulsives typique de Hal.

«Mets-moi quelqu'un sur le coup, ordonna le P-DG. Mais ne t'éloigne pas. Je vais avoir besoin de toi.»

Hal Kronon dirigeait ZP en solo depuis la mort de son père, Zeus, vingt ans auparavant. En tant que patron, il semblait en proie à une constante agitation. Il pouvait se révéler tour à tour flamboyant, scandalisé ou suppliant, mais demeurait sans cesse péremptoire. Quelle que soit son humeur, Hal quêtait la reconnaissance instantanée de ses employés. Evon s'étonnait souvent de s'être attachée à un tel personnage au cours des trois années passées à son service. D'une part, il était singulièrement généreux. Il avait fait d'elle une femme bien plus riche que n'importe quelle habitante de Kaskia, Colorado, aurait pu le rêver. D'autre part, elle l'appréciait car il pouvait se montrer si misérable lorsqu'il avait besoin d'elle et si reconnaissant ensuite. Hal était le genre d'homme incapable de se dispenser d'un entourage féminin, en particulier depuis le décès de sa mère, Hermione. Il y avait Mina, son épouse : amusante, autoritaire et rondelette comme son mari. Et puis sa tante Teri, la sœur de son père, qui terrorisait un peu tout le monde. Au sein de l'entreprise, Evon était devenue la principale confidente de Hal. Elle n'hésitait pas à opiner du chef pendant des heures et à tenter en douceur de le sauver de lui-même.

Elle sortit dans le couloir pour appeler son assistant responsable de la vallée de l'Ohio. Elle lui demanda de se rendre à Indianapolis et de trouver un spécialiste habilité à rechercher des traces de pollution. Elle retourna ensuite dans la salle de conférence. Mel Tooley l'informa que l'audience était de nouveau reportée car le défenseur de Cass n'était pas encore arrivé. Hal, quant à lui, s'était éclipsé pour donner quelques coups de fil. L'avocat prit place sur l'une des chaises disposées en trois rangées à l'intention des participants et vérifia son portable. Evon s'installa à côté de lui. Elle connaissait l'homme de loi de réputation depuis l'époque où elle travaillait au FBI. Un de ces trous du cul de la défense : malin, mais fourbe. Si elle avait pu découvrir certaines qualités de Mel grâce à son patron, elle n'en continuait pas moins de se méfier. Tout d'abord, il avait l'air ridicule avec ses chemises trop justes pour son corps massif et son postiche touffu probablement acheté quand Tom Jones était à la mode. Ses bouclettes brunes entremêlées cascadaient sur son crâne à la manière des chutes de poils qu'il devait ramasser après avoir emmené son caniche chez le toiletteur.

Elle lui demanda la suite du programme, histoire de savoir à quoi s'attendre dans l'après-midi. L'avocat leva les yeux. Une brève lueur d'angoisse passa dans son regard.

«Nous aurons droit à Hal tel qu'en lui-même», répondit-il. Il lui expliqua que, en cas de libération anticipée sur une affaire d'homicide, la famille de la victime pouvait exiger une audition avant la suspension du casier. Il n'existait cependant aucune raison valable de retenir Cass Gianis derrière les barreaux. À six mois près, il avait effectué les vingt-cinq ans de réclusion prévus. Seule une infraction disciplinaire sérieuse pouvait empêcher sa libération. Et Gianis était un prisonnier modèle.

« Tiens, suggéra Mel, jette un coup d'œil au dossier. J'ai peut-être omis un détail. » Il lui tendit une épaisse chemise à dos extensible et s'éclipsa à son tour pour répondre au téléphone. Evon commença à examiner les documents. L'un des points essentiels concédé en échange du plaider coupable portait sur une requête de placement en établissement à surveillance modérée. Un traitement inhabituel pour un meurtrier. Evon supposa que cette clause avait été âprement négociée. Cass était donc détenu au centre pénitentiaire de Hillcrest, à une centaine de kilomètres de Tri-Cities, depuis plus de vingt ans. Il avait par ailleurs décliné plusieurs offres de transfert dans des prisons plus récentes où il aurait bénéficié d'une cellule individuelle. Sur les formulaires de Hillcrest, le condamné avait avancé que le centre pénitentiaire, malgré ses dortoirs inconfortables, était mieux situé pour sa famille et en particulier son frère jumeau qui lui rendait visite presque tous les dimanches. Tooley avait récolté l'intégralité des documents que Hillcrest possédait sur Cass, y compris sa photo anthropométrique et les empreintes données au centre lors de son admission en juillet 1983, ainsi que le dernier rapport de son avocat. L'impression générale était conforme au sentiment de Mel. L'individu avait réussi l'exploit d'être bien vu à la fois par l'administration, les gardiens et les codétenus, à qui Cass enseignait le droit et les équivalences au bac chaque jour. Récemment, Gianis avait achevé ses cours par correspondance pour devenir professeur. Dans un milieu où les incartades disciplinaires étaient légion – des bagarres pour choisir les chaînes de télévision à la contrebande de fruits grâce auxquels on obtiendrait du tord-boyaux artisanal après fermentation, en passant par les joints que les proches parvenaient à glisser au parloir –, Cass avait juste récolté quelques avertissements pour avoir lu après l'extinction des feux.

Evon perçut de l'agitation dans le couloir. Paul Gianis entra dans la salle. Il était aussi beau qu'à la télé. Deux jeunes subalternes aux allures impeccables le talonnaient : une Noire et un Blanc. Sans doute des membres de son équipe de campagne, conjectura la responsable de la sécurité. Peu importait la course aux municipales, Paul semblait résolu à assumer le rôle d'avocat de son frère qu'il tenait depuis le départ. Il suspendit son pardessus de laine grise à une chaise et balança un attaché-case usé sur la table réservée à la défense.

À une époque, Evon aurait pu se vanter de bien connaître Paul. Mais c'était il y a quinze ans et elle n'était pas sûre qu'il se souvienne d'elle. En ce temps-là, elle travaillait sur le projet Petros, une opération d'infiltration du FBI dans une affaire de corruption au sein du tribunal en charge des dommages aux tiers. Paul était l'un des rares avocats de Kindle à avoir eu le courage de décliner un arrangement à l'amiable de la part d'un juge éminent. Et il avait eu encore plus de courage lorsqu'il avait accepté, à la demande d'Evon, de témoigner de l'incident après l'inculpation du juge en question. L'admiration suscitée par son geste, en particulier dans la presse, avait lancé sa carrière politique. Il était devenu le leader de la majorité au Sénat. À présent, il visait l'hôtel de ville. Les premiers sondages le donnaient gagnant sur la foi de son nom et du soutien généreux de divers avocats du barreau et associations.

Evon lui adressa un signe de tête lorsqu'il posa un regard absent sur elle. Il parut d'abord l'ignorer, puis l'examina de nouveau et son visage s'illumina.

« Mon Dieu, c'est Evon ! »

Il traversa aussitôt la pièce pour lui serrer la main. Il discuta un moment avec elle en jonglant avec ses clefs de voiture et ses pièces de monnaie dans sa poche. Elle lui demanda des nouvelles de sa famille. Son épouse, Sofia Michalis, était une célébrité dans son domaine, à savoir la chirurgie réparatrice. Elle avait fait les titres deux fois lorsqu'elle avait dirigé des équipes médicales en Irak afin de soigner des soldats victimes de mines antipersonnel. Leurs deux fils suivaient leur scolarité à Easton College.

« Et toi ? s'enquit-il. J'ai entendu dire que tu travaillais pour Hal. Pourquoi ce choix ? » Sa bouche s'incurva. De toute évidence, Paul était au courant de l'irascibilité du P-DG.

« Ce n'est pas un mauvais bougre. Il aboie mais ne mord pas.

— Arrête, je connais Hal depuis toujours. »

Evon se redressa. Elle ignorait cette information.

« Nos familles respectives étaient comme ça. » Paul croisa ses doigts longilignes. « Sa tante Teri était la meilleure amie de ma mère. Elle a été *koumbara*, demoiselle d'honneur au mariage de mes parents. Dans notre religion, cela signifie aussi qu'elle est la marraine de ma sœur aînée, la *nouna*. Une sacrée responsabilité chez les Grecs. Teri venait aux fêtes de famille – Pâques, Noël, et tous les saints. Comme Hal était son neveu préféré, elle l'emmenait partout avec elle. Ma bonne grosse famille grecque. » Il sourit à sa petite plaisanterie. « Plus tard, mon père et celui de Hal se sont accrochés à cause d'une histoire de bail concernant l'épicerie paternelle. Mais avant cette dispute, Hal a même joué les baby-sitters pour Cass et moi. » Il lui adressa son sourire immaculé, celui qui le rendait si irrésistible car, l'espace d'un instant, il paraissait vulnérable. « Pas besoin de te préciser qu'il ne peut plus m'encadrer. »

Même en faisant abstraction de la mort de Dita – et c'était déjà beaucoup –, Hal haïssait tous les démocrates. Ces derniers étaient trop prompts, selon lui, à financer des services publics ineptes grâce aux taxes immobilières. Il était persuadé que ce parti allait ruiner le marché de l'emploi et provoquer la fuite des entreprises. Surtout celles qui louaient les locaux des trois centres commerciaux dont ZP était propriétaire à Kindle. Evon avait tendance à le croire. Elle avait voté conservateur toute sa vie. Du moins jusqu'en 2004, date à laquelle elle avait eu le sentiment qu'ils lui avaient claqué la porte au nez lorsqu'ils avaient tenté d'assimiler l'homosexualité à la lèpre.

« Comment se déroule ta campagne ?

— Tout le monde s'accorde à dire que les choses se présentent bien », lui dit-il sans se départir de son sourire Ultra Brite. Il était séduisant. Mince, un peu plus de deux mètres. Son épaisse chevelure, malgré quelques mèches grisonnantes, luisait comme un plumage de corbeau. Son visage fin s'était légèrement empâté au fil du temps, mais d'une manière qui seyait uniquement aux hommes. Il apparaissait ainsi plus sage, plus noble et par conséquent plus apte à l'exercice du pouvoir. Sur une femme, de tels outrages équivalaient juste à la vieillesse.

« Je peux compter sur ton soutien dans les urnes ? » demanda-t-il.

Elle aurait sans doute répondu oui si cette question n'avait pas été une simple taquinerie de sa part. Ils furent interrompus par l'arrivée de l'avocat principal de Cass, Sandy Stern. Le dossier précisait qu'il défendait l'accusé depuis que ce dernier avait plaidé coupable. Rondouillard, chauve et d'une préciosité un peu étrange, Stern était la preuve vivante qu'il y avait un avantage à paraître plus âgé qu'on ne l'était en réalité. Il avait très peu changé en quinze ans, depuis qu'il avait croisé la route d'Evon sur l'un des procès liés à Petros. Stern salua Paul puis serra la main de l'ancienne enquêtrice avec un léger hochement de tête. Elle ignorait s'il l'avait reconnue.

Une greffière maigrichonne entra par la porte du fond pour annoncer que les membres de la commission étaient prêts. Evon appela Tooley et Hal dans le couloir. Ils revinrent dans la salle au moment où un shérif adjoint guidait Cass Gianis par une porte latérale. Celui-ci avançait à petits pas. Il était vêtu d'un survêtement bleu, portait des menottes et avait les jambes entravées par des bracelets de fer reliés à la taille. Paul demanda au shérif l'autorisation d'embrasser son frère.

Bien que la gémellité des Gianis ne fasse pas de doute, Evon constata que les deux frères, qui lui rappelaient les sœurs Sherrel, ses amies de Kaskia, n'avaient pas grandi tout à fait à l'identique.

Cass était un tantinet plus grand que son frère et, d'une certaine façon, plus large. Mais la différence la plus notable résidait dans le fait que Paul avait eu le nez cassé plusieurs années auparavant. L'histoire était plutôt amusante, le profil de Paul la rappelait sans cesse. Pendant sa lune de miel avec Sofia Michalis, celle-ci l'avait accidentellement frappé avec une raquette de tennis alors qu'il tentait de lui enseigner les bases du sport. À leur retour, son père avait soi-disant jeté un coup d'œil au pansement avant de s'exclamer : « Je t'avais pourtant conseillé de ne pas argumenter avec elle. » Paul avait conservé une bosse ombragée sur l'arête qui n'était pas sans évoquer une épiphyse. Les deux frères portaient des lunettes. Cass le simple modèle carcéral en plastique transparent, Paul d'élégants carreaux en verre fumé. La rumeur prétendait que le second avait abandonné les lentilles afin de masquer son nez abîmé. Pour Evon, ce choix ne faisait qu'accentuer le contraste entre eux. Malgré tout, ils se ressemblaient beaucoup. Cass s'était laissé pousser les cheveux : privilège accordé aux détenus en surveillance réduite. Il les avait coiffés à gauche, et son frère à droite.

Les cinq membres de la commission entrèrent par la porte du fond. Quatre hommes et une femme. Un panel racial digne d'une affiche Benetton. Evon ne les connaissait pas. Sans doute des amis du gouverneur. Étant donné que celui-ci était républicain, la balance pourrait pencher en faveur de Hal. De fait, le P-DG de ZP contribuait, en grande partie sur ses fonds propres, aux bonnes œuvres des conservateurs dans le comté de Kindle.

Le président de la commission, un type tristounet du nom de Perfectus Elder, passa en revue plusieurs dossiers. Ceux-ci ne reçurent que quelques commentaires laconiques de la part du procureur. Le représentant du ministère public s'appelait Logan. Il s'agissait de l'homme svelte avec lequel Hal et Tooley s'entretenaient à l'arrivée d'Evon. Pendant l'examen des pièces, une vieille femme en fauteuil roulant entra dans le prétoire, poussée par une petite infirmière philippine. La femme adressa un murmure confus à son employée, qui lui répondit sur le ton d'une remontrance calme, comme si elle parlait à un enfant. Les cheveux blancs de la paralytique étaient filasses et désordonnés. Ils évoquaient un fond de pot au lait. Elle était pourtant habillée avec soin. Malgré les outrages du temps et de la maladie subsistait en elle une détermination indéniable. Paul s'écarta de son frère pour l'accueillir. Le désespoir avec lequel elle s'agrippa à lui confirma à Evon que la femme en fauteuil roulant était la mère des jumeaux.

« Quel cinéma ! » chuchota Hal, assez fort toutefois pour que sa réflexion n'échappe pas aux membres du jury. Tooley attrapa la main de Hal sous la table. Evon avait assisté à suffisamment d'audiences pour savoir que les soupçons de son patron n'étaient pas infondés. Stern et Paul, avocat accompli qui avait fait son beurre en traitant de plusieurs dossiers liés à l'industrie du tabac après avoir quitté son poste d'assistant, utilisaient la fibre maternelle comme une preuve supplémentaire de l'urgence à libérer Cass. Une fois encore, Paul requit l'autorisation du shérif avant d'adresser un signe de tête à son frère. Cass se retourna pour embrasser Lidia. Ses murmures inarticulés se firent plus intenses, ses gémissements emplirent la salle. Evon comprit que la vieille femme n'avait pas vu ses fils ensemble depuis de nombreuses années. Le président eut une petite grimace, puis annonça l'affaire visiblement attendue de tous.

« Dossier Cassian Gianis numéro 54669. Partie civile Héraclès Kronon. » Elder écorcha non seulement le prénom de Hal, sur lequel les gens butaient souvent, mais aussi son nom, qu'il prononça comme si le plaignant était un Irlandais baptisé Cronin.

Mel d'un côté, Stern et Paul de l'autre, s'approchèrent du pupitre et déclinèrent leur identité, dûment enregistrée sur magnétophone par une jeune femme mince en bout de table. Plusieurs journalistes s'étaient introduits dans la salle à la dernière minute. La première rangée de chaises, où Evon s'était assise en compagnie des deux assistants de campagne de Paul, s'était aussitôt remplie. La présence du candidat avait en outre attiré de nombreux curieux, installés aux deuxième et troisième rangs.

« La libération de M. Gianis est prévue pour le 13 janvier, précisa Elder. M. Kronon souhaite déposer un recours en annulation. Comment suggérez-vous de procéder, maître Tooley ?

— Mon client aimerait s'adresser aux membres de la commission », répondit l'avocat avant de s'effacer pour laisser Hal s'exprimer. Tooley lâchait la bride à son client, mais s'appliquait à éviter d'être souillé par la boue dans laquelle il allait patauger. À l'exception de Hal, tout le monde dans la pièce tenait l'élection de Paul pour acquise.

Hal se redressa d'un air un peu gauche, ainsi qu'Evon l'avait prévu. Il avait oublié de reboutonner sa chemise et sa cravate était de travers. Il ne savait pas où mettre ses mains, aussi résolut-il de les croiser devant lui. Le patron de ZP n'était pas vraiment quelqu'un de séduisant, même dans ses meilleurs jours. Son ventre proéminent s'affaissait, il avait un étrange visage reptilien, des yeux de batracien, de grosses bajoues et un nez plat surmonté d'épaisses lunettes à monture d'écailles. Sa coiffure négligée se résumait à quelques mèches rebelles.

Il remercia les membres du jury, puis entama un soliloque décousu sur la mort de Dita. Bien qu'il s'abstînt en général de céder aux émotions turbulentes qui accompagnaient l'évocation du drame, sa sœur n'était jamais loin de ses pensées. L'un des murs de son bureau lui était d'ailleurs consacré. On y voyait par exemple la photo de groupe de la fraternité Kappa Kappa Gamma, prise lors de sa dernière année d'études. Elle était alors sombre et saisissante. Ses grands yeux, son large sourire désabusé ressortaient sur le cliché.

Au bout de quelques minutes, Hal pleurait. Ses propos étaient en grande partie incohérents. Le seul élément tangible à surnager dans son exposé consistait à demander la prolongation de la détention en vertu d'une souffrance encore trop vive.

Son discours était parfois ponctué par les murmures séniles de Lidia à l'autre bout de la salle, que l'infirmière s'escrimait à apaiser. Paul et Cass, quant à eux, demeuraient imperturbables.

Quand Hal se rassit enfin, Stern se leva. Il avait pris soin d'attacher le bouton du milieu de sa veste. Dans sa voix subsistait le léger accent de son Argentine natale.

« Cass, de même que sa mère et son frère ci-présents, regrettent les événements de cette nuit funeste. Ce drame a terriblement affecté leur famille et ils comprennent à quel point leur douleur est minime comparée à celle de M. Kronon. Cependant, mon client a payé son dû à la société. Une condamnation acceptée par la partie civile à l'époque. Le dossier... »

Hal n'y tint plus : « Mes parents s'en sont peut-être contentés, mais pas moi. Jamais. »

La lassitude du président Elder devint manifeste. Il chercha son marteau et, à défaut, frappa du plat de la main sur la table. Tooley reconduisit le plaignant à sa chaise. Plusieurs observateurs chuchotèrent. Si le P-DG souhaitait s'attirer la sympathie du public, sa méthode était désastreuse. Hal se ridiculisait.

Elder adressa un signe de tête à Stern, qui termina sa plaidoirie. Le président se pencha alors de droite à gauche pour consulter ses confrères. Les magistrats d'envergure participaient rarement aux commissions de libération conditionnelle, sauf dans le cas où les procureurs généraux, candidats à leur réélection, intervenaient pour s'opposer à l'élargissement d'un détenu célèbre. La présence de personnalités influentes telles que Hal et Paul était embarrassante pour le tribunal, en particulier devant des journalistes. Elder était incontestablement pressé d'en finir.

« Date de libération confirmée », trancha-t-il. Puis le jury se retira par la porte de derrière tel un liquide dans un entonnoir.

Evon regarda Paul Gianis étreindre son frère. Le shérif refusa de lâcher la manche du détenu mais l'autorisa à embrasser sa mère en vitesse avant de quitter la pièce. Les journalistes se rassemblèrent autour de Paul.

Stern serra la main de Tooley et partit le premier. Hal le suivit, accompagné d'Evon et de Mel. Tandis que le malheureux cortège sortait dans le couloir, Hal vitupéra : « Quelle perte de temps ! » La porte de la salle d'audience s'ouvrit une seconde plus tard pour laisser apparaître la patiente et son infirmière. Celle-ci avait du mal à manœuvrer le fauteuil roulant. Hal était resté, à sa manière, un galant homme. Il se précipita à la rescousse. Histoire de prouver que l'on ne savait jamais à quoi s'attendre avec lui, le P-DG de ZP s'agenouilla au côté de la vieille femme sitôt l'obstacle franchi. À la façon dont il la réconforta, on aurait dit qu'il n'avait jamais décrit son fils comme un suppôt de Satan.

« Tata Lidia », ronronna-t-il, la main posée sur l'épiderme moucheté de son avant-bras. Les taches blanches luisaient à l'image d'une ancienne brûlure. Evon se souvint de la peau de sa propre mère à l'époque de son agonie. Elle était aussi fine que du papier, si bien qu'on craignait de la déchirer au moindre contact. « Tata Lidia, reprit le P-DG. C'est Hal Kronon, le fils de Zeus et d'Hermione. Je suis content de te voir. » Il lui sourit. La vieillarde laissa errer son regard. Ses yeux étaient larmoyants et dépourvus de cils. Hal se mit à parler en grec afin de raviver ses souvenirs. Le seul terme qu'Evon comprit fut son nom. Mme Gianis parut le comprendre aussi.

« Héraclès ! » s'exclama-t-elle. Elle hocha la tête plusieurs fois, puis répéta : « Héraclès ! » Elle porta la main à la joue de son interlocuteur en un geste d'une surprenante tendresse. La porte de la salle d'audience s'ouvrit de nouveau et Paul sortit, talonné du trio d'un journaliste et de ses deux assistants. Hal se redressa. Au bord des larmes, il pressait un mouchoir usé sur son visage. Paul s'adressa à l'infirmière après un bref examen de la situation :

« Je crois que vous devriez reconduire maman là-haut, Nelda. On l'attend au foyer. » Mme Gianis martelait encore « Héraclès » lorsque Nelda s'éloigna. Paul se retourna vers Hal. Les lèvres pincées, il affichait un mélange d'amertume et de perplexité.

« Pas la peine de me regarder de travers, s'insurgea le P-DG. Ta mère a toujours été gentille avec moi. Elle n'a tué personne, elle. On ne peut pas en dire autant de toi. »

À cette évocation, la bouche de Paul s'ouvrit. Il recula d'un pas.

« Bon Dieu, Hal.

— Ne fais pas ta vierge effarouchée. Tu t'en es tiré, mais je sais que tu as participé au meurtre de Dita. Je l'ai toujours su. »

Les trois chroniqueurs présents se mirent à griffonner fébrilement sur leurs calepins à spirale. Paul fronça ses sourcils bruns. Quelle que soit la provocation, il n'était pas prêt à ternir son image publique : celle d'un individu mesuré en toute circonstance. Il toisa son adversaire un instant. « Tu racontes n'importe quoi, Hal. La colère t'égare. » Il fit signe à ses assistants et s'éloigna dans le couloir en enfilant son manteau.

Les reporters encerclèrent immédiatement Hal. Maria Sonreia, de Channel 4, portait l'épais maquillage de rigueur à l'antenne. Ses sourcils était si parfaitement dessinés qu'on aurait cru des postiches. Elle demanda plusieurs fois : « Quel est selon vous le rôle tenu par le sénateur Gianis dans l'assassinat de votre sœur ? »

À l'instar d'Evon, Tooley avait assisté à l'échange médusé. Il décida d'intervenir. Après avoir attrapé son client par le bras, il l'écarta des journalistes.

«Rien à ajouter, conclut-il. Nous ferons peut-être une autre déclaration demain.»

Evon appela la voiture de son patron tandis qu'ils se dirigeaient vers l'ascenseur. Les garnitures en cuir caramel de la Bentley lui donnaient souvent l'impression de voyager dans un écrin. La limousine les attendait le long du trottoir. Delman, le chauffeur, maintenait la portière ouverte et souriait d'une manière affable à un policier en gilet de sécurité qui agitait son bâton lumineux et lui intimait de dégager la voie.

Hal invita la responsable à monter dans le véhicule. Delman déposerait son patron au bureau, puis ramènerait Evon à sa voiture.

«C'était quoi, ce foin?» demanda Mel sitôt qu'ils se mirent en route. L'avocat était un ami d'enfance de Hal. Au rang de toutes les histoires que le P-DG avait bâties autour de lui, l'une d'elles prétendait qu'il avait été un jeune citadin élevé dans un bungalow à Kewahnee, et non dans la grande villa du comté de Grennwood où son père avait déménagé quand Hal était en primaire. Il n'était pas proche des milieux aisés qu'il avait côtoyés au secondaire et à la fac et parmi lesquels il élevait désormais ses propres enfants. Il leur préférait des fréquentations de jeunesse telles que Mel. À la vérité, ce dernier l'avait certainement fui à l'époque, comme tout le monde. Tooley était par nature quelqu'un de mielleux. Cependant, il n'hésitait pas à être franc lorsqu'il le fallait. Et quand Hal était de bonne humeur, il était disposé à entendre les gens s'exprimer sans détour.

«Tu sais que tu vas te retrouver à la une, demain? insista Mel.

— Évidemment.» Hal ne laissait jamais personne oublier que, sous des dehors ombrageux, il était parfois rusé.

«Je suppose qu'il est inutile d'essayer de te convaincre d'organiser une conférence de presse cet après-midi pour te rétracter, n'est-ce pas? Si nous réagissons rapidement,

Paul renoncera peut-être à nous poursuivre pour diffamation.

— Diffamation?

— Il se présente aux élections municipales, Hal. Tu
viens de le traiter d'assassin. Paul va nous traîner devant
les tribunaux. Il ne peut pas laisser passer ça. »

Hal était tassé dans son manteau, les bras croisés. Il
ressemblait à un oiseau déplumé.

« Je ne retire rien de ce que j'ai dit. » Evon avait appris
au fil du temps que le fait d'être milliardaire avait souvent
d'étranges conséquences sur les gens. Dans le cas de son
patron, il retombait en enfance. « Qu'il aille au procès. Je
n'ai pas le droit de donner mon avis sur un candidat à la
mairie?

— Même pour une personne publique, la loi stipule que
tu ne peux pas proférer d'accusations mensongères.

— Ce n'est pas un mensonge. Je maintiens que les
jumeaux étaient complices. Je les connais depuis tout
gosses. Impossible que l'un d'eux ait fait un truc pareil
sans impliquer l'autre. »

Tooley secoua la tête.

« Hal, mon ami, je travaille sur ce dossier depuis des
décennies et je n'ai jamais vu aucune allusion à la complicité de Paul. En plus, le moment est vraiment mal choisi
pour l'attaquer de la sorte. Au bout de vingt-cinq ans, tu te
réveilles, tu lui reproches le crime de son frère. Pile quand
Paul est pressenti à l'hôtel de ville et que tu es le principal
soutien du parti adverse? »

Hal considéra ces arguments avec une moue revêche.
Son regard, semblable à celui d'un mulot acculé, devint
fuyant derrière ses épaisses lunettes.

« Je ne peux pas encadrer ce type. »

Evon n'était pas en mesure de saisir les enjeux de ces
dissensions familiales, mais la colère de son patron était
en partie compréhensible. Le meurtre de Dita avait sonné
le glas de la carrière politique de son père. Zeus avait
abandonné la course à l'élection au poste de gouverneur

dans les jours qui avaient suivi la disparition de sa fille. Et Paul se lançait aujourd'hui à l'ascension du mont Olympe. L'hôtel de ville constituait une première étape.

«Je suis convaincu qu'il est mêlé à cette affaire, martela le P-DG. Mes parents refusaient d'envisager cette possibilité. Mon père répétait à l'envi : "Cette tragédie touche les Gianis autant que nous." Quant à ma mère, elle excluait toute discussion à ce propos, en particulier après le décès de mon père. Je me suis tu par respect pour eux. Mais maintenant qu'ils ne sont plus là, je peux enfin dire ce que j'ai sur le cœur. Je songe d'ailleurs à lancer une campagne d'informations.» Il hocha la tête. Evon s'aperçut alors qu'aucune de ses déclarations, ici ou dans les soussols du tribunal, n'était due à l'impulsivité. Son patron avait prévu l'esclandre et ses conséquences avant d'arriver à l'audience.

«Alors, il sera obligé d'aller au procès, conclut Tooley. Si tu veux jouer à ce petit jeu, il vaut mieux avoir des preuves.

— Evon en trouvera.

— Moi ?» Elle n'avait pas pu se retenir. Cela faisait pourtant trois ans qu'elle passait son temps à réparer les bourdes de Hal.

«Appelle Tim, ordonna son patron.

— Tim ?»

Hal parlait du détective privé qui avait espionné Corus Dykstra, de YourHouse.

«Tim connaît bien le dossier. Il a toujours considéré que nous n'avions pas tous les éléments. Je parie qu'il sait déjà un paquet de choses croustillantes sur Paul.»

Ils s'arrêtèrent devant les locaux de ZP. Hal devait tenir une téléconférence sur l'acquisition de YourHouse. Au moment de sortir du véhicule pour gagner son bureau, au quatorzième étage, il tendit un papier à Evon.

«Le portable de Tim. Contacte-le. Il t'aidera.»

3.

Horgan – 10 janvier 2008

La générosité de Raymond Horgan avait constitué un sérieux atout au long de la carrière de Paul Gianis. Ce fut Stan Sennett, ancien adjoint de Ray et cousin au deuxième degré de Paul, qui organisa la première entrevue entre les deux hommes. Ils s'étaient entendus à merveille dès le début. Après la mort de Dita, Ray lui avait laissé la porte ouverte tandis qu'il travaillait avec Sandy Stern à la défense de son frère. Et cela ne changea pas lorsque Cass plaida coupable. Ray enjoignait toujours ses adjoints à se poser la question suivante : seriez-vous objectifs si votre frère était impliqué dans un procès ? Paul n'avait sans doute pas besoin qu'on lui prodigue un tel conseil.

En 1986, Ray avait perdu les primaires en faveur de son ancien adjoint, Nico Della Guardia. Paul avait quitté le cabinet peu après pour embrasser une carrière d'avocat. Même s'il n'était plus procureur, Ray demeurait une figure emblématique du Democratic Farmers & Union Party. Après avoir remporté deux grands procès liés à l'industrie du tabac, une décennie plus tôt, Paul en était venu à considérer sa profession comme un passe-temps. Horgan l'avait alors aidé à se lancer en politique. Il l'avait d'abord présenté aux leaders locaux du Parti démocrate, puis, quelques années plus tard, avait lui-même muselé les derniers récalcitrants pour permettre à Paul, candidat réformiste, de diriger la majorité au Sénat. À présent, Raymond était le premier conseiller de Paul dans la course à la mairie.

« Il ne s'agit pas d'une simple allégation, mais d'un travestissement des faits avec volonté de nuire », professa Ray. Le mentor entendait par là résumer la défense idéale qu'un personnage public tel que Paul aurait à adopter pour gagner un procès en diffamation. À plus de soixante-dix ans, Horgan était si rouge sous son glaçage de cheveux blancs qu'on ne pouvait s'empêcher de songer à un poivron. Il claudiquait après deux opérations du genou et oubliait parfois les noms. Certains le qualifiaient désormais de vieux cabot inoffensif, mais il avait gardé ses crocs, de même qu'une indéniable maîtrise des mécanismes sournois du pouvoir.

« On peut l'établir ? s'enquit Paul.

— Sans problème. Quelle preuve ont-ils de ton implication dans le meurtre de Dita ? »

De l'autre côté de la table de conférence lisse et brillante, Marc Crully, le directeur de campagne, lâcha son stylo.

« Portons l'affaire devant les tribunaux », jugea-t-il. Mark était un petit gars calme et têtu, du style général d'armée d'appoint que l'on ne voit jamais à la télé. Il dirigeait des campagnes à travers tout le pays depuis une dizaine d'années. Récemment, il avait aidé à remporter un siège au Congrès californien, républicain depuis un demi-siècle. Il était bon, mais pour une chose seulement : gagner. Il paraissait à présent irrité. Sa patience envers les avocats – ou n'importe qui d'autre, d'ailleurs – était assez limitée. « Devant les tribunaux », répéta-t-il.

Paul fit mine de l'ignorer. Crully avait parfois du mal à comprendre qui travaillait pour qui. Gianis s'adressa par conséquent à Ray.

« En ce cas, ce sera à nous de démontrer que je n'ai rien à voir avec tout ça, non ? Les preuves *a contrario*, c'est la plaie. Et ce n'est pas comme si on pouvait demander un test ADN pour la scène de crime. Cass et moi sommes monozygotes.

— Exact, convint Ray. Mais on découvrira certains éléments. Et ces éléments indiqueront que le dossier de Hal est vide. N'est-ce pas ? »

Ils étaient tous les trois réunis dans la salle de conférence circulaire au beau milieu du QG de campagne de Paul. Des baies vitrées de chaque côté. Une architecture voulue par Crully. Celui-ci était persuadé que la transparence des lieux enverrait le message adéquat aux membres de l'équipe, mais aussi à la presse, que le directeur invitait parfois. Paul, habitué à la discrétion, ne parvenait pas à s'y faire.

Lorsque l'on regardait les bureaux à travers les vitres, on croyait assister à une campagne sans problème. Dix heures du matin, et les militants – une centaine de personnes dont vingt pour cent de bénévoles – étaient déjà à pied d'œuvre. Le bâtiment appartenait à un type que Paul connaissait depuis la fac de droit, Max Florence. Ce dernier leur avait alloué deux étages. Les locaux avaient été aménagés à l'aide de panneaux modulables blancs ornés de grandes vitres, si bien que tout fonctionnait à la date prévue. Cette efficience avait sûrement impressionné les adversaires de Paul, au nombre d'une demi-douzaine.

Une bonne moitié des espaces de travail était dévolue aux levées de fonds. La plupart des militants était pendus au téléphone, sollicitant des donateurs inscrits sur les listes que Paul avait développées au cours des quatre campagnes précédentes. Field, le responsable d'une des trois opérations majeures, officiait de l'autre côté de la baie vitrée. Jean Orange riait avec ses deux adjoints. Les parois métalliques de son bureau étaient couvertes de cartes. Les punaises vertes indiquaient les antennes ouvertes à travers le pays, les rouges les endroits où les élus locaux ou responsables d'associations avaient promis leur soutien. Maintenant que les vacances étaient terminées, Jean comptait sur un millier de volontaires disposés à prospecter le week-end suivant. L'espace relations extérieures, dans un coin de la pièce, constituait le centre névralgique de la machinerie. Tom Mileie, un expert Internet de trente-deux ans, ainsi que deux directeurs adjoints et le conseiller politique répondaient aux journalistes désireux de connaître la réaction de Paul suite aux accusations lancées par Hal Kronon.

Crully intervint derechef : « Poursuis cet enfoiré. Tu lui as donné vingt-quatre heures. On lui a envoyé une lettre pour lui dire de se calmer et, non seulement il refuse, mais il réitère ses propos devant les journalistes ce matin. Maintenant, on va au procès. »

Paul avait suffisamment fréquenté les arcanes de la vie politique pour gérer les crises avec sang-froid. À la vérité, ces crises constituaient justement le sel de l'expérience. Les gens vous accordaient leur confiance, vous deviez assumer. Et c'était exactement ce qu'il allait faire. Comme toujours.

« Hal est un impulsif, plaida-t-il. Tout le monde est au courant. Si je le traîne en justice, je lui donne un tremplin pour exposer ses élucubrations. Les derniers sondages nous gratifient de vingt points de progression. Avec ce genre d'atout, on la joue en finesse, sans bluff.

— Ce mec n'a pas besoin de tremplin, objecta Crully. Il est milliardaire. » Le directeur portait une cravate rouge de VRP et une chemise blanche aussi brillante qu'une paire de phares. Ses manchettes étaient impeccables. Tous les autres employés, sauf les communicants, obligés d'être sur leur trente et un devant les caméras, bossaient en jean. Crully était très attaché à son passé de militaire. Il parlait d'une voix grave et s'appliquait à proscrire toute émotion de son discours tandis que son satané stylo tournait entre ses doigts. D'après Paul, tous les Crully du monde fonctionnaient sur le même registre. Lorsqu'il rentrait chez lui en Pennsylvanie, le directeur passait sans doute deux jours à pleurer sur la tombe de sa mère, à maudire son poivrot de père et à haïr sa fratrie. Puis il retournait travailler avec le masque froid d'un tueur à gages. L'ancien Marine pointa son stylo vers Ray pour l'inviter à parler.

« Et on a un autre souci... »

— J'ai reçu un appel, embraya Ray. Un vieux copain. Un autre trouble-fête comme moi. La rumeur prétend que Hal a engagé Coral Glotten pour réaliser une campagne d'informations.

— D'informations sur quoi ?

— Sur ta complicité dans l'assassinat de sa sœur, je pense. Et n'oublions pas que tu es dans le camp adverse. Murchison et Dixon sauront sûrement comment utiliser ce coup d'éclat à leur profit. Eux et les autres.

— Attendons de voir ce qui se dit. »

Crully laissa de nouveau choir son stylo. « Super. Combien de temps et d'argent voudras-tu consacrer à désamorcer cette bombe ? Tu n'as pas le choix. C'est une élection. Les élections reposent sur les mythes, sur ta faculté à persuader les gens que tu es un dieu, pas un mortel. Je ne t'apprends rien.

— Hal est-il en mesure de faire un truc pareil ? Dépenser une fortune dans une campagne d'info ?

— Sans doute, supposa Raymond. Jusqu'ici, nous n'avons aucune confirmation qu'il y ait un pot commun. Il agit de son propre chef, en accord avec le Premier amendement. Du moins tant que cinq tocards à la Cour Suprême estiment que dépenser son fric constitue la meilleure garantie de liberté d'expression.

— Supposons que cette démarche soit illégale, insista Crully. Tu veux aller t'expliquer devant la Cour ? Ou devant la Commission de contrôle ? À ce moment-là, Hal n'aura plus besoin de payer la moindre pub. Il se contentera de tenir des conférences de presse tous les jours pour crier sur les toits que tu tentes de le censurer. Et les journalistes n'aiment pas les censeurs. Ils ont toujours peur d'être les prochains sur la liste. Bref, tu iras devant les tribunaux de toute façon. La seule question est : quand ? Tu veux y aller maintenant, sous l'apparence d'un innocent qui exprime son indignation ? Ou dans trois semaines en pleurnichant sur l'argent que Hal dépense pour t'insulter ? Le pari est risqué. » Crully baissa la tête et regarda Paul par en dessous, histoire de souligner la franchise implacable dans ses yeux.

Mario Cuomo prétendait que les élection se gagnaient en poésie et que l'on gouvernait en prose. Paul, lui, considérait que les deux tactiques menaient à l'abattoir. Seule la porte d'entrée différait. L'accession au pouvoir et son exercice étaient deux processus aussi brutaux l'un que l'autre. Du sang, des veines que vous tranchiez pour asperger vos concurrents. La politique était une guerre de tous contre tous, y compris vos prétendus alliés. Crully, par exemple, souhaitait la victoire de Paul, mais juste pour obtenir d'autres campagnes plus importantes. Il se moquait des imbroglios familiaux de son employeur ou des sacrifices que les Gianis avaient consentis pour vivre avec la disparition tragique de Dita. En fait, il avait simplement pris ce poste pour rester en dehors du combat de coqs entre Obama et Hillary. D'ici mai, date à laquelle les élections se tiendraient, le vainqueur serait tout désigné et Mark intégrerait les présidentielles. Sans doute pour s'occuper d'un État susceptible de basculer.

« D'accord, Mark, dit Paul. J'ai compris, mais Hal va se servir du procès pour attirer toutes les brebis galeuses à la barre. Et je suis censé passer mon temps au tribunal deux semaines avant l'élection ?

— Que dalle. Tu poursuis Kronon, et les avocats font traîner. Il va demander un non-lieu parce que tu bafoues son droit d'expression, on prend des semaines pour répondre et c'est l'élection. » Il fit un geste de main en direction de Ray : jouer avec les failles de la loi, se livrer aux tours de passe-passe habituels et attendre l'échec prévisible.

En général, Ray trouvait Crully amusant. Peut-être parce qu'ils étaient dans la même équipe. Aujourd'hui, néanmoins, il paraissait agacé. Il se leva pour prendre le

manteau accroché au dossier de sa chaise. À l'instar de
Paul, il jugeait parfois préférable d'ignorer Mark.

« Est-ce qu'on risque gros si on intente une action en justice ? Bien entendu. » Il roula les manches de sa chemise.
« Mais Hal t'a acculé. Il va continuer à prétendre que tu as
tué sa sœur devant tous ceux qui voudront bien l'écouter.
Si tu l'attaques, possible que davantage de monde s'inté-
resse à cette histoire. Mais possible aussi qu'il la boucle
enfin. Qu'un juge l'y oblige. L'un dans l'autre, je pense que
tu devrais porter plainte, Paulie. Sinon, tu feras campagne
sous l'étiquette d'un meurtrier potentiel. Une sacrée cas-
serole dans le sprint final. Tu dois déclarer publiquement :
"Je n'ai rien fait."

— Soit. Et ensuite ?

— Tu ripostes. Intente un procès, défends ta peau. »

Paul ferma les yeux pour réfléchir. Même dans des
moments tels que celui-ci, il aimait sa vie. Enfin en grande
partie. L'aspect financier était certes pesant et les choses
s'aggravaient de jour en jour. Cette mascarade était presque
insupportable. On ne gagnait pas de grosses sommes sans
s'agenouiller devant des personnes mues par leurs propres intérêts. Pourtant, le reste valait encore le coup. Il
était assez lucide pour admettre qu'il aimait la lumière des
projecteurs. Lidia avait appris à ses enfants qu'ils méri-
taient toute l'attention du monde. Il trouvait par ailleurs
excitant de résoudre les problèmes importants. Le comté
était sur la corde raide depuis des années : n'importe quel
individu pourvu des plus élémentaires notions d'arithmétique s'apercevait qu'il n'y avait pas d'argent pour entretenir les écoles ou payer les retraites. Mais lui, Paul Gianis,
était persuadé d'y arriver. Aucun autre métier n'avait ce
genre d'impact. Votre bref passage sur terre se trouvait
sublimé au-delà de votre cercle intime. Bien sûr, vous pouviez aussi modifier l'existence des citoyens en inventant un
semi-conducteur ou en réalisant des films, mais seulement
lorsque les gens entraient en contact avec votre domaine
de compétence. En revanche, en politique, votre influence

était universelle. Le premier venu était affecté par vos décisions, à propos desquelles il avait souvent une opinion bien tranchée. Le monde était ce qu'il était : un endroit rempli d'amour, d'indifférence et de cruauté. Et il était en votre pouvoir de l'améliorer. Moins de détresse, moins de violence et plus d'ouvertures. Il avait connu une époque où les Noirs étaient relégués à l'arrière des bus. Aujourd'hui, ceux-ci avaient l'œil rivé sur les résultats en Iowa, la Maison-Blanche en ligne de mire. Pour peu que vous soyez capables de vous accommoder des aspects les plus déplaisants de la société, vous pouviez vous coucher avec le sentiment d'avoir contribué à ce type de changement.

« Pour être franc, ajouta Raymond, un seul détail me chiffonne : il te défie pratiquement de le poursuivre.

— Il est comme ça. Hal est un jouet à ressort qui se remonte avec une clef spéciale. Si je gagne vingt millions au procès, il interjettera pendant cinq ans avant de rédiger le chèque sans sourciller. De plus, il assimile les démocrates à des communistes obsédés par l'anéantissement de la libre entreprise qui fait la grandeur de l'Amérique. Il a toujours été fidèle à ses opinions. Je me souviens qu'à l'âge de six ans il avait décoré sa chambre avec les banderoles de soutien à Barry Goldwater. On était en 1964. Il n'y avait aucun républicain à Kewahnee. Même Zeus, son père, n'a viré à droite que lorsqu'ils ont emménagé en zone résidentielle, où il est tombé littéralement amoureux de Reagan. Cette force de conviction était sa manière à lui de ne pas appartenir au camp des nuls. Une façon d'affirmer qu'il était le seul à avoir raison.

— D'accord. Mais il ne peut pas raisonnablement croire qu'un républicain va être élu dans cette ville. Disons qu'il t'éjecte et que la gauche éclate. Flanagan se lance dans la course. Catastrophe assurée. Si Hal est pragmatique…

— Il ne l'est pas.

— Oui, mais supposons. Le bon sens veut que, s'il claironne ses accusations, il ait de quoi les étayer. Alors je te le demande, Paulie : est-ce le cas ?

— Pas que je sache. »

Horgan avait travaillé sur des dossiers criminels pendant des années. Il avait interrogé Paul avec une telle nonchalance que celui-ci avait répliqué à l'identique. Cependant, Ray était un homme rusé. Et ce ne fut qu'à l'instant où le vieux briscard posait sur lui ses yeux bleu acier que Paul comprit qu'il insistait depuis dix minutes dans l'espoir d'obtenir une réponse claire.

Crully ne lui laissa pas le loisir de dissiper le doute. Il se leva. Malgré son mètre soixante, ses traits inébranlables lui conféraient l'apparence d'un type qu'il vaut mieux ne pas contrarier. Il avait assez perdu de temps.

« Assigne-le, point final. Personnellement, Ray, je me contrefous de savoir ce que Hal a en réserve. Parce que, s'il possède quoi que ce soit de tangible, Paul ne sera pas maire. » Il se tourna vers l'intéressé. « Abandonne maintenant, Paul, ou poursuis-le. » Il lança son stylo en l'air, le laissa retomber sur la table et quitta la pièce.

4.

Chez Tim – 11 janvier 2008

Tim Brodie vivait dans le quartier où Paul et Cass Gianis avaient grandi et où tout avait débuté pour Hal, à Kewahnee. Les petits pavillons aux toits pourvus d'arêtiers, constructions de briques datant de la Seconde Guerre mondiale, se tenaient ramassés sur eux-mêmes tels des crapauds. Douze mètres l'unité, avec de gros arbres centenaires le long des avenues enneigées. Tim avait acheté cette bicoque en 1959, juste après être passé inspecteur. À l'époque, il avait eu l'impression d'accéder à la maturité et à l'accomplissement personnel souvent évoqués par son entourage.

Il se réveilla en sursaut, un poids sur la poitrine. Il avait dormi sur le divan en tartan familial. Il poussa un grognement inquiétant, s'assit, puis attendit de récupérer ses facultés physiques et mentales. Chaque fois qu'il s'éveillait, il ressentait une douleur intolérable à la jambe. Celle-ci s'estompait presque aussitôt. Il ignorait si l'apaisement était effectif ou s'il résultait d'une simple accoutumance. Il avait attendu toute sa vie que le temps le rattrape, et c'était enfin le cas.

Il identifia la sonnette de la porte d'entrée. Quand il fut en mesure de bouger, il se leva. D'ordinaire, il s'agissait de sa petite-fille, Stefanie, et de son mari, un gars court sur pattes assez marrant. Mais le couple lui avait déjà rendu visite la veille au soir. Il découvrit une femme sur le seuil. Des nuages de condensation émergeaient de sa bouche dans l'air glacé. Il la connaissait sans parvenir toutefois à la situer.

Il ouvrit le premier battant, mais pas la contre-porte en verre.

« Evon Miller, se présenta-t-elle, la main tendue. Je travaille pour ZP.

— Ah oui, pardon », marmonna-t-il avant de s'effacer pour la laisser entrer. Il avait rencontré la responsable de la sécurité une ou deux fois. La première au moment où elle avait pris la relève de son copain de l'armée, Collins Mullaney. Collins adorait son boulot, mais avait dû renoncer après qu'un agent immobilier de la boîte fut accusé de verser des pots-de-vin pour obtenir une baisse de la taxe foncière en Illinois. Le militaire était parti avec un bon parachute et demeurait plutôt bien disposé envers sa remplaçante. La petite nana aux jambes arquées était une excellente recrue. Ancien agent du FBI, elle avait contribué à faire tomber une poignée de juges véreux quelques années auparavant. D'après les souvenirs de Tim, elle avait aussi participé aux Jeux olympiques. Hockey sur gazon, lui semblait-il. Evon revendiquait par ailleurs ses tendances homosexuelles. Un milieu auquel Tim avait été confronté assez tôt, lorsqu'il s'était mis au trombone. Il se moquait des orientations sexuelles des gens, tant qu'ils jouaient juste et gardaient le tempo.

« Que me vaut l'honneur ? » demanda-t-il dès qu'elle fut à l'intérieur. Il l'invita à poser son manteau. Elle était plutôt séduisante. Baraquée, mais avec un soupçon de raffinement et des cheveux blonds coupés court. Son visage était ouvert. Sa peau laiteuse ressortait à la lumière du jour.

« J'ai besoin de certains renseignements, fit-elle. J'essaie de vous joindre sur votre portable depuis trois jours.

— Ah bon ? » Tim vit l'appareil posé sur la table du salon, là où il l'avait laissé après avoir filé Corus Dykstra, de YourHouse. Éteint. Il glissa le téléphone dans sa poche avec un petit rire. « Je me demandais pourquoi ma fille m'avait appelé sur le fixe hier. Ne vieillissez pas. » Les distractions liées à l'âge se faisaient sentir. Ses pensées l'éloignaient souvent de la réalité, ce qui ne laissait pas de le surprendre.

Il proposa un café à Evon. Elle refusa son offre.

« J'ai grandi dans une ville mormone, précisa-t-elle. Mon père était croyant mais non pratiquant. Je ne m'y suis jamais habituée. Je prendrai un verre d'eau, si ça ne vous fait rien. »

L'homme portait une chemise en flanelle et un pantalon en serge. Visiblement, il avait dormi. Ses cheveux blancs jaunissaient par endroits et se dressaient en pointe là où ils auraient dû être coiffés sur le crâne. Son visage était rouge, ses traits marqués s'affaissaient à l'image d'une patate blette. Il était devenu l'un de ces vieux sans cesse affligés d'une expression méfiante, comme s'ils craignaient à chaque instant d'être victimes d'un abus de faiblesse. Il lui tendit le verre d'eau avant de la conduire au salon. Evon se souvenait vaguement que Tim était veuf. La maison, peuplée de vestiges d'une ancienne vie, était sans doute restée telle quelle depuis le décès de sa femme. Le genre de lieu où vous étiez obligé de passer de biais entre les meubles. Les murs étaient constellés de photos de famille, de paysages et de dessins d'enfants. Les objets s'entassaient sur la moindre surface plane : porcelaines de Limoges, boîtes laquées, presse-papiers en verre. Des livres et encore des photos. On aurait pu transformer cette maison en brocante.

Une musique douce jouait dans la pièce de derrière, une extension ensoleillée munie d'imposantes fenêtres. Tim s'arrêta une seconde pour écouter, les yeux fermés, un doigt levé, le crooner donner la réplique à un trombone sur une reprise rythmée de *It's All Right With Me*. Puis il arrêta le vieux tourne-disque et glissa délicatement le trente-trois tours dans une pochette grise. Evon aperçut un marque-page dans un épais volume, signe qu'il était en train de lire.

« *Mythes de la Grèce antique*, précisa-t-il lorsqu'elle lui demanda des éclaircissements sur le livre. Quand Maria est morte, j'ai estimé que je ferais aussi bien d'accomplir les choses que je désirais entreprendre. Je m'étais promis de lire *La Comédie des erreurs*, de Shakespeare. Plutôt une pièce comique, en fait. Les jumeaux séparés à la naissance. J'apprécie les trucs légers, mais *Le Roi Lear*, ça c'est du solide. Et ces histoires intemporelles… » Il soupesa le livre à deux mains. « … sont un remède radical à la torpeur. » À la lumière du jour, Evon distinguait les poils de barbe blanche, rescapés du rasage matinal, hérisser ses joues. « Donc, vous êtes venue parler de Dykstra et de YourHouse ?

— Pas vraiment. Hal prétend que vous avez glané pas mal d'informations en la suivant. Je dois vous avouer que si j'avais su quelle mission il vous avait confiée, j'aurais essayé de le dissuader. Toute l'affaire YourHouse aurait pu tomber à l'eau. »

Tim secoua la tête. « Personne ne remarque un type de quatre-vingt-un ans. Les regards glissent sur vous. »

La franchise mélancolique de sa déclaration désarçonna Evon l'espace d'un court instant. Cependant, Tim ne paraissait quêter aucune compassion. Elle changea de sujet et lui demanda s'il avait lu les journaux cette semaine. Il pouffa et désigna une pile dans la cuisine. Les périodiques n'avaient pas quitté leur plastique bleu. Encore une chose qui lui échappait. Evon lui présenta l'édition de mercredi. Il grogna à la lecture du titre : « Gianis accusé d'avoir participé au meurtre de la sœur Kronon. »

« Bon Dieu de bon Dieu, murmura-t-il en étudiant l'article.

— Paul a envoyé un courrier à Hal pour exiger un démenti. En vain. Le patron a même répété ses propos devant plusieurs autres journalistes. Et il a l'intention de produire un spot pour enfoncer le clou. Gianis a porté plainte pour diffamation hier.

— Seigneur. » Tim comprenait tout à fait le genre de réactions suscitées par le meurtre d'un être cher. Un homicide était beaucoup plus difficile à accepter qu'un décès causé par la chute d'une brique du haut d'un immeuble. Quand un crétin décidait sciemment d'abréger l'existence d'une personne adorée, il était facile de sortir de ses gonds. Tim avait passé plus de vingt-cinq ans dans les forces de l'ordre. Il avait vu des flics hocher la tête, tapoter les mains de leur interlocuteur et leur conseiller de laisser faire le temps. Certains ne pouvaient s'y résoudre. Hal était de ceux-là.

« Quand j'ai compulsé les archives, fit Evon, j'ai vu que vous étiez chargé de l'enquête sur le meurtre de Dita.

— Beaucoup de monde bossait là-dessus, renifla Tim.

— Eh bien, Hal est convaincu qu'à cette époque vous aviez une opinion très précise sur Paul et l'assassinat. C'est exact ?

— Je n'irais pas jusque-là. Hal a raison en ce sens que je n'ai jamais été satisfait des réponses que nous obtenions. Elles étaient trop claires, trop systématiques. Mais n'est-ce pas le cas dans de nombreuses affaires ? La plupart des dossiers présentent ce type d'anomalie. Il subsiste toujours des doutes. »

En attendant des nouvelles de Tim, Evon avait demandé à son assistant d'imprimer tout ce qui avait été publié sur Internet à propos de la mort de Dita. Le meurtre avait connu un écho considérable. Effusions et passions morbides s'y réunissaient pour satisfaire les penchants lugubres d'un public avide de tragédie. Que le drame ait eu lieu dans l'univers luxueux où les privilégiés s'abritaient des turpitudes de la ville ajoutait au côté sensationnaliste du fait divers. Quelqu'un s'était glissé dans la chambre de Dita pendant que la famille dormait, l'avait assassinée et avait laissé derrière lui des traces de sang et du verre brisé. Les journaux avaient titré sur l'affaire pendant des semaines, en particulier quand Zeus s'était retiré de l'élection au poste de gouverneur. Selon les articles, les pistes étaient quasi inexistantes. À la surprise générale, Cass Gianis s'était accusé du forfait quelques mois plus tard. Meurtre au second degré. Son jumeau, toutefois, n'avait jamais été inquiété. Tout juste avait-on mentionné le lien de parenté. Lorsque Paul s'était lancé en politique, l'affaire avait brièvement resurgi. Les sources prétendaient qu'il rendait visite au prisonnier chaque semaine et lui écrivait tous les soirs avant d'aller dormir. Il n'avait jamais évoqué le drame, sauf à répéter combien il aimait son frère.

« Comment en êtes-vous arrivé à travailler sur le dossier ? s'enquit Evon. Kindle vous a désigné ?

— Non. J'étais déjà à la retraite. Cinquante-cinq ans l'année précédente. J'avais intégré l'entreprise de mon beau-frère chauffagiste. C'est Zeus, le père de Hal, qui m'a demandé de me pencher là-dessus.

— Comment vous a-t-il trouvé ?

— Oh, je connais Zeus et sa famille depuis toujours. Les Kronon vivaient à deux pâtés de maisons quand Maria et moi avons emménagé dans le quartier. » Tim se redressa pour désigner la grande fenêtre de la véranda. « Ma femme était grecque. J'ai baptisé tous mes gosses à l'église Saint-Démétrios. Je parle même un peu la langue. J'ai été président du foyer pendant quatre ans. Avec le temps, Maria a perdu la foi. Elle était restée fidèle à ses valeurs profondes mais, après le décès de notre fille, elle ne pouvait plus s'agenouiller devant l'autel et prier le Tout-Puissant. » Le visage ridé du vieux détective s'assombrit. Il toussota.

« Les Grecs fonctionnent en vase clos, je ne vous apprends rien. Zeus a dû juger que j'étais suffisamment proche. Un peuple très enjoué, mais aussi très fier. Ils aiment se moquer d'eux-mêmes pour éviter que les autres ne le fassent à leur place. Du genre : "On a inventé la démocratie et on se roule les pouces depuis", vous voyez ? Ils ont aussi une tradition de conquêtes. Les Ottomans sont à leurs pieds depuis cinq siècles. Un exploit intimidant, en particulier si vous êtes un homme. Ils refusent néanmoins de l'admettre. Tout le mérite revient aux Turcs. » Les yeux gris de Tim s'attardèrent sur Evon. Elle se rendit compte qu'il avait oublié la question.

« Vous et Zeus étiez amis ?

— Zeus était trop conscient de sa supériorité pour s'abaisser à cette familiarité, s'amusa-t-il. Certes, il saluait tout le monde, mais il était à cent coudées au-dessus des gens du quartier. Qu'est-ce qu'on peut attendre d'un gars qui se fait appeler Zeus, de toute façon ?

— Ce n'est pas son vrai prénom ?

— Oh bon Dieu, non. » Tim se gratta la tête de sa grosse main calleuse, histoire de raviver les souvenirs. « Zisis, conclut-il. Enfin, c'est son nom de baptême. Mais dès qu'il a été scolarisé, ses camarades l'ont surnommé "Zizi". Alors, au lycée, il a opté pour "Zeus". On peut le comprendre. »

Evon interrogea de nouveau Tim sur les raisons de son implication dans l'enquête et, une fois encore, le vieux détective expulsa un rire glaireux.

« L'opération était aussi organisée qu'une mêlée générale. Personne n'avait sécurisé la scène de crime. Hal et ses parents étaient sur les lieux vingt minutes avant l'arrivée des secours. Ils avaient fait le ménage. La mère avait même modifié la position du corps avant que quiconque ne songe à appeler les flics. Non pas que l'arrivée des forces de l'ordre change grand-chose. Les poulets de Greenwood n'avaient pas vu un meurtre depuis dix-huit ans. Ils ignoraient sans doute comment procéder, ce qui ne les a pas empêchés de planter le bazar pendant un jour ou deux avant de requérir l'aide de la police d'État. Zeus se présentait comme gouverneur. La dimension politique brouillait les cartes. Chaque agent dépêché sur place surveillait le travail des autres. Zeus, à bout de nerfs, a réclamé le concours du FBI. Il l'a obtenu. Comme si les fédéraux connaissaient quoi que ce soit aux affaires de meurtre. On s'est retrouvés avec trois équipes d'incapables qui se marchaient sur les pieds. » Tim se rappela soudain à qui il parlait. Ses yeux s'agrandirent. « Sans vouloir vous vexer.

— Pas de problème.» Depuis toujours, les rapports entre les fédéraux et les flics locaux se résumaient à une véritable guerre civile. Le conflit s'exprimait sous une forme différente à chaque génération.

« On avait trois services différents qui collectaient les indices, reprit le détective. Ils avaient tous leurs propres échantillons. Certains d'entre eux ont été analysés trois fois, d'autres pas du tout. De chaque côté, on pensait que quelqu'un d'autre coordonnait l'enquête. Un bordel pas croyable. Alors, au bout d'une semaine, Dickie Zapulski me contacte. Zeus a demandé à la police d'État de m'embaucher comme consultant pour diriger l'opération. Et puis Zeus m'appelle lui-même. Il me supplie. En vérité, je n'apprécie ni le boulot de chauffagiste ni mon beau-frère. Même si le travail de terrain ne me manque pas. Je ressens de l'empathie pour ce père endeuillé, donc j'accepte. Je veux bien tenter de remettre un peu d'ordre dans la procédure. En admettant qu'on consente à m'écouter.»

Quand Evon avait appris que Hal s'offrait les services d'un privé, peu après sa prise de fonction, elle était allée voir Collins Mullaney, qui assurait la transition pour un mois. Il l'avait rassurée. Tim était sans doute le meilleur enquêteur de la crim' disponible dans le coin. «J'appréciais sa constance, avait-il affirmé. Il se foutait de savoir qui baise qui dans les couloirs du commissariat central. Et il n'a jamais haï les délinquants. Certes, il allongeait parfois une baffe à un gamin qui lui crachait dessus, comme nous tous, mais s'escrimait à faire la part des choses. "Personne ne s'est jamais donné la peine d'apprendre quoi que ce soit au gosse", prétendait-il. Du genre : "C'est pour son bien." Je crois qu'il a lui-même grandi dans un orphelinat.»

D'après Tim, la scène de crime était peu parlante. Les premiers policiers sur place avaient trouvé le balcon ouvert. Une forte pluie s'était déclarée dans la soirée, à la fin de la garden-party organisée en l'honneur de Saint-Démétrios. On avait découvert deux profondes empreintes imprimées dans le tapis de fleurs sous la fenêtre de Dita, comme si quelqu'un avait sauté de la chambre, ainsi que des traces de pneus au bas de la colline, dans un endroit discret où il était aisé de dissimuler une voiture. Étant donné les deux cents véhicules présents ce jour-là, l'indice n'était guère probant. À l'étage, un des panneaux de la vitre coulissante était brisé entre les meneaux. Le balcon était jonché d'éclats de verre. Les arêtes effilées et la moquette étaient souillées de sang. La piste écarlate conduisait à la salle de bains. Un simple décompte avait permis d'établir la disparition d'une serviette. Le tueur s'en était sans doute servi pour panser sa blessure. Le système ABO, à la pointe de la technologie en 1982, avait confirmé la présence d'un individu de groupe B. Dita et toute sa famille étaient de phénotype O. La visite d'un intrus était donc certaine. Les premiers techniciens avaient recueilli plusieurs empreintes digitales sur la poignée en laiton à l'extérieur du balcon. Celles-ci avaient survécu à l'averse qui s'était déchaînée contre le flanc de la maison. Aucun moyen de les dater, mais on pouvait en toute logique les attribuer à l'agresseur.

« Dita est morte dans son lit, expliqua Tim. Les draps ne sont pas défaits. On suppose qu'elle était fatiguée et qu'elle a regardé la télé un moment en prévision d'une sortie au bar avec ses copines. Elle est en robe. Les dessous sont intacts. Pas de trauma vaginal, aucune déchirure, mais les examens médicaux sont formels : elle a eu un rapport au cours des quarante-huit dernières heures. Groupe B, encore une fois. On l'a frappée au visage, très fort, puis on lui a attrapé la mâchoire. Contusions visibles sur les deux joues. Le coup porté à gauche a laissé des griffures. L'individu était sûrement droitier. Une trace d'impact circulaire suggère le port d'une chevalière. Le légiste pense que le criminel l'a d'abord cognée, puis lui a couvert la bouche. Son crâne a heurté la tête de lit. Elle est décédée d'une hémorragie épidurale. Les hématomes et les lésions crâniennes sont *ante mortem*. Impossible en revanche de se prononcer sur une perte de connaissance éventuelle. L'évanouissement demeure toutefois probable, vu qu'elle n'a pas appelé à l'aide.» Le vieux détective égrenait les faits à l'image d'un chapelet. Le meurtre datait de vingt-cinq ans, mais Evon savait que les détails d'un dossier particulièrement sensible restaient marqués au fer rouge dans la mémoire des enquêteurs. Il existait très peu de professions aussi intenses que celle consistant à sauver la population des méchants.

«La mort a été estimée à quelle heure? interrogea-t-elle.

— Eh bien, c'était une fête grecque. Les invités ont mangé toute la journée. L'analyse du contenu stomacal est donc assez aléatoire. Le légiste penche pour 22 h 30, à prendre ou à laisser. D'après les relevés téléphoniques, elle a appelé son copain, Cass, aux alentours de 22 heures. Le décès est donc postérieur.

— Qui l'a trouvée?

— Zeus. Un témoignage de piètre qualité. Je n'aurais pas fait mieux. Il distingue clairement un bruit de verre brisé, se précipite dans le couloir. Ensuite, les informations deviennent confuses. Il se rappelle Dita sur le lit, la télévision allumée. Il lui demande si tout va bien, mais remarque aussitôt la fenêtre cassée et le sang. Il regarde à l'extérieur. Une silhouette floue et masculine disparaît dans les bois. Il se retourne vers Dita, répète sa question. Pas de réponse. Il s'approche, la touche, puis la secoue. Il met presque une minute à comprendre qu'elle est morte. Il appelle le médecin de famille, puis s'assoit en compagnie de sa fille. Il ne songe même pas à avertir sa femme.» Tim marqua une pause, absorbé par ses propres souvenirs. Quand Katy était décédée, ils s'y attendaient tous. Maria était rentrée dormir chez elle. Il avait donc dû lui téléphoner depuis l'hôpital. Le trouble qui s'était emparé de lui était encore vivace. Il était à la fois présent et absent. Une partie de lui résidait toujours dans le passé, quand sa fille avait six ans.

Evon voulut connaître l'avancée de l'enquête au moment où il avait pris les commandes.

« Ils couraient après leur ombre, expliqua-t-il. Le *modus operandi* était censé être le suivant : l'intrus escalade la fenêtre, persuadé que la chambre est déserte. Il surprend la jeune fille, tente de l'empêcher de crier, puis s'enfuit de peur que l'on n'ait perçu les bruits de lutte. Mais chaque service a sa théorie. Les municipaux privilégient un cambriolage qui tourne mal. Les policiers d'État interrogent tous les invités dans l'espoir de mettre la main sur un observateur perspicace. Zeus est une loque, il s'en veut. Pourquoi n'a-t-il pas entendu la bagarre ? Il est convaincu qu'elle a été tuée par un de ses ennemis.

— Un de ses ennemis ?

— Il se trouve que Zeus en a beaucoup. Il est plutôt rude en affaires. Il a été confronté à la mafia grecque, sans compter les maris et les petits copains des filles qu'il courtisait. Un des types du North End lui avait même conseillé de ne pas affronter Rafe Demuzzio dans la primaire. Le FBI vérifiait l'information.

— Et à quel moment Cass est-il apparu ? »

Tim précisa que les inspecteurs avaient questionné Cass au cours de l'enquête préliminaire, mais ce dernier avait feint l'ignorance. Au début, Zeus était sûr de son innocence. Et, les flics étant ce qu'ils sont, personne n'était chaud pour suspecter un élève officier. Trois semaines après le drame, la compagnie de téléphone avait fourni les relevés. On avait de nouveau interrogé Cass pour la forme. Il avait prétendu que, en l'absence de son frère et lui au domicile familial, Dita avait laissé un bref message sur sa boîte vocale. Message effacé pendant la nuit.

« Pour vous dire la vérité, Cass était la dernière personne à laquelle j'aurais songé. Les jumeaux étaient au lycée avec ma cadette, Démétra, et je les croisais fréquemment à l'église. Des gamins avec la tête sur les épaules, selon moi. Tous les deux. Mais c'est souvent celui que vous croyez connaître le mieux qui vous berne. » Tim réfléchit un instant, puis se pinça les lèvres. « Une grosse réunion a eu lieu un mois plus tard. Tous les enquêteurs étaient présents.

Nous voulions faire le point et nous n'avons pas été déçus. Deux ou trois copines de Dita ont signalé qu'elle comptait plaquer Cass. Toutes ces histoires de famille la fatiguaient. Alors, je vais vérifier le dossier de l'élève au commissariat central. Groupe B. Les empreintes sont disponibles. J'adresse une demande au bureau de Grennwood. Bien entendu, les dermatoglyphes correspondent à ceux retrouvés sur la poignée de porte et à pas mal d'objets dans la pièce. On commence à penser que le coup de fil nocturne de Dita consistait peut-être à lui ordonner de ramener ses fesses pour le larguer de vive voix.

« Le juge d'instruction de Greenwood désire interroger Cass à ce propos. Mais l'intéressé engage Sandy Stern, et l'avocat lui interdit de parler. Ils jouent au chat et à la souris pendant encore un mois. Stern maintient le discours suivant : "Ces empreintes ne signifient rien. Cass grimpait à la gouttière toutes les nuits pour l'émoustiller." Et quand on cuisine un peu les copines de Dita, celles-là même qui prétendaient que la jeune femme allait rompre corroborent la version de Stern.

— Cass se livrait à ce genre de facéties juste à côté de la chambre parentale ? Une étrange conception du plaisir. »

L'ancien inspecteur ferma les yeux et fit tourner la tête sur ses épaules en douceur, comme une feuille morte dans le vent. Qui pouvait dire quelle idée les gens se faisaient du plaisir, en particulier dans ce milieu ?

« Bien sûr, Zeus a bondi quand je lui ai appris ça. Hors de question qu'un joli cœur batifole avec son petit pétunia dans sa *casa*. Je pense que l'info est vraie.

— Tiens donc.

— Oui, parce que, si Cass grimpait au balcon pour faire crac-crac, il savait forcément comment pénétrer chez Dita. Je réclame donc ses relevés de compte et charge un mini-commando de vérifier toutes les paires de chaussures achetées dans l'année. Au bout d'une semaine, on trouve des Nike dont les semelles correspondent aux empreintes dénichées dans le parterre de fleurs. Les traces de pneus au bas de la colline pouvaient provenir de la vieille Datsun du jeune homme. Sauf que la voiture est équipée de Bridgestone et qu'au moins dix mille véhicules dans les Tri-Cities ont adopté cette marque.

« On obtient quand même une commission rogatoire pour passer ses fringues et sa bagnole au crible et l'obliger à se soumettre à un examen médical. On espère bien trouver où il s'est coupé. On a les chaussures, mais le reste des vêtements ne donne rien. Le Luminol révèle des traces de sang dans la Datsun. Groupe B. Entre-temps, Stern retarde l'examen médical. Il remplit tout un tas de paperasses et, juste au moment où il est sur le point d'épuiser les recours, il se pointe pour négocier le plaider coupable de son client. Meurtre, dix ans en établissement à surveillance réduite. À cette époque-là, Zeus revoit régulièrement Lidia, la mère des jumeaux, à l'église. Il est naturellement désolé pour elle et accepte les conditions fixées par l'avocat. Cependant, Hal et Hermione, la mère de Dita, ne veulent pas entendre parler d'une condamnation à dix ans. Juste quand le ministère public va prononcer l'inculpation, ils parviennent enfin à un arrangement. Second degré, vingt-cinq ans d'emprisonnement, toujours en détention aménagée. Le juge donne un mois à Cass pour exécuter la peine. Le temps d'assister au mariage de Paul.

— Et vous ? Vous étiez d'accord ?

— Ça dépend de ce que vous entendez par là. Je n'ai jamais considéré que la condamnation me regardait. La sécurité minimale a agacé certains flics, mais en ce qui me concerne, la prison ne doit pas être un lieu de torture. Un petit étudiant, et spécialement un élève officier, se ferait massacrer au QHS de Rudyard. Non, ce qui me dérangeait, c'était qu'il refusait de répondre aux questions laissées en suspens. Il a avoué, point.

— Quelles questions ?

— La vitre du balcon par exemple. Les débris de verre sont à l'extérieur, ce qui signifie que la fenêtre a été brisée depuis la chambre. Comment est-il entré ?

— Vous l'avez expliqué vous-mêmes. Il avait l'habitude d'escalader la façade pour... "faire crac-crac", si je reprends votre expression.

— D'accord. Admettons qu'il vienne conter fleurette ou qu'il sache déjà ce que Dita a en tête. D'une manière ou d'une autre, elle le douche : "C'est fini, bonhomme." Il perd les pédales, la frappe. Elle s'évanouit, il panique et s'enfuit. Mais s'il est déjà à l'intérieur, pourquoi ne pas se contenter d'ouvrir la fenêtre ?

— Peut-être qu'il voulait simuler un cambriolage ? Il n'y connaît pas grand-chose, alors il casse la vitre dans le mauvais sens.

— Théorie séduisante, pouffa Tim. Il pointa un doigt crochu et déformé par l'arthrite vers Evon. Un geste d'authentique admiration. « Mais vous oubliez deux paramètres : d'une part, Cass est à l'école de police. Et d'autre part, briser une vitre fait du bruit. Si vous voulez filer en douce, pourquoi rameuter la maisonnée ? Quel intérêt ?

— Il n'est donc pas votre suspect privilégié ?

— Ce n'est pas ce que je dis. Je constate juste que j'ai des questions sans réponse. Je n'avais pas de divan, à mon bureau, pour inviter le coupable à s'allonger et à me raconter ce qu'il avait sur le cœur, si tant est que lui-même le sache. En revanche, j'avais ses empreintes dans la chambre et sur la porte coulissante, le sang correspondait, le dessin des semelles aussi. Et il avait un mobile, car elle projetait de le quitter. Ne parlons pas de la fragilité de son alibi. Prétendre qu'il était avec son frère...

— Paul ?

— Exactement. Ils étaient soi-disant en train de boire des bières au bord du fleuve. Bien entendu, personne ne les a vus. Cass n'était même pas capable de se souvenir du magasin où ils avaient acheté leur pack. C'est Paul qui s'en était occupé, selon lui.

— Il a confirmé ? »

Tim se gratta le menton, les yeux fixés sur les poutres du plafond.

« Il me semble. Vous savez, on n'en était qu'à l'enquête préliminaire. Les flics interrogeaient tous ceux qui avaient côtoyé Dita à la garden party. Les PV tenaient en dix lignes. Je les ai peut-être encore.

— Vraiment ?

— À la cave. Je n'avais aucune équipe fixe et je changeais de bureau tous les deux ou trois jours. J'ai donc jugé plus commode de garder les documents chez moi. Je peux vous les montrer, si vous voulez. » Le détective s'aida de l'accoudoir pour s'extirper de sa chaise. Il effectua un premier pas, tituba légèrement. Evon l'observa. Il était un peu voûté, mais assez grand. Deux bons mètres, une carrure de rugbyman. Il avait dû jadis attirer pas mal l'attention quand il se baladait dans les rues. Il lui fit signe de le suivre, ouvrit une porte dans la cuisine et descendit au sous-sol d'une démarche hésitante. Le vieil escalier en bois était raide. Tim fut contraint de tenir la rampe d'une main et de s'appuyer au mur de brique de l'autre. Son pantalon en serge lui descendait au bas des reins.

La cave était encore plus encombrée que le salon. Chargés de poussière, les lieux sentaient le renfermé. Toutes sortes d'objets s'y entassaient. La lumière oblique du soupirail soulignait certains éléments : un vélo noir de crasse avec les pneus à plat, des tuyaux d'arrosage, des vêtements suspendus, des clubs de golf en noyer, une vieille télé, des meubles bancals...

« Vous connaissez les vide-greniers ? ironisa Evon.

— Mes filles sont encore pires. Je garde tout ce que Maria a touché. Elles s'en occuperont quand je serai parti », rigola-t-il. De toute évidence, sa condition de mortel l'amusait. Il se glissa derrière un vieux placard pour atteindre une armoire à classement en métal, caisse marron clair piquetée de rouille. Tim semblait connaître par cœur l'emplacement de chaque chose. Il se pencha sans hésitation vers le tiroir du bas, d'où il sortit un dossier, puis tira sur un cordon pour allumer la lampe. Les doigts crispés, il tourna péniblement les pages, humectant de temps à autre son pouce d'un coup de langue.

« Voilà », dit-il enfin. Il relut le PV en diagonale, puis le tendit à son interlocutrice.

Le compte-rendu était tel qu'il l'avait décrit. Un interrogatoire sommaire, deux jours après la disparition de Dita. Paul affirmait que Cass était resté avec lui au terme de la fête. Ils avaient passé la nuit à traîner dans le parc en surplomb du fleuve. Un mensonge patent. Les deux frères ne pouvaient être ensemble puisque Cass avait avoué ultérieurement sa visite au domicile de Dita, qu'il avait frappée jusqu'à ce que mort s'ensuive.

« Ce papier vaut de l'or, vous savez ?

— Comment ça ?

— Paul ambitionne d'être maire. Chef de la police municipale alors qu'il a menti aux flics dans le but d'épargner son frère. Et il était déjà adjoint du procureur.

— Un comportement excusable. Je ne suis pas sûr de vouloir élire un magistrat qui n'a pas levé le petit doigt pour son frangin. Et puis, ces bisbilles sont politiques. Hal peut garder ses manœuvres pour lui. Je m'en moque. » Tim eut un geste vague de la main.

« Cette audition corrobore les accusations, insista Evon. Paul était impliqué dès le départ. Il a couvert Cass, peut-être plus. Les chaussures ? Ils sont jumeaux. Les Nike sont sans doute de pointure identique. Je parie qu'ils échangeaient leurs vêtements. Vivaient-ils encore ensemble à l'époque des faits ?

— Une famille grecque ? Vous plaisantez ? Hal habitait encore chez ses parents à quarante ans. Ouais, les jumeaux étaient toujours chez Lidia et Mike. Je crois que Paul comptait déménager sous peu.

— Et les empreintes digitales ? Des monozygotes ont-ils les mêmes empreintes ? » Evon sentait poindre en elle une certaine excitation. Elle avait toujours été consciencieuse dans son travail et celui-ci consistait à protéger les intérêts de son patron. Elle était néanmoins surprise de la vitesse avec laquelle elle suspectait Paul; un homme qu'elle avait toujours apprécié, voire admiré. Certes, il cultivait une discrétion qui la gênait un peu. Vous pouviez passer une éternité à son côté, ainsi qu'elle l'avait fait, sans parvenir à le cerner.

Tim secoua la tête.

« D'après mon souvenir, les empreintes de jumeaux sont proches tant qu'ils sont dans l'utérus. Mais quand ils sortent et qu'ils touchent le... comment dit-on... » Il s'arrêta, à la recherche du terme approprié.

« Placenta ?

— Dans le mille. Non, les sillons sont différents. »

Evon prit note et relut le PV.

« Je peux vous l'emprunter ? »

Le privé haussa les épaules. « C'est du domaine public, à présent. Le ministère a procédé de manière habituelle quand Cass a été inculpé. Ils ont envoyé l'ensemble des rapports de police au tribunal afin que l'intéressé en prenne connaissance avant de plaider coupable. »

Evon laissa errer sa main sur l'armoire à classement.

« Qu'est-ce que vous avez d'autre, là-dedans ? Accepteriez-vous d'y jeter un coup d'œil, histoire de voir ce qu'on peut dégoter de plus sur Paul ? Je vous dédommagerai. »

Tim rit. « Pas besoin de me dédommager. Je suis employé au long cours par les Kronon. Je reçois un chèque tous les 1er janvier depuis vingt-cinq ans.

— Je sais, fit-elle avec un sourire. La facture est inscrite à mon budget, mais personne ne m'a expliqué en quoi elle consistait exactement.

— Zeus me remercie à sa façon d'avoir tout laissé tomber pour m'investir dans l'enquête. Quand l'affaire a été résolue, je n'étais plus très chaud pour retourner dans l'entreprise de mon beau-frère. Zeus voulait m'embaucher à ZP, mais j'avais déjà eu assez de chefs sur le dos au commissariat. Alors, j'ai opté pour la carrière de détective privé. Zeus a dit : "Pas de problème. On va te payer au forfait annuel." Mais je ne vais pas vous mentir. J'ai aidé beaucoup d'autres personnes, en particulier à l'époque où je débutais.»

Mullaney en avait informé Evon. Tim travaillait principalement pour le pénal. Il s'était fait une spécialité d'éclairer les zones d'ombres négligées par les flics. Il avait aussi offert ses services à plusieurs compagnies d'assurances. Il n'avait pas son pareil pour clouer le bec à un type en accident de travail, photographié en train de soulever des haltères. Brodie fournissait des rapports d'excellente facture et était à l'aise à la barre des témoins. Il avait toujours eu plus de boulot qu'il n'en fallait, bien qu'à son âge la retraite eût été de rigueur. «Entre Zeus et Hal, j'ai dû recevoir une dizaine d'appels en tout. La surveillance pour Corus était sans doute la première mission depuis cinq ans. Alors, si vous voulez que je me plonge dans les dossiers, d'accord. Je regarderai ma montre, mais vous ne me devrez rien avant un bout de temps.»

Une fois revenue à l'étage, Evon récupéra sa parka posée sur le divan, à côté de l'épais volume en cours de lecture. Un léger parfum de dîner flottait encore dans la cuisine. Elle ne l'avait pas remarqué à son arrivée.

«N'abandonnez pas la mythologie, conseilla-t-elle.

— Bien sûr. J'étais justement en train d'explorer la légende de l'amour lorsque vous avez sonné.

— Une légende? s'étonna Evon. Vous insinuez que l'amour n'est pas réel? Je regrette qu'on ne m'ait pas prévenue avant que je ne m'installe avec ma copine.»

La responsable se confiait rarement de la sorte, mais la plaisanterie était trop belle pour y résister. De fait, sa relation avec Heather était plutôt sérieuse. Tim éclata d'un long rire souffreteux.

«Aristophane prétend que nous étions tous des quadrupèdes au départ, précisa-t-il. Certains du même sexe, d'autres mi-hommes mi-femmes. Par crainte que les humains n'aient trop de pouvoir, Zeus se résolut à les couper en deux. Depuis, chacun cherche sa moitié. Qu'en pensez-vous?»

Il s'esclaffa de nouveau. L'image lui paraissait cocasse.
«Une explication qui en vaut une autre», répondit
Evon. Le détective lui adressa un sourire, puis claudiqua
en direction de la porte d'entrée. Il se tourna vers elle dans
le couloir.

«Vous n'envisagez pas sérieusement l'implication de
Paul, n'est-ce pas?

— Pourquoi a-t-il menti, alors? Il savait ce qu'il fallait
dire et, plus important, il s'est parjuré pour sauver son
frère. Ce qui signifie qu'il avait beaucoup à cacher, Tim.
Peut-être étaient-ils vraiment ensemble cette nuit-là. Peut-
être est-ce la raison du silence de Cass.»

Le vieux privé réfléchit un instant, la mine soucieuse.

«Je n'aime pas l'idée d'être passé à côté d'un truc
pareil», conclut-il. Il laissa planer ces mots avant d'ouvrir
la lourde porte.

5.

Heather – 12 janvier 2008

Son véritable nom n'était pas Evon Miller. Elle s'appelait en réalité DeDe Kurzweil. Elle était née dans la vallée de Kaskia, dans le Colorado, et avait grandi dans une ferme. Son père cultivait de la luzerne, des haricots et du maïs. C'était un mormon non pratiquant. Un homme calme aux jambes arquées qui avait délaissé l'Église – de même que ses parents et sa fratrie – pour contenter sa femme. Après le mariage, celle-ci avait avoué que sa conversion à l'Église de Jésus-Christ des Saints des Derniers Jours n'avait jamais vraiment fonctionné. DeDe était la cinquième de sept enfants. Le rang idéal pour qu'un gosse se sente perdu. Et elle éprouvait en effet ce sentiment. Bien avant de pouvoir mettre des mots sur son malaise, elle avait pris conscience de ne pas cadrer avec le tableau. Elle ignorait toujours quand sourire ou comment se faire apprécier, en particulier de sa mère.

Mais sur le terrain, avec une crosse de hockey à la main, elle existait enfin. Son père était une ancienne gloire du base-ball. Il avait signé avec les Twins lors de sa mission extérieure et avait évolué en première ligue jusqu'à ce que sa famille le rappelle à la ferme. Il lui avait transmis ses prédispositions sportives : du moins était-ce ce que le père et la fille croyaient. Plusieurs fois, elle s'était endormie la crosse entre les doigts, s'exerçant jusque dans ses songes. En lice pour le titre d'athlète féminine de l'année, elle avait effectué une saison complète en Iowa avant d'être sélectionnée pour les Jeux olympiques de 1984, catégorie hockey sur gazon. Elle était rentrée à la maison avec une médaille de bronze et aucune idée de quoi faire ensuite. Elle avait l'impression d'émerger au grand jour après douze ans dans le tunnel de l'ambition et de la compétition. Lors d'une bourse à l'emploi de l'université, elle s'était renseignée pour intégrer le FBI. Trois mois plus tard, elle était à Quantico. Elle avait aimé chaque jour des vingt années passées à l'agence fédérale. Les heures de bureau, la paperasse et les règlements pouvaient vous rendre marteau, mais tous les gens avec qui elle avait travaillé l'avaient rendue fière. Elle avait mis un point d'honneur à s'acquitter de ses missions avec zèle. Les efforts consentis étaient comparables à ceux qu'elle avait accomplis pour le sport.

En 1992, elle avait accepté de quitter son logement de fonction à Des Moines pour œuvrer sous couverture. Son identité d'emprunt était Evon Miller. Elle était chargée de surveiller un avocat véreux corrompu par plusieurs juges. C'est elle-même qui avait choisi Evon, s'inspirant d'une cousine au second degré que ses parents avaient affublée d'une variante rurale d'Yvonne. Personne ne prononçait le prénom de la bonne manière, y compris sa cousine. Celle-ci avait l'habitude de préciser : « comme évent. » DeDe enviait son assurance.

La mission d'infiltration, baptisée Petros, avait été un franc succès. Six juges, neuf avocats, ainsi qu'une dizaine de greffiers et d'adjoints au shérif tombèrent. Après le dernier procès, les autorités avaient convoqué Evon à Washington pour lui remettre la médaille du FBI, la plus grande distinction accordée aux agents méritants. Même sa mère était présente ce jour-là. Torse bombé, elle avait accepté les félicitations qu'on lui adressait.

Mais pour DeDe, la véritable récompense était d'une autre nature. On lui avait offert l'occasion d'être quelqu'un d'autre et elle avait changé en conséquence. D'une part, elle s'était enfin acceptée. D'autre part, elle avait compris ce qu'elle ressentirait en s'appréciant. La perspective de redevenir DeDe l'enchantait autant qu'un séjour carcéral. Elle avait choisi de rester à Kindle et le FBI l'avait autorisée à garder son pseudo. Evon Miller était désormais le seul nom que les gens d'ici lui connaissaient. Même Merrel, la sœur dont elle était la plus proche, avait adopté sans difficulté cette identité de substitution.

Evon était beaucoup plus heureuse maintenant. Avant, elle se sentait comme une balle de tennis rebondissant à pleine vitesse sur un mur invisible. Sa principale préoccupation, dans les rares moments de loisir où son esprit vagabondait, était de se demander si le bonheur était accessible. Personne ne pouvait atteindre la perfection.

Lorsque Heather Truveen, sa copine, menaçait une fois encore de la décevoir, ces pensées désagréables – mélange si familier de colère et de frustration – resurgissaient. On était samedi soir. Evon était assise dans la salle des fêtes du club sportif de Kindle : un endroit un peu désuet mais charmant, avec ses piliers en chêne de dix mètres de haut. On avait joliment décoré les lieux pour le mariage de Francine et Nella, les amies qui les avaient présentées l'une à l'autre. Les rangées de chaises empilables s'ornaient de satin blanc. Une amphore pleine de roses blanches était disposée près du pupitre où se tiendrait la cérémonie. Evon avait réservé le siège voisin, proche de l'allée centrale, car elle savait que Heather voudrait admirer la mariée dans les moindres détails. D'un instant à l'autre, les promises allaient arpenter le chemin satiné aux bras du père de Nella. Tandis qu'Evon consultait son BlackBerry en toute discrétion pour voir si Heather avait envoyé un message, celle-ci fit son apparition.

« J'y suis arrivée », chuchota-t-elle avant de poser sa tête blonde sur l'épaule d'Evon et de se blottir au creux de son cou. Les fragrances singulièrement fraîches de son parfum, Fracas, enveloppèrent Evon un bref instant.

Elles étaient en couple depuis un an et demi. Heather avait trente-huit ans. Elle travaillait au département artistique de Coral Glotten. Elle était drôle, un peu sauvage, futée et très belle. Elle avait débuté comme mannequin. Aux yeux d'Evon, sa grâce élancée et sa blondeur évoquaient Merrel. Sa sœur était la plus belle femme qu'elle ait jamais connue et elle avait toujours voulu lui ressembler. À l'âge de onze ans, Merell lui avait donné la robe de Pâques qu'elle avait confectionnée quatre ans auparavant. Sa sœur aînée lui avait bouclé les cheveux et avait raccourci l'ourlet de deux centimètres juste avant d'aller à l'église. « N'est-elle pas charmante ? » avait-elle demandé à sa mère en haut des marches. « Autant que possible, avait répondu cette dernière. Mais elle ne restera pas dans les annales. »

L'un des aspects les plus plaisants de sa mission, lorsqu'elle avait été affectée au comté de Kindle en 1992, résidait dans le fait qu'elle était censée être l'informatrice de l'avocat retors. Elle avait adopté une apparence physique idoine. La mode était alors aux cheveux décolorés et aux coupes courtes hérissées de pics, style tondeuse à gazon. Elle portait des talons de dix centimètres, un maquillage outrancier et des vêtements élégants. Elle aimait ça bien plus qu'elle n'osait se l'avouer.

Cependant, quelle que soit l'épaisseur de son maquillage de lesbienne, elle n'avait jamais pensé séduire une femme aussi exquise que Heather. La facilité avec laquelle la beauté épousait ses formes était identique à celle qu'Evon éprouvait dans la pratique du sport. Heather était naturellement fine en dépit d'un mode de vie sédentaire et d'une alimentation peu restrictive. C'était une vraie blonde. Elle n'avait pas hésité à se vanter, lors de leur premier dîner en tête à tête, d'avoir le bas qui correspondait au haut. Elle était encore plus belle lorsqu'elle s'éveillait le matin, les traits bouffis.

Et puis elle était marrante. À la fois insouciante et dotée d'un sens de l'humour dévastateur. Evon s'était beaucoup amusée en sa compagnie durant les premiers mois de leur relation, même si l'impulsivité de son amante ternissait parfois le tableau. Une nuit, pendant qu'Evon dormait, Heather avait été si enthousiasmée par une pub sur le Brésil qu'elle avait changé toutes les réservations de leurs prochaines vacances, pourtant planifiées depuis des mois. Un soir, la jeune femme était rentrée à la maison et avait désigné le divan qu'elle avait pourtant mis une éternité à choisir. « Ça ne va pas. Il faut le changer », avait-elle déclaré. Le sofa en mohair écarlate était une commande spéciale de plusieurs milliers de dollars. Un tel gâchis avait donné le vertige à Evon, mais elle était aussi ravie d'être affranchie des entraves de son ancienne vie. Heather avait profité de sa visite au magasin pour remplacer tout l'ameublement du salon, réservé dans l'attente d'une nouvelle volte-face.

Avec le temps, ces caprices avaient fini par lui taper sur le système. Elle avait récupéré à la poubelle un haut très cher que Heather n'avait porté qu'une fois. « Donne-le au moins à quelqu'un », avait-elle suggéré. Son amante avait chassé cette idée ennuyeuse d'un geste de la main. Evon commençait à distinguer les fêlures sous le splendide masque de sa compagne. Heather prenait soin de son apparence extérieure pour dissimuler ses tourments intimes. Les obscures pulsions qui s'emparaient d'elle la rendaient difficile à supporter, ombrageuse. Elle buvait plus que de raison, trop souvent, et offrait alors un spectacle déchirant. Elle n'était qu'inconstance et frustration. Les deux femmes avaient prévu de consacrer une journée à la préparation du mariage. Spa, manucure. Au lieu de s'y tenir, Heather s'était levée à 8 heures et avait prétexté une obligation professionnelle. Son principal client, Tom Craigmore, était toujours plus exigeant. Il réunissait l'équipe artistique toute la journée pour finaliser le lancement automnal de sa ligne de vêtements de sport.

À présent, dans la salle des fêtes, Evon demanda à Heather :

« Où est-ce que tu t'es changée ? »

— Au bureau. »

La jeune femme avait quitté l'appartement les mains vides. La robe était donc sur son lieu de travail. Ce qui signifiait qu'elle était au courant depuis un bon moment de ce contretemps. Que ne l'avait-elle dit plus tôt ! Pourquoi signaler cet imprévu – source de désappointement – à la dernière minute ? En ce sens-là, Heather était encore une enfant. Elle venait d'un foyer dévasté. Son père, coureur de jupons invétéré, s'était suicidé. Sa mère n'avait jamais été lucide assez longtemps pour remarquer le mal-être de sa fille. Résultat : la jeune femme vivait dans la crainte de décevoir les gens.

La cérémonie débuta. Un acte purement formel : Francine et Nella avaient déjà officialisé leur union le week-end précédent à Boston. Les amis et la famille assistaient aujourd'hui au seul type de manifestation autorisé par la mairie, à savoir un mariage religieux.

L'officiant, vieil ami des deux femmes, était un prêtre épiscopal. Il s'appliqua à consacrer l'hyménée de fort belle manière.

« La vie, déclara-t-il à un moment donné, est trop dure pour la supporter seul. » Ce commentaire frappa Evon avec la précision d'une flèche. Oui. Il avait raison. Elle serra la main de Heather.

La soirée fut un succès. À quinze ans et des poussières, Evon avait découvert combien elle aimait danser. La musique – en particulier les chansons des années 1970 style *Stairway to Heaven* ou les tubes de Springsteen – avait sur elle un effet libérateur identique à celui de la drogue ou de l'alcool sur d'autres personnes. Les deux femmes se déchaînèrent jusqu'à plus soif. Elles demandèrent quatre fois *Born to Run*. Le personnel mit tout le monde dehors à 1 heure du matin.

Quand elles arrivèrent à la maison, Heather était grisée par ses propres projets nuptiaux. Son esprit fourmillait de mille idées : marcher à la lumière des bougies suspendues, dans une allée centrale bordée de vases en cristal où fleurissaient des bouquets d'orchidées, fouler un parterre de lavande fraîche.

« Et je veux du Cartier, s'enthousiasma-t-elle. Mes baisers ne se contenteront pas d'une bague Kay, et si tu rentres à la maison avec un bijou de chez Zales, je ne te connaîtrai plus. » Elle riait, mais des lames de couteau brillaient dans ses yeux.

Evon, qui avait bu plus qu'à l'accoutumée, sentit un voile noir se déposer sur son cœur quand Heather sortit de la douche. Tout ce discours sur le mariage, ces résolutions grandioses accentuaient le caractère inaccessible de l'entreprise. Ses doutes n'avaient rien à voir avec l'improbable légalisation du mariage homosexuel dans cet État ou la difficulté à qualifier en public son amie d'« épouse ». La gêne était plus diffuse, et l'abus de champagne en empêchait la formulation. Sa propre perplexité la déconcertait, car elle avait couru après Heather. Non seulement elle avait toléré ses excès, mais elle les lui avait pardonnés. Bien entendu, Evon était folle de la jeune femme. Elle adorait son côté exubérant et ses reparties cinglantes. L'amour qu'elle lui portait avait révélé quelque chose de fort et de bon en elle. Ces derniers mois, Evon avait eu l'impression de materner sa compagne, ce qui, tout compte fait, n'était pas si mal. Elle appréciait, non, elle se délectait d'arriver à être plus patiente, plus compréhensive que sa propre mère ne l'avait été avec elle. Et elle n'était pas encore prête à faire le deuil de cette victoire.

Cependant, elle sentait qu'elle commençait à flancher. Le mythe, la légende, le conte de fées, appelez ça comme vous voulez, selon lequel Heather allait se calmer et l'aimer comme elle l'espérait, s'estompait. La vie était trop dure pour la supporter seule, avait déclaré le prêtre. Alors elle était là. Et demain, lorsqu'elle se réveillerait, elle y croirait encore. Mais, pour l'instant, la dernière coupe de champagne exacerbait le sentiment d'être un prophète ou un oracle incapable de distinguer une forme rassurante dans les brumes du futur.

6.

Georgia – 17 janvier 2008

Tim vit le premier spot de Hal à propos de Paul et du meurtre lundi matin. Il venait de poser son livre consacré à la mythologie et d'allumer la télévision pour regarder le bulletin de 5 heures. Il avait délaissé la chaîne locale depuis longtemps : il n'y était question que de chihuahuas pourchassant des homards ou de Jésus apparaissant sur une grille de gaufre. Il ressentit une pointe d'excitation à l'idée de jouer un rôle dans l'actualité. À son âge, il s'était habitué à être insignifiant.

La plainte de Paul avait fait les gros titres pendant un jour ou deux. Maintenant, Hal contre-attaquait. Tim regarda le spot avec stupéfaction. Un morceau de papier, qui pouvait très bien provenir de sa cave, était présenté à l'écran tel un extrait des Saintes Écritures.

La caméra zoomait de biais sur le PV, puis se fixait sur l'en-tête : « Commissariat de Greenwood », avant de dévoiler une date et le nom de Paul dans la rubrique « Témoin ». Les mots qu'on lui attribuait s'épaississaient et se détachaient en surimpression tandis qu'une femme, hors champ, demandait d'une voix sévère si l'on voulait d'un menteur pour maire.

Le document fut rediffusé quelques minutes plus tard aux informations. Tim détourna le regard avec un léger malaise. Les termes employés dans le bulletin étaient exacts mais le gênaient un peu.

Les yeux fixés sur la baie vitrée ponctuée de petites taches claires, il médita sur la tournure des événements. Il avait déjà enfilé son manteau de laine et son feutre lorsque la BMW se gara le long du trottoir. Il sortit et claudiqua jusqu'au véhicule.

« C'est à quatre rues d'ici, précisa-t-il à Evon en attachant sa ceinture. Mais les nouveaux voisins ne déneigent pas. Je suis trop vieux pour faire de l'escalade. » La poudreuse était tombée en abondance la semaine précédente. Première intempérie sérieuse depuis deux ans. Lorsque Tim était gosse, le thermomètre descendait à vingt en dessous de zéro et les flocons redoublaient dès que le climat se réchauffait. Ce n'était plus le cas à présent. Quand le temps s'était calmé, Dorie Sherman, la jeune mère d'en face, était sortie pour montrer les cristaux à son enfant. Le gamin n'en avait encore jamais vu.

Evon demanda des précisions sur la femme qu'ils allaient rencontrer.

« Pas grand-chose à dire, répondit Tim. Elle s'appelle Georgia Cleon, nom de jeune fille Lazopoulos. C'était la petite amie de Paul, à l'époque. Son père officiait à Saint-Démétrios.

— Les ministres du culte grecs ont des enfants ?

— Les orthodoxes, oui. Avant leur ordination seulement. Ils font parfois traîner les choses quand ils sont encore au séminaire.

— Là d'où je viens, les enfants de prêtres sont souvent à moitié cinglés.

— Elle était plutôt sympa, pour autant que je m'en souvienne. Franche. Vous avez lu le rapport que je vous ai envoyé ?

— J'ai essayé. Mais la copie du fax était mauvaise.

— Elle a été très bavarde lors de l'enquête préliminaire. Selon elle, Dita et Paul ont eu des mots le jour de l'assassinat. Vous vouliez que j'exhume ce genre d'infos, non ?

— En effet. Elle a trouvé cette dispute suspecte ?

— Pas vraiment. Le flic chargé de l'interrogatoire voulait savoir tout ce qu'elle se rappelait. Elle s'est exécutée. Elle lui a même révélé combien de petits fours elle avait mangé. J'ai pensé qu'on devrait aller la voir en personne. Comme je suis payé à l'heure, j'essaie de ramasser un max. »

Evon lui donna une tape sur la main. Tim gloussa.

« Tournez là », indiqua-t-il. Georgia vivait encore dans le modeste pavillon qu'elle avait acheté avec son ex-mari, Jimmy Cleon. Celui-ci avait permis à l'ancienne petite amie de Paul de surmonter la rupture. Il avait du bagout et présentait bien mais souffrait d'addiction. Elle s'en était rendu compte quand l'alliance en argent avait disparu, peu après leur lune de miel. Du moins était-ce sa version de l'histoire. Comme Georgia était la fille du révérend, les ragots allaient bon train.

Lorsque son père avait été exclu de l'église, il avait perdu son logement de fonction et était venu habiter avec elle. La tumeur cérébrale dont il souffrait l'avait rendu cinglé. La chirurgie l'avait sauvé, mais il n'avait plus jamais été le même. Entre-temps, il avait aussi eu une attaque. La mère de Georgia était décédée lorsque celle-ci était à l'université. Elle était donc restée seule avec son père maboul. Exactement le genre de déconvenue que Tim entendait éviter à ses filles. Elles insistaient pour qu'il déménage à Seattle, là où résidait le reste de la famille.

« Elle sait que je vous accompagne ? » demanda Evon lorsqu'ils se garèrent. Il lui avait montré une place idéale pour manœuvrer dans la neige creusée d'ornières noires. Trouver un endroit où stationner dans ce quartier en plein hiver pouvait s'avérer délicat. Les déneigeuses des services municipaux ne s'engageaient jamais dans ces allées minuscules. Les propriétaires passaient leur temps à nettoyer leurs emplacements, protégés par des chaises de jardin ou des petits plots rouges. La dernière bagarre dans laquelle Tim avait été impliqué datait d'il y a quarante ans.

Un crétin s'était garé devant chez lui dès qu'il avait rangé sa pelle. Il était 15 h 30. La majorité des gens était au boulot et les places ne manquaient pas.

« Ouais. Je lui ai précisé que nous travaillions pour Hal. Elle n'était pas ravie, mais elle a accepté de nous rencontrer. J'ai eu l'impression qu'elle se souvenait de moi.

— Comment aurait-elle pu vous oublier ? plaisanta Evon. Un beau ténébreux dans votre genre. »

Il éclata de rire. Décidément, il appréciait cette Evon.

Tim reconnut à peine la femme qui les accueillit sur le seuil. Le temps l'avait abîmée ; il avait épaissi ses traits, leur avait ôté toute vitalité. À l'image de nombreuses habitantes du quartier, elle avait pris beaucoup de poids. Dans sa jeunesse, elle avait pourtant été jolie, très jolie. De près, il était encore possible de distinguer les vestiges de sa physionomie attrayante parmi les amas de chair. En son temps, Maria avait elle aussi grossi. Non qu'il y accordât la moindre importance. À l'issue d'un long mariage, l'apparence devenait secondaire, du moins en ce qui le concernait. Chaque jour passé ensemble avait pesé sur leurs épaules, mais c'était une période heureuse, dans l'ensemble. Il voyait maintenant Georgia telle qu'elle était : une femme qui n'entretenait plus aucun rapport avec la jeune fille d'avant. Elle paraissait plus petite, dans son T-shirt flottant. Elle avait enfilé un pantalon moulant. Tim se demanda quelle mouche l'avait piquée. Il se présenta de nouveau, mentionna quelques voisins dont Georgia aurait pu se souvenir, puis lui demanda des nouvelles de son père. Elle fit la moue.

« Vous verrez. Il erre dans le coin tel un chasseur de trésors. Mon plus gros problème consiste à l'empêcher de décrocher le téléphone. Il tombe sur des démarcheurs style Armée du Salut, leur parle pendant des heures et leur promet des mille et des cents. J'ai dû me résoudre à lui donner un carnet de chèques rattaché à un compte clôturé. Il adore en rédiger. Un champion. »

Elle les invita à entrer dans un salon obscur. Ils virent plusieurs icônes sur le mur, majestueuses avec leur regard lointain et plat. Beaucoup de photos de la Grèce : l'eau bleu marine, les montagnes arides. Des clichés de toute évidence pris en vacances. Maria avait voulu y aller lorsque les gamines étaient petites. Un projet de plus enterré avec la disparition de Katy.

Après la mort de sa femme, le révérend Nik s'était retrouvé submergé de travail à la paroisse. Mû par la conviction qu'une fille ne poursuivait pas ses études au-delà du lycée, il avait demandé à Georgia de rester auprès de lui. Au terme d'une courte formation en comptabilité, elle avait intégré la maison mère d'une grosse banque. Elle était alors âgée de dix-neuf ans. Aujourd'hui, elle était responsable guichet. Elle passait tous les jours de la semaine, de 7 à 15 heures, à compter l'argent des autres.

Elle leur apporta un verre d'eau puis s'affala lourdement sur le divan. Evon s'installa à côté d'elle et Tim dans un fauteuil. La télévision était allumée. L'espace d'un instant, Georgia fut incapable de détacher ses yeux des dernières mésaventures de Britney Spears. La chanteuse venait d'être hospitalisée après s'être enfermée dans une chambre avec son fils.

« Quel gâchis, se désola-t-elle. Avec tout ce qu'elle a. » Elle continua à fixer l'écran, fascinée. Son attitude évoquait celle des Grecs envers leurs dieux, songea Tim. Ils contemplaient des vies démesurées, des personnages grandioses faits de l'étoffe des rêves, dont les colères menaient à une destruction si radicale que vous vous contentiez avec joie de votre sort. Au moment des pubs, Georgia éteignit le poste. Elle désigna la vieille télé avec sa télécommande marron.

« J'ai vu le spot de Hal, déclara-t-elle avec amertume. Je suis sûre qu'il vous envoie car il est persuadé que je suis une garce qui va casser du sucre sur le dos de son ancien amant. Mais je préfère vous le dire tout de suite : il se

trompe. Je suis convaincue que Paul est innocent.» Elle
frémit, les bras le long du corps.

«Votre déclaration ne me surprend pas, admit Tim.
Vous n'auriez pas passé autant de temps avec un type que
vous suspectiez de meurtre, n'est-ce pas? Il arrive cependant que certains aient une appréciation différente des
événements. Hal campe sur ses positions et Paul a décidé
de le poursuivre. D'où notre venue. Le meurtre de Dita
demeure un mystère. Nous voulons juste savoir ce que
vous vous rappelez. Inutile d'inventer quoi que ce soit.»

Elle fronça ses épais sourcils. Devait-elle croire l'enquêteur? Il voyait bien ce qu'elle était devenue. Georgia
avait tout d'un chiot trop souvent battu. Elle se demandait
encore ce qu'elle avait fait pour mériter un tel traitement
et, par voie de conséquence, se méfiait de tout le monde.

«Eh bien, je ne me souviens pas de grand-chose, depuis
toutes ces années. Des images ressurgissent. Il est rare de
croiser quelqu'un qu'on retrouve mort quelques heures
plus tard. Assassiné, de surcroît. Le reste, qui le connaît?
Vingt-cinq ans au moins.

— Bien sûr, fit Tim. Mais la mémoire est capricieuse.
Disons par exemple que vous discutez avec une fille. Vous
souvenez-vous de la robe que vous portiez alors? Certaines personnes, oui.

— Moi aussi, affirma brusquement Georgia, avant de
sourire pour la première fois. J'avais une robe vichy bleu.
Elle m'allait bien.» Un bref éclat de rire. Elle s'adossa.
L'espace d'une seconde, elle parut satisfaite d'elle-même.

«Je n'en doute pas», répondit le détective.

Evon se contentait de prendre des notes. La plupart
des enquêteurs de la crim' qu'elle connaissait n'étaient
pas des experts en techniques d'interrogatoire. Ils arri-
vaient, vous posaient des questions la tête inclinée, dans
l'attente du moment où ils pourraient déclarer: «Arrêtez
vos conneries. Si vous continuez à nous mener en bateau,
vous irez en taule.» Tim, cependant, était plus sérieux,
plus prévenant. On avait l'impression de converser

avec un grand-père installé sur sa chaise à bascule sous le porche.

« Je me rappelle aussi autre chose, ajouta Georgia. Peut-être est-ce sans importance, mais quand j'ai vu ce spot qui prétendait que Paul avait menti à la police, l'épisode m'est revenu en mémoire. Paul m'avait affirmé, cette nuit-là, qu'il comptait aller au parc Overlook avec Cass. J'ignore s'il s'y est rendu ou pas mais, en tout cas, il en avait l'intention. »

Evon ressentit une pointe d'excitation.

« Et ça vous a marquée ? »

Georgia se tourna vers la responsable. Elle attendait visiblement cette question. « Oui, parce que j'étais vraiment surprise. On était dimanche soir, jour où mon père se rendait au foyer. Ce qui signifiait que nous avions la maison pour nous. Les hommes étant ce qu'ils sont, Paul profitait toujours de l'occasion. » Elle hocha la tête d'un air résolu, comme si Evon pouvait se mettre à sa place, ce qui était le cas.

Penché en avant dans son fauteuil, Tim leva ses yeux francs vers la responsable. Par souci de ne pas briser la dynamique de l'interrogatoire, il demeura coi et se radossa.

« Est-ce que Paul vous a dit pourquoi il voulait aller au parc ? continua Evon.

— Je suppose qu'il désirait s'entretenir avec son frère. Lui parler de Dita. Les jumeaux se disputaient à son propos au moins une fois par semaine. Paul craignait que son frère ne se marie avec elle et que la famille n'en souffre. »

Evon récapitula les informations dans sa tête. L'explication était moins désagréable qu'elle ne l'avait cru de prime abord. Possible que Paul ait rencontré son frère à l'Overlook pour convenir de la marche à suivre. Mais l'un d'entre eux ou peut-être les deux étaient revenus pour tuer Dita.

« Je ne défends pas Paul, précisa Georgia. Il s'est comporté de manière affreuse avec moi. Vous savez ce que disent les femmes : "Il m'a volé les meilleures années de ma vie"? Eh bien, c'est vrai. J'étais la fille du coin qui n'était plus assez bien pour lui une fois les études terminées. J'avais des tas de prétendants. J'étais si belle, à l'époque, que j'en ai encore mal au cœur. J'ai pourtant voté pour lui. Et je recommencerai aux prochaines élections.» Georgia baissa les yeux sur ses mains boudinées, comme à la recherche d'un sens caché à sa réflexion.

Evon comprenait parfaitement comment l'on pouvait se retrouver prisonnier de l'amour et ne jamais s'en remettre. Elle-même avait vécu sa plus belle idylle une dizaine d'années auparavant, avec Doreen. Les deux femmes avaient coulé des jours heureux pendant six mois avant que le diagnostic ne tombe. Ensuite, Evon avait aidé sa compagne à mourir. Un an et demi de calvaire. Cette histoire l'avait dévastée, en partie parce que leur relation avait été trop courte pour qu'elle puisse juger de ses véritables potentialités. À l'instar de Georgia, elle se demandait à présent si elle avait jamais fait le deuil de cette chance manquée. Peu de gens croyaient au pouvoir destructeur de l'amour. Evon, quant à elle, se sentait oppressée de tout son corps par la funeste attraction de cette idée.

«Revenons au jour de la réception, proposa Tim. Certains détails concernant Paul ont-ils attiré votre attention?

— Il a littéralement trébuché sur Sofia Michalis, renifla-t-elle. J'ai vu, à la manière dont ils parlaient, que le courant passait entre eux. Il a mis notre rupture sur le compte des difficultés de Cass. Il se disait trop bouleversé pour tout gérer. Ce qui ne l'a pas empêché d'épouser Sofia six mois plus tard. De toute évidence, ses atermoiements ont été de courte durée.

— Et dans ses rapports avec Dita?»

Georgia secoua la tête. Les souvenirs se dérobaient-ils à sa mémoire ou était-elle simplement trop perturbée par l'évocation de Paul et Sofia? Impossible à dire. Tim décida de l'aider.

«Un des policiers certifie que vous auriez été témoin d'une dispute.

— Ah bon ?»

Le détective fouilla dans sa veste en tweed, d'où il ressortit un PV. Sa désinvolture suggérait qu'il s'agissait d'un papier insignifiant : une liste de courses ou un pense-bête destiné à lui rappeler de téléphoner à sa fille. Georgia examina le document en se palpant le front. Elle acquiesça finalement.

«En effet, je les ai vus discuter. Dita faisait des siennes. Je me souviens de l'expression de Paul. Mais leurs dissensions ne dataient pas d'hier. Il la détestait.

— Vous l'avez entendu employer ce terme ? Il la détestait ?

— Pas exactement. J'ai déclaré ça aux flics ?» Elle prit le rapport des mains de Tim et le parcourut. «Je ne me souviens même pas avoir évoqué le sujet avec Paul, ce jour-là. Sauf peut-être quand il m'a parlé du parc, et encore.

— Pourtant, il la haïssait vraiment, selon vous ?

— Dita n'était pas une personne aimable. Je répugne à dire du mal de morts...» Elle se signa d'un geste rapide. «... mais c'était une enfant gâtée et elle avait la langue bien pendue. Du genre : "Mon père est le roi du monde, alors je peux raconter ce que je veux." Elle était séduisante. Tous les garçons étaient à ses pieds. Une véritable armada. Elle se lassait vite d'eux, à l'exception de Cass.

— D'où les griefs de Paul ? Il réprouvait son attitude ?

— Il prétendait qu'elle était ingérable, qu'elle dévoyait son frère, que sa mère la détestait aussi. D'après lui, Dita mettait de l'huile sur le feu en connaissance de cause. Vous voulez connaître mon sentiment ?

— Nous sommes là pour ça.

— Je crois qu'il était jaloux. Les liens fraternels sont indéfectibles. Et entre jumeaux, n'en parlons pas. Il adorait son frère. Je ne suis pas sûre, d'ailleurs, qu'il existe un mot adéquat pour définir leur relation. Lidia m'a souvent raconté comment, dans leur enfance, ils ne supportaient pas d'être différents l'un de l'autre. Elle cousait leurs

prénoms sur les vêtements et ils enlevaient les étiquettes.
Ils échangeaient leurs assiettes aux repas, on les retrouvait à l'aube dans le même lit, enlacés. Quand le chien de
berger du quartier mordait Cass, Paul pleurait avant que
quiconque ne se rende compte de l'agression. On aurait
dit des siamois reliés par le cœur. Et leur complicité ne
s'est pas atténuée avec le temps. Paul a refusé la culpabilité de son frère.

— C'est-à-dire?

— Eh bien, quand Cass a plaidé coupable, Paul a martelé qu'il était innocent.

— Tiens donc», constata Tim. Evon sentit la surprise
étreindre sa poitrine, puis se peindre sur ses traits, tandis
que le vieux détective poursuivait sur le ton de la conversation : «Et quand était-ce?

— Le jour même. Celui où Cass a avoué. J'étais là. Paul
et moi étions séparés depuis plusieurs mois... J'ignore ce
que je voulais. Soutenir la famille ou un truc de ce style.
Je cherchais sans doute un prétexte pour le voir.» Elle se
crispa, ferma les yeux. Cette réminiscence et les attentes
d'alors étaient douloureuses. Tim constata que son visage
se marbrait avec l'âge. «Quoi qu'il en soit, il m'a remerciée
d'être passée. Nous sommes allés chez Bishop prendre
une bière. Comme vous pouvez l'imaginer, il était anéanti.
Cass était si proche de lui qu'il en était devenu une extension de son propre corps. Et voilà qu'on l'emprisonnait
pour vingt-cinq ans. Il était vraiment démoralisé. C'est à
ce moment-là qu'il m'a déclaré : "Il est innocent, tu sais."

— Vous lui avez demandé d'où lui venait cette certitude?» intervint Evon. Elle tentait d'imiter l'intonation de
son compère. Une fois encore, la réponse de Georgia fut
cinglante.

«C'était son jumeau, bon sang.»

Evon commençait à cerner son interlocutrice. Georgia
était l'une de ces femmes qui n'appréciait pas beaucoup
ses consœurs. Les hommes de sa vie avaient été source de
nombreux tourments. Paul l'avait laissée tomber, Jimmy

Cleon se droguait et son père l'avait obligée à abandonner la fac. L'existence l'avait malmenée.

« Je suppose que cette version était celle de Cass, reprit-elle. Pour ma part, j'essayais de le réconforter, pas de jouer au détective. Paul était au trente-sixième dessous et je l'écoutais. J'étais convaincue que nous pourrions être amis. Mais ce genre de relation ne marche jamais. » Elle s'appliquait à remettre sa frange en place à chaque hochement de tête. « Bien sûr, quand je me suis levée pour partir, il m'a annoncé qu'il allait se marier avec Sofia. La cérémonie était prévue une quinzaine de jours plus tard. Cass pourrait ainsi être garçon d'honneur avant son entrée en prison. »

Tim demeura silencieux un instant pour la laisser se remettre de ses émotions. Chaque détail à propos de Paul ravivait les blessures.

Il poursuivit ensuite son interrogatoire. Quels furent les événements notables ce jour-là ? Quelqu'un d'autre avait-il assisté à une dispute entre Paul et Dita ? Finalement, il regarda Evon pour savoir si elle avait des questions supplémentaires. La responsable sauta sur l'occasion. Elle feuilleta son calepin et dit :

« Avez-vous distingué des entailles ou des coupures sérieuses sur Paul ?

Georgia réfléchit une seconde avant de répondre par la négative.

« S'il avait eu des lésions, les auriez-vous remarquées ? » insista Tim. Il était aussi décontracté que s'il demandait l'heure à un passant. Georgia lui adressa un regard entendu.

« Évidemment. Nous sommes sortis ensemble pendant neuf ans. J'étais sûre de l'épouser. Bien entendu, je le voyais moins après la mort de Dita. Il commençait à travailler et se préparait à quitter le nid familial. Il cherchait un appartement. Mais, quand son frère a été accusé, l'affaire l'a complètement obnubilé. Notre couple n'y a pas survécu.

— Il est donc possible que vous ne vous soyez aperçue de rien, conjectura Evon.

— J'ai juste dit que je le voyais moins, répliqua Georgia avec sa sécheresse coutumière vis-à-vis d'Evon. Mais nous nous retrouvions quand même. Une blessure ne m'aurait pas échappé. La chambre était remplie de sang. Je vous répète qu'il détestait Dita, mais pas au point de la tuer. »

La responsable nota la réponse sans se formaliser. Ces hypothèses formulées *a posteriori* présentaient peu d'intérêt. Si le fiancé avait déclaré s'être coupé en réparant la clôture chez ses parents, elle aurait accepté l'explication sans sourciller. Cependant, Georgia était déjà suffisamment à cran. Inutile d'en rajouter. Evon baissa les yeux sur son bloc-notes.

« Paul est droitier ?

— La plupart du temps.

— Comment ça ?

— Cass est gaucher. Il écrit de la main gauche, mange de la main gauche, au contraire de Paul. Quand j'ai remarqué cette singularité, je me suis demandé si cela signifiait qu'ils étaient dizygotes. J'ai appris par la suite que ces anomalies sont fréquentes chez les vrais jumeaux. Dans leur enfance, néanmoins, ils s'évertuaient à gommer les différences entre eux, ainsi que je vous l'ai précisé. Il arrivait donc qu'ils mangent tous les deux de la main gauche ou de la main droite. Ils sont un peu devenus comme le monde qui nous entoure : ambivalents.

— Ambidextres ?

— Tout à fait. Quand ils ont débuté le tennis, par exemple, ils maniaient la raquette des deux mains. L'entraîneur du lycée y a mis un terme. Paul a joué droitier, Cass gaucher. Ils étaient déjà forts en jeu simple mais, en double, ils se révélaient imbattables. Chacun anticipait les mouvements de l'autre à la perfection. Ils ont été champions d'État deux années de suite. Un sacré exploit, par ici. Des gamins de la ville qui remportaient des tournois contre les jeunes des quartiers huppés, tous affiliés à des clubs privés. Ils ont eu leur nom dans le *Tribune*. Et puis il y a eu cet épisode incroyable.» Georgia s'adossa, rêveuse. «Ils participaient à une compétition à domicile. Vendredi et samedi contre des joueurs de Greenwood. Lorsque Cass a gagné ses matches en simple le deuxième jour, un gosse l'a menacé avec sa raquette. Il hurlait. "Je m'en fous que tu m'aies battu hier. Mais que tu reviennes aujourd'hui pour jouer en droitier, c'est n'importe quoi!" »

Evon, Tim et Georgia s'amusèrent de l'anecdote. La responsable devinait toutefois une certaine préoccupation chez son acolyte.

«Cass portait une chevalière à la main droite, non? s'enquit Tim.

— Oh oui, se rappela Georgia. Une bague de l'université d'Easton. Les jumeaux en avait acheté une chacun à l'obtention de leur diplôme.»

Le détective hocha la tête, les lèvres plissées. Evon se rendit compte qu'il cherchait à comprendre s'ils avaient pu attribuer un meurtre de droitier à un gaucher. Elle but son verre d'eau et s'apprêta à partir. Ils remercièrent chaleureusement Georgia pour le temps qu'elle leur avait consacré.

«Les avocats vont peut-être vous contacter», précisa Evon. Comme à l'accoutumée, l'humeur de Georgia s'assombrit d'un coup.

«Vous m'étonnez. Je n'ai aucune intention d'en faire mon fond de commerce. Tim m'a appelée. J'ai accepté de lui parler par respect. Il m'a informée qu'il viendrait avec son supérieur, vous, et j'ai dit oui aussi. Mais je ne vais pas me répéter quarante fois devant une bande d'enjuponnés avides de disséquer mes propos. Et il est hors de question que j'adresse la parole aux journalistes. Ils se contentent d'écrire ce qu'ils veulent. En ce qui me concerne, l'histoire s'arrête là.»

Tim intervint de nouveau pour calmer les choses.

«On n'est sûrs de rien pour l'instant. Le soufflet pourrait retomber dans deux ou trois semaines. Par contre, difficile d'imaginer que vous ne serez pas impliquée en cas de procès. Vous étiez la petite amie de Paul. Personne ne le connaissait mieux que vous à l'époque. Vous devez comprendre à quel point votre témoignage est capital, combien vous êtes importante.»

Tim était bon, songea Evon. Pour sa part, elle n'avait jamais pu se délester de sa maladresse naturelle en présence d'inconnus. Tim, lui, savait d'instinct comment amadouer Georgia. «Vous êtes importante.»

Malgré tout, elle n'était pas entièrement convaincue par la démarche. «Je me permets d'insister», s'obstina-t-elle.

Le silence s'installa.

«Puis-je suggérer un compromis, coupa finalement Tim. Dans mon manteau, j'ai un appareil photo qui fait aussi caméra. Je peux enregistrer votre déposition et ce sera fini. Du moins de notre côté. Si quelqu'un d'autre vous importune, vous saurez vous débrouiller. Pas besoin de répéter vos déclarations. Avocats, journalistes, peu importe. Contentez-vous de dire que vous n'avez rien à ajouter.»

Georgia réfléchit un moment à sa proposition. «Je peux employer les termes que je veux?

— Bien entendu.

— Comment être certaine de ne pas me retrouver à la télévision, dans un des spots de Hal?»

Evon ignorait totalement quelle réponse Tim allait apporter à ce type d'objection. Lorsqu'elle avait informé son patron de la possibilité d'un témoin à charge, il avait trépigné d'excitation et s'était empressé de téléphoner à l'agence de pub. Tim n'essaya pas d'apaiser les inquiétudes de son interlocutrice.

«Vous y figurerez sans doute. À mon avis.»

Georgia inspecta le salon obscur pendant une minute, comme pour récapituler sa vie. Puis elle acquiesça. Le détective avait fait preuve de clairvoyance. Paul l'avait laissée sur le bord de la route pour accéder au firmament. Pourtant, elle avait été sa compagne. Logique que les projecteurs se braquent quelques instants sur elle.

Georgia effectua deux prises. La seconde était moins hésitante.

Je m'appelle Yiorgia Lazopoulos Cleon. Je fais cette déclaration de mon plein gré et suis informée de son utilisation possible à des fins médiatiques. J'étais la petite amie de Paul Gianis en septembre 1982. Notre relation durait depuis longtemps. J'étais avec lui à la garden-party, le jour du meurtre de Dita Kronon. Je me souviens d'une dispute entre Paul et Dita cet après-midi-là. Paul la détestait. Il était convaincu qu'elle essayait de briser sa famille. Je me rappelle aussi que, après le plaider coupable de Cass, il a affirmé que son frère était innocent. Je suis encore en contact avec lui et j'ai voté en sa faveur. J'ai toujours refusé de croire à son implication mais j'imagine qu'avec les gens on n'est jamais sûrs de rien.

Georgia avait ajouté cette conclusion à la dernière prise. Evon était loin d'avoir la fibre artistique, mais Heather lui en avait appris suffisamment pour qu'elle puisse prévoir l'usage qu'en ferait le réalisateur. Un plan rapproché, granuleux, où l'on pourrait lire sur le visage de la femme délaissée toute la détresse, toute la réticence à accepter la vérité. L'effet serait dévastateur.

Tim et elle se dirigeaient vers la porte lorsque le père de Georgia fit son apparition. Il pointa sa canne d'un air déterminé vers la télé. Sa fille lui assura qu'ils en auraient terminé dans une minute. Le vieux prêtre était une véritable épave. Il portait un pantalon de survêtement et un T-shirt des Chicago Bears sur lequel on distinguait une grosse tache de soupe. Ses cheveux étaient mal peignés, sa barbe hirsute. La monture de ses lunettes à la Woody Allen paraissait dater d'une trentaine d'années. Ses yeux noirs, ahuris, bougeaient rapidement derrière les verres épais. Tim le salua avec déférence.

« Mes respects, mon Père. »

Le vieil homme leva instinctivement la main droite, les trois premiers doigts dressés. Il fit le signe de croix. La tête, le plexus, puis l'épaule droite et la gauche. Le détective se présenta de nouveau :

« Vous vous souvenez peut-être de moi. Vous avez enterré notre petite Kate. » Georgia se tenait derrière le vieillard. Visiblement tendue, elle secoua la tête d'un geste vif. S'engager sur cette pente était de toute évidence une mauvaise idée. Le révérend Nik était néanmoins assez lucide pour se comporter de façon appropriée.

« Oh oui, dit-il avec un fort accent. Tragédie. Terrible tragédie.

— En effet, convint Tim. Maria ne s'en est jamais remise, ni aucun d'entre nous, d'ailleurs. »

L'ancien officiant se tourna vers sa fille, qu'il interrogea en grec.

« Non, papa, répondit-elle. Ils savent que tu es à la retraite. »

Elle adressa un sourire en coin à ses hôtes. « Il croit que vous lui demandez de célébrer un mariage. Ils sont juste venus me poser des questions sur Paul Gianis et Cass, papa. »

L'homme répliqua une fois encore dans sa langue natale.

« Non, papa. C'est Paul que tu as vu à la télé. Cass est toujours en prison. »

Elle parlait sur un ton patient, d'où émergeait une immense lassitude. Elle se rendait compte de l'inutilité de ses explications. Elle ajouta un ou deux mots en grec, peut-être pour répéter l'information. La réaction du vieux prêtre fut immédiate. Il s'énerva soudain. Son visage s'empourpra. Il postillonna, commença à crier. Sa colère se déchaîna à travers toute la maison. Étrangement, il tenait mieux l'équilibre dans cet état de fureur. Il agita sa main libre. Evon entendit plusieurs fois le mot « Paulos », tandis que Georgia tentait de le calmer.

Tim et Evon enfilèrent leur manteau et sortirent en vitesse.

7.

Failles – 17 janvier 2008

La grisaille dominait. Le ciel était bas, chargé de nuages ouatés sous la faible lumière du jour. Evon et Tim demeurèrent un moment sur le trottoir, encore abasourdis par le brusque accès de rage de Nik.

« C'était plutôt moche, se désola Evon.

— Oui. On voit bien qu'il lui manque une case. »

Ils regagnèrent la voiture. Tim ouvrit la portière et pivota pour s'installer le dos droit. Cette raideur rappela à Evon la vieillesse du personnage.

« Vous avez compris ce qu'a raconté son père ? interrogea-t-elle dès qu'ils furent dans l'habitacle.

— Il n'a pas vraiment pris la peine d'articuler. Quand elle lui a dit qu'il avait vu Paul et non Cass à la télévision, l'information a percuté. Je n'ai pas tout saisi mais, en gros, il a crié qu'il avait baptisé ces garçons, qu'ils avaient été enfants de chœur et qu'il n'existait pas dix paroissiens capables de les différencier au premier coup d'œil. Même leurs oncles et leurs tantes se trompaient. Pas lui. Il prétendait qu'elle l'induisait en erreur, qu'elle voulait le rendre fou pour le spolier.

— Pauvre Georgia », grogna Evon. La BM rebondit dans les ornières et avança au pas dans les traces régulières sillonnant la chaussée.

« Cette femme n'a pas eu une vie facile, expliqua Tim. D'abord elle a dû divorcer de son mari pendant qu'il était en taule. À sa libération, il l'a suppliée de reprendre la vie commune et, deux mois plus tard, il s'est fait attraper à vendre deux fioles de crack à un flic en civil. Il est encore derrière les barreaux, si mes souvenirs sont bons. Il faut avouer qu'elle tend un peu le bâton pour se faire battre.

— Ah bon ?

— Réfléchissez deux secondes : Cass *passait* à la télé. Avec tout ce scandale, les chaînes ont sûrement diffusé des images d'archives où on le voyait sortir.

— Probablement. En tout cas, Georgia ne m'aime pas.

— Vous êtes une étrangère. Les vieux de la vieille sont comme ça, dans le coin. Vous n'êtes personne tant que vous n'avez pas été adoubée. Désolé d'avoir pris les rênes de l'entretien.

— Vous étiez super, complimenta Evon sans mentir. Qu'avez-vous pensé de cette histoire de gaucher ?

— J'ai été perturbé, vous vous en doutez. J'ai étudié tous les dossiers de cette satanée armoire de classement et personne ne mentionne cette particularité. Il portait une chevalière. La bague universitaire.

— Paul aussi.

— En effet. Sandy Stern aurait dû utiliser cet argument, non ? On recherchait un droitier, ce n'était pas un secret.

— Peut-être que son client voulait éviter d'incriminer son frère. Paul a le même groupe sanguin, après tout. »

Tim opina du chef avec un petit bruit.

« Pourquoi Paul a-t-il dit que Cass était innocent ? ajouta Evon. Celui-ci venait de plaider coupable. Comment pouvait-il être si affirmatif ? »

De l'autre côté de la rue, un type rentrait du travail avec une vieille gamelle. Mais l'attention d'Evon était accaparée par Tim. Le détective fixait la route, mal à l'aise. Les chaussures, la bague, le sang, la dispute avec Dita, le meurtre commis par un droitier, la prétendue erreur judiciaire : les indices en défaveur de Paul se multipliaient.

« Elle n'a pas constaté de blessures, insista Tim.

— D'après ses souvenirs. Mais on n'a rien trouvé sur Cass non plus. Ce qui me chiffonne, en revanche, c'est qu'elle se rappelle le rendez-vous des jumeaux à l'Overlook. Vous croyez qu'elle est réglo ou qu'elle affabule ?

— Elle avait l'air plutôt sûre d'elle.

— Ils ont pu aller voir Dita tous les deux, vous savez.

— Il n'y avait que les empreintes de Cass, dans la chambre.

— Ainsi que d'autres traces non identifiées.

— Certes.

— Et personne n'a essayé de les relier à Paul, n'est-ce pas ?

— Mmh », fit Tim pour toute réponse. Il plissa la commissure des lèvres, en proie à une intense réflexion. Evon se gara devant son pavillon. « De toute façon, reprit-il, Paul pourrait prétexter n'importe quoi pour justifier sa présence. Aujourd'hui, on ferait une analyse génétique. Mais elle ne prouverait rien sur des vrais jumeaux.

— Vous avez pourtant dit que leurs empreintes digitales étaient différentes. Peut-être est-ce aussi le cas pour l'ADN. »

Tim ne cacha pas sa perplexité. Il évoqua une affaire de viol dans l'Indiana, cinq ans auparavant. Ils n'avaient pas pu inculper le suspect car il possédait un frère jumeau. Les prélèvements effectués sur la victime pouvaient appartenir à l'un ou à l'autre. L'échec des autorités revint à la mémoire d'Evon lorsque Tim en parla.

« Cette science progresse à la vitesse de l'éclair. J'ai un peu bossé avec des échantillons d'ADN au FBI et, pourtant, quand je lis un compte rendu, je n'en comprends pas un traître mot. Possible qu'il existe aujourd'hui un moyen de distinguer les monozygotes. »

Ils discutèrent un moment de la suite des opérations. Elle consulterait un généticien susceptible de répondre à ses questions avant de parler aux avocats de Hal. Même si Tooley avait fait appel à un grand cabinet lorsque Paul avait porté plainte, il était encore plus ou moins aux commandes.

Les avocats s'offusqueraient de ne pas pouvoir s'entretenir avec Georgia, mais Evon était certaine que son patron la soutiendrait dès qu'il verrait l'enregistrement.

«Je vous appellerai», promit-elle. Tim hocha la tête d'un air abattu. Il n'appréciait guère d'avoir manqué le coche et les souvenirs désagréables de la disparition de sa fille n'arrangeaient rien. Evon n'avait commencé à songer à la maternité que deux ou trois ans auparavant, quand elle avait pris conscience de la vitesse avec laquelle le monde changeait. Elle était maintenant âgée de cinquante ans. Elle aussi avait manqué le coche. D'après la violence des sentiments qui l'assaillaient lorsqu'elle pensait à l'enfant qu'elle n'aurait pas, elle imaginait la peine que l'on pouvait ressentir à la perte d'un petit être que l'on avait tenu dans ses bras.

«C'était il y a longtemps, dit-elle, mais je suis désolée pour Kate. Ce doit être dur pour vous. »

Il hocha de nouveau la tête. Toujours cet air abattu.

« En quelque sorte. La douleur ne part jamais. Elle m'accompagne depuis plus de trente-cinq ans. Entre-temps, Kate pourrait être décédée de n'importe quoi d'autre ou bien avoir elle-même des gosses. Vous apprenez à accepter la fatalité, mais vous savez désormais que votre vie est marquée par une faille que rien ne viendra combler. »

Elle sentait son calme vaciller tandis qu'il s'escrimait à sortir de la voiture, puis marchait vers le pavillon, la jambe raide.

Quand il franchit le seuil de son domicile, le poids de l'existence l'écrasa. Il s'assit dans le salon sans enlever son pardessus, se tassa sur le divan, les mains entre les jambes. Il était incapable d'effectuer le moindre geste. Un tel désespoir était rare. Tout le monde avait des raisons d'être triste, en particulier les gens aussi vieux que lui, ceux qui ne pouvaient plus nier l'imminence de leur propre fin. Mais il avait déjà vécu des moments, au cours de sa vie, où l'accablement, lourd comme une chape de plomb, le paralysait. Plus jeune, il buvait. Maintenant, il se contentait d'attendre que ça passe.

À la naissance de Tim, sa famille – cinq personnes en tout – vivait dans un T2 au troisième étage d'un immeuble sans ascenseur et situé à un kilomètre de là. Enfant non désiré, il était venu au monde huit ans après son frère et dix ans après sa sœur. Sa mère, une femme frêle, était sans cesse enrhumée et paraissait constamment déprimée. La cohésion de la famille était de fait assurée par son père. L'homme était grand, plus grand que Tim à l'âge adulte. Il rugissait plus qu'il ne parlait. D'une manière générale, il chérissait la vie, et davantage encore sa femme et ses enfants. Chaque fois qu'il rentrait à la maison, Tim exultait.

Il était jardinier. Tim soufflait sa sixième bougie quand, d'après les témoignages, l'employé des espaces verts tomba entre deux voitures et fut coupé en deux. Sa mère perdit les pédales. La mort de son mari l'avait brisée. La sœur de Tim, âgée de seize ans à l'époque, prit son indépendance et son frère fut confié à une tante. Tim, en revanche, était trop jeune, trop turbulent et trop affecté par le décès paternel pour que quiconque dans l'entourage se propose de l'accueillir. Sa mère l'emmena donc au foyer Sainte-Marie. Le garçonnet était muni, pour tout bagage, d'une valise en carton marron. Sa mère lui jura de revenir le voir bientôt. Il s'endormit en pleurant pendant un an.

La plupart de ses amis flics, en catholiques avertis, avaient tendance à médire des bonnes sœurs. Ils racontaient des histoires où les nonnes leur meurtrissaient les jointures à coups de règle, les décrivaient comme des sorcières frigides, insatisfaites de leur mariage avec Dieu guère supérieur aux unions plus traditionnelles. En vérité, les religieuses qui s'étaient occupées de Tim, alors qu'il n'était même pas catholique, lui avaient sauvé la vie. Elles étaient gentilles, leur cœur était empli de foi en l'Être Suprême et en chaque enfant. En dépit de son jeune âge et du manque parental, le jeune garçon sentait qu'il était mieux au foyer. Il se mit au trombone. Sœur Aloysius lui avait donné un instrument et il se débrouillait plutôt bien. «Ce cuivre, professait-elle, te permettra de partir d'ici, mon fils.» De fait, il obtint un poste dans la fanfare des marines, puis une bourse pour étudier à l'université publique.

Il avait vingt-quatre ans et passait ses nuits dans les clubs de jazz. Un jour, il vit sa mère dans la rue, les bras chargés de sacs de course. Il la suivit discrètement jusqu'à un vieil immeuble décrépit. Elle monta avant qu'il ne puisse pénétrer dans l'immeuble. Il attendit sur le trottoir. Une lumière s'alluma au quatrième étage. Profitant de la sortie d'un locataire, il se faufila dans la cage d'escalier.

Sa mère se tenait sur le seuil de l'appartement, les yeux braqués sur lui. Son nez était irrité. Elle s'essuya les yeux avec son tablier, puis se mit à pleurer.

« Oh Tim, s'excusa-t-elle. Je ne savais pas quoi faire. » Il entendit quelqu'un geindre dans l'appartement. Une fillette de dix ans vint se poster près de sa génitrice, le fusillant du regard. Sa mère lui proposa d'entrer. Pris au dépourvu, il refusa. Mais au moment de partir, il se retourna pour demander des nouvelles de son frère et de sa sœur. Alice était aux abonnés absents – Tim la retrouverait à la quarantaine – et Eddie s'était engagé dans l'armée, comme lui.

À la faveur d'une permission, son frère revint en ville.

« J'ai essayé de la convaincre de nous emmener te voir, déclara-t-il à Tim. Elle n'a rien voulu savoir. » Ed faisait la taille de son père. Il commençait néanmoins à s'empâter. « J'avais peur qu'en insistant elle ne veuille plus me voir non plus. » Une vérité dure à encaisser, mais Tim comprenait sa réaction. Il embrassa son aîné et les deux frères gardèrent le contact. Eddie l'appelait au moins une fois par semaine, où qu'il soit. Ils allaient pêcher au lac Boundary chaque été. Un endroit qu'ils avaient découvert avec leur père. Avec le temps, leurs enfants respectifs les accompagnèrent. Ed était décédé depuis six ans maintenant. Cancer. Il habitait alors à Laguna Beach.

Maria avait invité la mère de Tim et ses trois demi-sœurs à chaque Noël. Elles étaient venues, mais il ne ressentait rien pour elles. Par contre, il se félicitait d'avoir encore sa femme, ses filles et Eddie. Il les adorait et, par-dessus tout, ils l'adoraient en retour. Il ne voyait pas l'intérêt de s'investir dans une autre relation qui le bouleverserait au point d'en suffoquer.

Au bout du compte, il s'en était bien tiré. Ils avaient perdu Katy, mais ses deux sœurs – des femmes bienveillantes, magnifiques – étaient toujours vivantes. Elles se débrouillaient pour l'appeler tous les jours. Maria avait partagé ses goûts pour la musique. Excellente pianiste, elle avait donné des leçons à la moitié des gosses de Saint-Démétrios. Ils avaient rempli leur maison de mélodies et de rires. La mort de Katy avait renforcé leur attachement réciproque. Le deuil avait révélé la valeur de leur existence.

Quand il était jeune et qu'il fermait les yeux dans le dortoir de Sainte-Marie, il se demandait souvent si on l'aimerait un jour et si lui-même éprouverait de l'affection pour autrui. Que ressentait-on, lorsqu'on était proche de quelqu'un ? Même à l'époque où son idylle avec Maria ne faisait plus aucun doute, cette question avait continué à le tourmenter. Puis elle était tombée malade. Il avait commencé à envisager la perspective de vivre sans elle, comme avant leur rencontre. Alors seulement, il avait compris qu'il avait réalisé ses rêves d'enfant.

À présent, il était seul. Son épouse lui manquait terriblement. Avait-il été aussi bon pour elle qu'elle l'avait été pour lui ? Il n'avait certes pas fait un mari idéal, en particulier au début de leur relation, lorsque les douleurs de l'enfance, encore vives, le conduisaient à l'excès. Maria n'était pas femme à se plaindre mais, en de rares occasions, elle lui reprochait son mutisme. Il n'avait jamais évoqué sa jeunesse. Elle en devinait cependant les stigmates. Avait-il été assez généreux avec elle ? Lui avait-il accordé l'attention qu'elle méritait ou s'était-il uniquement préoccupé de panser ses propres plaies ? Affalé dans son salon, il se laissait aller à une peur familière. Maria s'était-elle éteinte en regrettant qu'il n'ait pas accompli plus de choses ?

8.

ADN – 28 janvier 2008

« La réponse courte, expliqua le docteur Hassam Yavem avec un léger accent anglo-pakistanais, est oui. Vous m'avez demandé au téléphone s'il était possible de différencier l'ADN de vrais jumeaux. Cette possibilité existe en théorie. Mais elle équivaut à chercher une aiguille dans une botte de foin. »

Evon et le docteur Yavem, dans sa grande blouse blanche, étaient assis dans le bureau adjacent au laboratoire d'analyse génétique. Le praticien était un gentleman distingué. Moustache noire taillée au cordeau, crâne chauve et oblong, un peu comme une noisette. Ses réponses étaient généralement précédées d'un petit rire bienveillant qui dévoilait une incisive en or.

Evon avait l'impression que son cerveau entrait en ébullition tant elle peinait à suivre les raisonnements du scientifique. Hal s'était enflammé sitôt qu'elle avait suggéré de pratiquer un test ADN sur les traces de sang retrouvées dans la chambre de Dita. Elle mesurait la déception de son patron en cas d'incertitude.

« Arrêtez-moi si je vais trop vite, indiqua Yavem. L'un de mes confrères en Alabama est sur le point de publier une étude qui montre que la plupart des monozygotes ne possèdent pas tout à fait les mêmes marqueurs. Les variations sont infimes, mais on peut enregistrer quelques divergences sur les dix mille gènes présents dans le patrimoine génétique.»

Yavem était une célébrité dans son domaine. Il s'était spécialisé dans la différenciation génomique des membres d'une même famille. Ses recherches avaient permis d'établir une base génétique pour un certain nombre de maladies. On évoquait souvent son nom dans la liste des nobélisables potentiels. En début de carrière, il avait fourni plusieurs expertises lors de procès criminels. Aujourd'hui, il consacrait davantage d'énergie à faire fructifier son commerce qu'aux travaux de labo. Les dossiers dont il acceptait la charge étaient rares et c'était un honneur qu'il eût consenti à rencontrer Evon, même si le nom de Hal avait dû peser dans la balance. Au fil des ans, les Kronon avaient donné deux millions sept cent mille dollars à l'université où Hal avait effectué ses études.

«Nous savons depuis quelque temps que l'environnement affecte l'expression génétique. Un processus appelé méthylation. Voilà pourquoi les vrais jumeaux ne sont plus tout à fait identiques à mesure qu'ils vieillissent. Mais la méthylation ne transforme pas le patrimoine.»

Evon reformula dans sa tête les propos de Yavem. La méthylation expliquait pourquoi Cass avait paru légèrement plus grand et plus musclé que son frère lorsqu'elle les avait vus côte à côte dans la salle d'audience. Cette singularité résultait d'une réaction génétique à des contraintes externes.

«Il existe cependant d'autres particularités génomiques qui sont plus pertinentes dans le cas présent, reprit le médecin. On les désigne sous le nom de "variabilité du nombre de copies", ou CNV. Certaines séquences d'ADN se répètent ou se modifient lors de la duplication.

»Un gène est constitué de centaines, voire de milliers de combinaisons entre les nucléotides. A pour adénine, C pour cytosine, G pour guanine et T pour thymine. Un échantillon sanguin, par exemple, se notera CTGAGG.

Une variabilité de copie ressemble un peu à une faute de frappe. CCTG*A*GG devient CCTG*T*GG : la thymine remplace l'adénine. Les CNV expliquent sans doute l'apparition de maladie génétique chez un jumeau et pas l'autre. Pour la séquence que je viens de vous donner, la thymine engendre une drépanocytose.

» La plupart des CNV sont bénignes et même parfois bénéfiques. Elles touchent tous les individus, pas uniquement les jumeaux. On estime qu'elles font partie du processus naturel. Mes recherches indiquent que deux tiers des CNV se produisent au cours de la division cellulaire dans l'embryon.

— Donc, ces CVN pourraient permettre de distinguer Paul et Cass.

— CNV », rectifia Yavem avec un sourire indulgent. Le laboratoire qu'Evon apercevait derrière le bureau, à travers une grande vitre, était bien moins effrayant qu'elle ne l'avait craint au départ. Il n'était pas très différent des salles de chimie de son lycée : vases à bec, fioles, microscopes, ordinateurs et plans de travail noirs. Des obturateurs blancs encapuchonnaient les éprouvettes alignées sur des supports en plastique bleu. Trois techniciens en blouse s'activaient dans la promiscuité. Le lieu était exigu afin de restreindre les risques de contamination. Un des laborantins, affublé d'un masque stérile, ôtait ses gants à intervalles réguliers pour pianoter sur son clavier, avant de retourner à son microscope. Une femme examinait une lamelle à l'aide d'un instrument aussi rouge qu'un extincteur.

« Et maintenant, passons à la pratique, poursuivit le scientifique. Mes confrères en Alabama ont réussi à isoler une variabilité chez dix pour cent de jumeaux. Ce qui signifie que, neuf fois sur dix, les monozygotes sont impossibles à différencier. Et même si vous trouvez une modification génétique, cela n'implique pas qu'elle soit présente dans toutes les cellules. Dans l'hémoglobine, le ratio d'anomalie est de soixante-dix à quatre-vingts pour cent. Il nous faudra donc confirmer les données avec d'autres échantillons.

— D'accord », répondit Evon. Une chance sur dix de succès, sans tenir compte des autres paramètres. « Mais l'opération est possible ? On peut obtenir des résultats fiables ?

— En théorie. Vous devez néanmoins comprendre que même si on déniche une ou plusieurs CNV chez les sujets concernés, et que cette CNV se retrouve sur la scène de crime, cela ne constitue pas une preuve irréfutable.

— Hein ? »

Yavem continua de sourire sans se départir de son air enjoué.

« Imaginez que nous détections une altération similaire à celle que je vous ai décrite. La drépanocytose est une maladie fréquente. Nous saurions qu'un jumeau était présent sur les lieux, mais pas forcément celui que vous soupçonnez. Il faudrait effectuer d'autres analyses pour être affirmatif. Et qui dit tests supplémentaires dit nouveaux problèmes. Vous vous y connaissez un peu en comparaison génétique, madame Miller ?

— J'ai quelques notions qui datent de l'époque où je travaillais au FBI. Mais pour moi, c'est comme les maths. Chaque fois qu'un de mes neveux ou une de mes nièces me montre ses devoirs, les formules ne ressemblent jamais à ce que j'ai vu précédemment. »

Le docteur goûta l'analogie avec un rire bon enfant. Evon comprenait pourquoi ses services étaient si prisés. Il était affable et dénué d'arrogance. Peu importait le dossier, il s'acquitterait de sa tache sans arrière-pensée. Tout en lui suggérait l'intégrité.

« Aucun souci, la rassura-t-il. On va reprendre depuis le début. Le génome humain est identique à quatre-vingt-dix-neuf pour cent pour tous les individus. La différence principale réside dans la répétition des combinaisons. En 1984, l'Anglais Alec Jeffreys a développé une technique visant à répertorier les redondances. Il a trouvé l'enzyme responsable de la segmentation. L'analyse consiste à examiner un petit nombre de codons répertoriés et à pointer leurs occurrences. Grâce aux correspondances, on peut identifier un schéma particulier sur un million ou un milliard. »

Les yeux levés sur le plafond insonorisé, Evon tentait d'intégrer l'information. Les explications rappelaient peu ou prou ce qu'elle avait appris lors de son stage de mise à jour à Quantico dans les années 1990.

« À l'heure actuelle, ces analyses sont faciles à pratiquer, non ? s'enquit-elle.

— Ça dépend, sourit Yavem. Savez-vous comment les prélèvements recueillis sur la scène de crime ont été conservés ?

— Pas encore. » En vérité, elle n'était même pas sûre qu'ils existent toujours. Tim avait récupéré l'inventaire des scellés : il pourrait lui dire ce qu'il en était. Evon avait passé un ou deux coups de fil aux instituts médico-légaux. Sur des affaires de meurtre, le protocole exigeait la préservation des échantillons, mais cette règle souffrait de nombreuses exceptions. Il n'était pas rare que les éléments disparaissent des dossiers, *a fortiori* quand les cas étaient jugés. Plutôt que de transmettre certaines pièces au greffe, les flics ou les procureurs adjoints se contentaient souvent de les mettre dans un tiroir, où elles prenaient la poussière jusqu'à ce qu'on s'en débarrasse. La médiatisation de l'affaire Kronon – une fille de futur gouverneur assassinée – plaidait cependant en faveur d'un respect strict de la procédure. Dans cette optique, le sang du meurtrier présumé, retrouvé sur la fenêtre, serait du plus grand intérêt. Yavem tempéra son optimisme.

« Vous pouvez être certaine que les échantillons n'ont pas été conservés dans des conditions satisfaisantes. L'ignorance des techniciens est bien compréhensible. Ce type de technologie était inconnu en 1982. Comme toutes les cellules, l'ADN se détériore avec le temps. On a peut-être congelé l'ADN sanguin, mais pas celui des empreintes digitales, qui sont des traces de sudation. Nul doute que celles-ci ont été stockées à la mauvaise température. Sans parler des risques de contamination. Personne ne connaissait les précautions à prendre pour éviter de mélanger les cellules épithéliales aux autres prélèvements.

» Vu les probabilités de dégradation, la meilleure option reste le séquençage répété en tandem court, ou STR. Je pense en particulier au STRY, qui étudie les régions hypervariables du chromosome Y. On peut l'effectuer sur des segments très réduits et la structure chromosomique est plus résistante. J'ajoute que vous n'aurez pas à vous soucier de l'intervention des sujets féminins, puisque seuls les hommes possèdent le chromosome Y.

— Ce test est fiable ?

— Plutôt, oui. Notez toutefois qu'il ne supprime pas totalement les problèmes liés à l'altération. Ceux-ci apparaîtront même si vous utilisez les deux autres méthodes de détection des CNV : la plateforme de génomique appliquée et les puces d'expression BeadChip d'Illumina. »

Yavem venait de résumer la marche à suivre. Evon imaginait que Hal devrait payer pour chaque étape. D'abord, ils étudieraient l'ADN de Paul et de Cass en vue de déterminer leur degré de gémellité. Depuis la découverte du génome, de nombreux jumeaux avaient appris qu'ils étaient bivitellins. Puis Yavem pratiquerait un STRY pour établir si le sang de la scène de crime provenait de Paul ou de Cass. Ensuite, il pratiquerait d'autres examens afin de pointer les variabilités du nombre de copies. Et enfin, on tâcherait de localiser ces CNV dans les échantillons détenus au greffe.

« J'estime nos chances à une sur cent, conclut le médecin. Un pari osé, mais ça vaut le coup d'essayer. Le dossier me paraît intéressant. Les travaux pourraient déboucher sur des pistes prometteuses dans le domaine de la recherche. »

Ils étudièrent ensemble la faisabilité du projet, en termes de temps et d'argent. Les tests CNV étaient brevetés. Ils devraient être effectués par le labo propriétaire des machines et des logiciels. Au moins trois semaines d'attente. Elle remercia chaleureusement Yavem, lui indiqua où envoyer le devis, puis retourna à ZP pour tenter d'expliquer tout cela à son patron.

9.

Prise de conscience – 28 janvier 2008

Hal était plus ou moins dans l'état où Evon l'avait laissé le matin même : renversé dans le fauteuil de son bureau monumental, amusé par le spectacle qui défilait sur l'écran plasma extra large fixé au mur. Il ne lui manquait que le bol de pop-corn.

Lorsqu'elle l'avait informé de son entrevue prochaine avec Yavem, Kronon était en train de lire les e-mails de ses employés. Les entreprises d'aujourd'hui invitaient leurs collaborateurs à faire le deuil de la confidentialité. Pour Hal, il s'agissait d'un blanc-seing. À l'origine, le système avait été mis en place afin de permettre au département dirigé par Evon d'épingler un petit malin qui revendait des fichiers clients aux concurrents. Le P-DG de ZP s'en servait désormais pour espionner les échanges de liens vers les sites pornos, les critiques ou bien les bruits de couloir évoqués dans la correspondance interne. Apparemment, il n'avait que faire de ces informations. À l'image d'un dieu diverti par les faibles mortels en contrebas, il se contentait d'observer ce manège d'un œil distrait.

À présent, il se rongeait le pouce en étudiant l'ultime version du spot où apparaissait Georgia. Evon, qui n'avait pu voir que des rushes, regarda la vidéo finale avec lui. Le propos était plutôt percutant.

«La première diffusion est prévue cette nuit, précisa Hal. On verra comment réagissent les sondages, après ça.»

Le somptueux bureau du P-DG était lambrissé de bois clair, du faux platane. Evon était persuadée que sa salle de bains personnelle était à l'avenant. Les souvenirs de Dita trônaient sur une étagère : une photo de classe, un poème de jeunesse ainsi qu'un cliché de la défunte en compagnie de ses parents et de sa tante Teri. Un autre rayonnage présentait des instantanés de sa mère et de son père. Une peinture à l'huile, parmi les nombreux portraits de Zeus qui ornaient les bureaux de ZP, était accrochée au-dessus de la porte. La crédence sous la télé était quant à elle dévolue aux icônes de la famille de Hal. On pouvait dire ce qu'on voulait de lui, mais il était un chef de famille attentionné. S'il vantait les mérites de sa progéniture, c'était uniquement en vertu d'un amour débordant. Mina et lui avaient quatre enfants. Les deux aînés s'étaient orientés vers l'humanitaire à la fin de leurs études. Dean, le plus âgé, combattait le sida en Afrique en dépit du souhait paternel de le voir intégrer le monde des affaires. Les enfants du P-DG, même les deux cadettes encore scolarisées, considéraient les opinions politiques de leur père comme dépassées. Hal, indulgent, attribuait ce jugement à un péché de jeunesse. Il aurait fait ravaler ces propos à n'importe qui d'autre. Il vouait par ailleurs une admiration sans borne à sa femme, qu'il appelait trois ou quatre fois par jour. Il la traitait avec tendresse. Les conseils qu'elle lui prodiguait étaient selon lui autant de marques d'affection. Elle lui préparait son costume chaque matin. Evon ne connaissait pas d'homme marié plus heureux.

«Une chance sur cent, hein? avait-il conclu à l'issue du compte rendu de la responsable.

— Et au moins deux cent cinquante mille dollars.

— Mais il accepte de tenter le coup, pas vrai?

— On peut déposer une motion auprès du juge Lands. Yavem nous fournira une attestation selon laquelle il est

possible d'obtenir des résultats fiables. Mais la technologie
est encore balbutiante. Les démarches peuvent prendre
un mois ou plus rien que pour valider les tests.»
   Hal réfléchissait. Son visage s'éclaircissait à mesure
qu'il évaluait les potentialités du projet. Evon tenait à ce
qu'il ait tous les éléments avant de trancher.
   «J'ai étudié la question, Hal, et je pense qu'il faut aussi
songer à ce que nous ferons si les analyses ne vont pas
dans notre sens. On peut chercher l'aiguille dans la botte
de foin, pour reprendre l'expression de Yavem, et se
retrouver avec des résultats positifs seulement pour Cass.
Je crois même que c'est l'issue la plus probable, étant
donné qu'il a plaidé coupable. Le risque est gros. On peut
y perdre notre crédibilité et faire de Paul un martyr. Il
n'aura plus qu'à déménager ses meubles à la mairie.»
   Ainsi qu'il en avait l'habitude, Hal écouta son employée
avec attention, ses gros yeux fixés sur elle à travers ses
lunettes double foyer.
   «On se lance, décida-t-il. Peut-être que l'initiative se
retournera contre nous, mais ils ont tué ma sœur. Les
jumeaux ont des choses à cacher, j'en mettrais ma main à
couper. Je veux la vérité. En l'honneur de Dita.»
   Evon appela Yavem pour donner son feu vert, puis ils
examinèrent les dossiers en cours et en particulier celui
de YourHouse. Les enquêteurs mandatés par ZP avaient
découvert comment le site d'Indianapolis avait jadis abrité
une modeste usine de peinture. Information corroborée
par Tim après sa filature. Cependant, les échantillons prélevés sur le terrain n'avaient pas confirmé de contamination effective. Dykstra s'était indignée. Elle avait exigé une
lettre d'engagement de Hal dans la semaine sous peine
d'annuler la transaction. Le P-DG n'était pas en mesure de
demander un rabais : ZP avait promis cinq cent cinquante
millions, dont quatre cents en espèce afin de garantir
les capitaux des centres commerciaux. Maintenant, Hal
convoquait Evon cinq fois par jour pour réclamer un rapport détaillé sur le moindre trou creusé.

Elle quitta le bureau bien après 20 heures. Elle téléphona à Heather en sortant du garage souterrain de ZP
au volant de sa BMW Série 5. La jeune femme répondit
par un texto : «Travaille tard. Craint à mort.» Cette dernière expression faisait référence à Craigmore, son exigeant client.

Les deux femmes partageaient un appartement dans
un immeuble neuf. Trente étages de verre. Un logement
choisi en commun, dont Evon s'acquittait en totalité. Heather consacrait l'intégralité de son salaire à peaufiner les
apparences. Elle avait remeublé les pièces deux fois avec
la même élégance dispendieuse que sa garde-robe. Une
immense baie vitrée donnait sur le fleuve. Les élégantes
pièces de mobilier, disposées avec un soin minimaliste,
conféraient au lieu la dimension appropriée. L'appartement était aussi beau, aussi parfait qu'Heather. Evon ne
s'était jamais vraiment sentie chez elle. Son penchant
naturel allait plutôt aux chaises encombrées et aux chaus-
settes sales jonchant les piles de magazines. Le désordre
régnait sitôt qu'on la laissait seule.

Vêtue d'un pull-over décontracté, elle travailla pendant
une petite heure, puis alluma la télé sur Channel Sport
et mangea léger. Comme toujours, son esprit continuait
à s'activer. Elle repensait au spot avec Georgia. Fort des
intuitions loufoques qui l'avaient à maintes reprises aidé
en affaires, Hal était peut-être sur la bonne piste.

Un autre sentiment grandissait en elle. En enquêtrice
chevronnée, elle ne pouvait se voiler éternellement la face.
L'idée avait commencé à germer deux ou trois semaines
auparavant, au mariage de Francine et Nella. Heather était
trop prompte à céder aux exigences de Tom Craigmore.
Elle revenait souvent de leurs rendez-vous accompagnée
d'une odeur de savon frais. Evon aurait dû se douter de
leur liaison plus tôt.

Lorsqu'elles s'étaient rencontrées, la jeune femme
avait avoué qu'il lui arrivait de fréquenter des hommes
en période de célibat. Heather manquait d'assurance. Elle

se croyait sans doute obligée à de telles pratiques en vue de cimenter une relation client. Et Evon n'était plus en mesure de faire comme si elle ne savait rien.

L'amour était ce qu'il y avait de plus beau au monde, mais le concept paraissait voué à se terminer dans la tristesse et la déception. Ce sentiment auquel les gens adhéraient, cet élan qu'ils appelaient de tous leurs vœux et qui inspirait tant de chansons ne conduisait-il en fait nulle part, si ce n'est au fond du trou, dans les recoins les plus sombres de la psyché, sur un champ de bataille où les cœurs se brisaient à coups de hache? La vérité de la passion s'exprimait-elle ainsi? Constituait-elle le plus sûr chemin vers la haine?

À 22 heures, Evon s'endormit dans son lit, un livre sur Sandy Koufax ouvert sur la poitrine. Elle se réveilla aux alentours de minuit pour éteindre la lumière et retourna se coucher. Heather rentra à 2 heures du matin. De toute évidence éméchée, elle tituba jusqu'à la salle de bains. Evon entendit des bruits d'objets renversés : le porte-savon en acier près de l'évier, puis des produits de maquillage. «Salut», murmura-t-elle dans l'obscurité, avant d'allumer la lampe.

Heather se tenait immobile, une main sur la poitrine, les yeux écarquillés. Elle était nue. Sa silhouette longiligne se découpait dans l'embrasure de la porte.

«Tu m'as fichu une de ces trouilles, souffla-t-elle. Je croyais que tu dormais.

— Pas vraiment. Trop nerveuse. Comment c'était, cette nuit?

— Je me demande encore si Tom est amusant ou complètement stupide.»

Et il baise bien? fut tentée d'ajouter Evon. Un an plus tôt, elle aurait posé la question. Mais la colère avait cessé de s'accumuler en elle avec l'inflexibilité d'une bombe à retardement. Elle était désormais résolue à tester les limites de sa propre détresse.

«Je n'y arrive plus.» À l'expression de sa compagne, figée devant l'armoire Eames, une nuisette à la main, Evon s'aperçut qu'elle avait parlé à voix haute.

« Tu n'arrives plus à quoi ?

— À te regarder trébucher après que tu as laissé un mec te peloter, te baiser ou Dieu sait quoi.

— Oh, je t'en prie.

— Je crois que tu me voles ma réplique. »

Heather se mit brusquement à pleurer. « Tu racontes n'importe quoi. Je veux dire, tu m'accuses. »

Evon ne prit pas la peine de nier.

« Tu me l'as avoué toi-même. À plusieurs reprises quand tu étais bourrée. Tu t'es allongée dans ce lit et, au moment où je t'ai posé la question, tu t'es contentée de répondre : "Ce n'est pas grave." Combien de fois ? J'étais disposée à faire semblant de ne pas comprendre.

— Ce n'est vraiment pas grave », répéta la jeune femme dans un sanglot. Evon prévoyait déjà les explications de sa compagne, car elle se souvenait de ses justifications lors des incartades précédentes. Heather se moquait de ces types, prétendait-elle avec une sincérité probablement authentique. Elle voulait qu'ils se rendent compte de son inaccessibilité. Ils ne pouvaient pas l'atteindre. Ces coucheries n'étaient pas sans conséquences, mais elles n'avaient rien à voir avec les instants de tendresse où elle enlaçait Evon. Heather convenait qu'il s'agissait d'un comportement à la fois tordu et irrépressible. Avec le sexe, tout le monde devenait un peu tordu ou, du moins, apportait de légères modifications à son jardin secret. Evon se moquait des arguments de la jeune femme. Elle ne pouvait plus passer outre. L'issue était inévitable. Elle expliqua tout cela à son amie.

« Tu veux que je cesse de voir mes clients ? » s'indigna l'ancien mannequin sur un ton théâtral. Elle faisait les cent pas, agitait les bras. « Si c'est ce que tu souhaites, d'accord. Je le ferai. C'est une dispute de lesbiennes à la con. Je ne sors qu'avec des gens qui m'attirent.

— Moi, je crois que tu vas continuer. Je crois que toute cette affaire est importante pour toi. Tu recommenceras, même si tu ignores pourquoi. Et tu me briseras encore le cœur, alors il vaut mieux s'arrêter là.

— Je t'aime. Et tu m'aimes aussi », plaida la jeune femme.

À présent qu'Evon était bien réveillée, elle s'apercevait que le problème affleurait depuis longtemps. Elle avait songé à toutes les solutions, pesé le pour et le contre.

« Je vais dormir chez Janet. Cette nuit et demain. Enfin, quelques jours. Je veux que tu partes avant la fin du week-end. »

Heather se liquéfia. Elle poussa un gémissement de désespoir total. Son nez se mit à couler. Sa belle apparence se fissura. Elle était trop saoule pour avoir pensé à se démaquiller. De longues traînées pâteuses serpentèrent sur ses joues.

« Je ne peux pas m'en aller. Je vis ici, c'est mon appartement. Je t'aime. S'il te plaît, je vais changer. Rebecca connaît un psy. J'irai le voir. Je te promets de m'améliorer. Je t'en prie. » Elle s'agenouilla, les bras écartés. Cette vision était pénible car, dans un recoin obscur de son âme, Evon savourait l'avilissement de son amie. Celle-ci était blessée à son tour, presque anéantie. Heather rampa jusqu'au lit, l'agrippa par le mollet. Elle martelait qu'elle l'aimait, la suppliait. Evon pleurait aussi.

Elles avaient déjà vécu des crises semblables. Trois ou quatre fois. Des éclats émaillés de diverses menaces. Chacune d'elles jouait son rôle. Evon en colère. Heather abjecte. La première posait des ultimatums, la seconde demandait pardon. Puis elles se réconciliaient avec l'espoir que les choses s'arrangent.

L'espérance était un moteur puissant. Evon s'illusionnait toujours quand elle aimait les gens. Cependant, elle s'apercevait qu'aujourd'hui la démarche était vaine. La pièce dramatique dans laquelle les deux amantes étaient engagées – je t'aime, tu m'aimes, je te fuis, tu me suis – n'avait pas de fin. Elle les ramènerait sans cesse au premier acte. Avec l'âge, Evon avait appris à se connaître. Elle avait consulté assez de thérapeutes pour prendre conscience de son attachement systématique à des personnes qui, comme sa mère, refuseraient de la considérer. Des individus pour qui elle ne serait jamais à la hauteur. Tel était le schéma auquel l'ancienne Evon était vouée. Pour s'en éloigner, elle devait lutter contre elle-même. Elle avait l'impression que son ancienne personnalité – son côté DeDe – restait sur le lit tandis qu'elle se levait et sortait de son corps, à l'image d'un spectre dans un film en noir et blanc. L'effort était presque surhumain, mais elle demeurait persuadée d'avoir raison. Elle savait ce dont elle avait besoin. Elle désirait le bonheur et il n'appartenait qu'à elle de l'obtenir.

Elle prépara quelques affaires, s'habilla et quitta l'appartement sous les cris déchirants de Heather. L'opération lui prit une dizaine de minutes. Ensuite, elle s'assit dans la voiture, garée au sous-sol de l'immeuble, et attendit d'être prête à conduire. Il lui avait fallu tellement longtemps pour s'accepter. Le cheminement avait été effrayant, humiliant et, pire que tout, étrange. Elle s'était toujours sentie anormale, mais était enfin parvenue à surmonter ce malaise. À présent, elle devait affronter une autre vérité, bien plus horrible : elle approchait de la cinquantaine et personne ne l'aimerait jamais. En tout cas pas de la manière franche et durable qu'elle escomptait. Il était 3 heures du matin. Elle était seule au milieu d'un parking obscur, les bras passés autour de la poitrine.

10.

Sur la piste – 30 janvier 2008

Paul était dans le métro de Central City à 7 h 30. Il avait conservé l'un de ses gants. L'autre main, nue, se tendait vers les banlieusards. Il s'était posté au niveau inférieur, près des portiques, de façon à affronter le flux des voyageurs. Il faisait froid, guère plus de dix degrés. Les jeunes assistants qui l'accompagnaient tapaient du pied et marchaient en cercle. Il ressentit une pulsation dans les oreilles. Une nouvelle rame de travailleurs accapara son attention. Depuis que John Kennedy avait instauré l'absence de couvre-chef lors de sa campagne, il était de mise d'aborder les électeurs tête nue.

«Paul Gianis compte sur vous pour le scrutin du 1er avril.» Il répétait cette sentence, à un ou deux mots près, au moins cinq fois par minute.

Il adorait le travail de terrain, mais pas pour les raisons qu'on avançait habituellement. Tout d'abord, cette pratique lui avait appris l'humilité. Un trait de caractère fort prisé de sa mère, même si, à titre personnel, elle s'y adonnait avec parcimonie. Dans le monde d'aujourd'hui, seuls les sportifs et les entraîneurs étaient de véritables stars. Paul avait été chef de la majorité au Sénat pendant quatre ans et, pourtant, les gens le reconnaissaient à peine. Ils imaginaient sans doute qu'ils l'avaient vu au mariage d'un cousin ou à l'occasion d'une fête oubliée. À l'évocation de son nom, les réactions variaient. La plupart se contentaient d'un vague sourire et passaient leur chemin. Quelques-uns s'arrêtaient pour lui dire qu'ils avaient été clients au magasin de son père, d'autres affirmaient l'avoir déjà soutenu par le passé. On lui demandait parfois des photos, en particulier les pères de famille. Mais une bonne partie des gens – républicains ou déçus de la politique, généralement ceux qui trimaient le plus dur – accueillait ses sollicitations avec froideur. Bien entendu, les vieilles connaissances prenaient le temps de le saluer. Il s'agissait en majorité d'avocats se rendant à leur bureau. Il y eut aussi un Latino sympa, rencontré lors des cinq ou six étapes effectuées dans les Tri-Cities, qui ouvrit grands les bras et le gratifia d'une accolade. « Pablo, *amigo* ! »

Certains voyageurs engageaient la conversation. Les mères de famille posaient plutôt des questions sur le système éducatif ou les aires de jeux, deux domaines soumis à des restrictions budgétaires chroniques. Les jeunes qui effectuaient le trajet inverse – à savoir du centre-ville à la banlieue pour travailler près de l'aéroport – insistaient pour connaître ses vues en matière énergétique ou son programme de soutien aux start-up. Paul était présent aux heures de pointe, on le voyait aux arrêts de bus, dans le métro les jours ouvrés, sur les parkings de magasin le week-end. Cette assiduité lui permettait de prendre le pouls de la société. Les Noirs du North End étaient encore nombreux à l'accoster pour se plaindre de la police. Il entendait des histoires déchirantes.

Aujourd'hui, par exemple, le père d'un enfant lourdement handicapé lui avait raconté ses difficultés vis-à-vis de la prise en charge scolaire et des aides à domicile. Il refusait d'interner son fils, que sa mère avait abandonné plusieurs années auparavant. D'autres entretiens se révélaient parfois cocasses : un travailleur matinal l'adjurait d'intervenir séance tenante pour faire cesser les aboiements du chien de son voisin ; un illuminé lui suggérait

de modifier les rayons zeta en provenance de la planète
Mars ; un divorcé exigeait une intervention auprès du
juge des affaires familiales, dont le verdict défavorable
était signe d'indéniable corruption. Mais Paul aimait ces
confrontations, ces rencontres, ces doléances. Il engageait
ses assistants à noter les idées, les projets, les noms. Il
était au cœur de l'action, là où les besoins s'exprimaient.

« Alors, il se passe quoi, avec cette histoire de meurtre ? »
lui demanda un jeune homme en bonnet et pardessus.
C'était la troisième fois ce matin que les passants lui parlaient du spot de Hal. Il leur avait opposé un regard contrit
et secoué la tête, comme si toute cette affaire le dépassait.

« Ce type est un connard, hein ? » insista le jeune homme.
Il avait une mauvaise peau, synonyme d'adolescence compliquée. De toute évidence, il avait repris du poil de la bête
depuis.

« C'est vous qui le dites, répliqua Paul.

— Ouais, mais ça craint, mec. » Sur ces mots, l'individu
continua sa route.

Paul et ses deux assistants quittèrent la station à 8 h 45.
Paul était attendu au Métro Club pour une levée de fonds
avec des confrères du palais de justice. Il y avait perdu
plusieurs soutiens en arguant que le plafonnement des
dommages et intérêts était un échec de la réforme du système de santé. Mais la plupart des employés du ministère
public étaient des amis de longue date. Paul était encore
des leurs et ils n'oubliaient pas que le futur maire aurait
la responsabilité du département de justice à l'échelle du
comté.

Lorsqu'il ouvrit la portière arrière de son véhicule de
campagne, une Taurus rouge vieille de deux ans, il trouva
Crully installé sur la banquette. Celui-ci se pencha en
avant et demanda à Kim et Marty, les deux assistants, si
cela les dérangeait d'aller au Métro Club en taxi. Mauvais
signe. Mark ne bravait le froid que lorsqu'il avait besoin
de s'entretenir en privé avec son candidat avant d'affronter les journalistes. Le directeur de campagne tendit une

liasse de papiers à Paul. Les ordonnances du cabinet d'avocats de Hal.

«Aucune requête en annulation? interrogea le politicien.

— Hein?

— Tu avais dit qu'ils déposeraient une requête en annulation au titre du premier amendement et que nous ferions traîner les choses jusqu'aux élections. J'ai l'impression qu'ils ont décidé de sauter cette étape, n'est-ce pas?»

Mark haussa les épaules, manifestement indifférent à son erreur d'appréciation. Hal et ses avocats attaquaient et demandaient au juge Lands la réquisition de toutes les pièces encore en possession des enquêteurs, que ce soit au niveau de l'État ou au niveau local. Paul serait sommé de fournir un prélèvement buccal ainsi que ses empreintes digitales. Ils allaient pratiquer une analyse ADN. Il lut deux fois l'attestation de Yavem. La perspective était déstabilisante. Il s'était déjà vaguement inquiété de cette possibilité au cours des années précédentes, mais on lui avait toujours certifié que les jumeaux partageaient l'intégralité de leur patrimoine génétique. Yavem était pourtant une sommité dans son domaine.

Crully déchiffra l'expression de Paul.

«Ray a déjà parlé à Yavem. La validité des tests est estimée à 0,5 %.

— Et ils possèdent encore les échantillons?

— Le sang, oui. Il était dans le frigo de la police d'État. Ils sont censés les conserver une décennie, et puis *adios*. Mais ça n'a pas été le cas cette fois-ci.

— Et qu'est-ce qui me vaut ce coup de chance extraordinaire?

— Le sida.

— Le sida?

— Les prélèvements datent de 1982. Une époque où l'on n'effectuait pas de dépistage. Dix ans plus tard, personne n'a voulu y toucher. C'est resté là.

— Super.»

Crully n'aimait pas la réaction de Paul. Il assistait à la même dérobade chaque fois que le sujet venait sur le tapis. Il avait dirigé avec succès suffisamment de campagnes à travers tout le pays pour choisir les chevaux gagnants. Et il avait accepté de leur offrir ses services pour deux raisons. La première était qu'il désirait la victoire. Certes, il travaillait parfois pour des tocards de progressistes bourrés de fric qui croyaient incarner la démocratie, mais c'était juste pour l'argent et toujours dans des périodes dénuées d'enjeu majeur. À présent, il estimait qu'il avait assez avalé de couleuvres. S'il avait besoin de pognon, il retournerait faire du lobbying à Washington. La seconde tenait à la pugnacité du candidat. Incroyable le nombre d'hommes et, plus rarement, de femmes qui rechignaient à mouiller leur chemise. Ils adoraient parader devant les objectifs et haranguer les foules en délire. Peu importe que ces dernières soient constituées pour moitié de parents du personnel. En revanche, lorsqu'il fallait s'échiner dix-huit heures par jour, l'enthousiasme disparaissait. Et puis, ils étaient persuadés que l'argent poussait sur les arbres. Selon eux, George Soros ou quelqu'un d'autre allait tellement les apprécier qu'il leur filerait aussitôt des valises de fric. Ils trouvaient humiliant de s'abaisser à demander aux électeurs de fournir un soutien concret. Gianis, lui, était un pro. Et il était endurant. Deux jours plus tôt, il avait demandé à son directeur de campagne d'ajouter des rendez-vous à son planning de février, trois de plus chaque jour. Sans compter qu'il avait toujours son cabinet et que les sessions du Sénat reprendraient la semaine suivante. Gianis ne dormirait pas plus de quatre heures par nuit jusqu'en mai.

Ils s'étaient rencontrés trois ans auparavant. Paul formait une équipe pour l'accession au Congrès. Crully, de son côté, avait fourni un engagement de principe dans une élection en Californie, mais avait fini par jeter l'éponge. À l'instar de Paul, il avait intégré la fac d'Easton. Son statut d'étudiant ne l'empêchait pas de participer à diverses élections locales. Il connaissait donc les bonnes personnes à embaucher. Il avait accueilli la proposition de diriger la campagne municipale d'une grande ville avec joie. Il aimait bien Gianis. Un type franc et ouvert. Disposé à écouter les conseils et de surcroît habité par une conviction qui dépassait le cadre de sa propre victoire, même si cette dernière constituait l'enjeu majeur. Paul connaissait les équations élémentaires : combien de militants, combien d'argent. Clooney, le trésorier de campagne, lui avait fourni une liste d'une dizaine de noms. Des gens à appeler avant d'aller dormir. Le candidat avait son portable en main et la liste sur les genoux dès la fin de réunion. Il n'était pas rare qu'il s'acquitte de sa tâche avant midi et demande dix noms supplémentaires. Il ne pleurnichait pas sur sa vie de famille sacrifiée et, pourtant, tout le monde avait besoin de voir sa femme et ses enfants de temps à autre. Il ne sortait pas de l'église en traitant le prêtre d'imbécile narcissique à voix basse. Il savait que les chaires étaient peuplées d'égocentriques. Cette histoire avec Kronon paraissait toutefois avoir ébranlé sa légendaire discipline. Il réagissait comme un type apeuré. Ce comportement préoccupait Crully. Un candidat apeuré ne pouvait pas gagner. L'effroi était ressenti par l'ensemble des intervenants : journalistes, opposants, membres de l'équipe. Le leader devait rester leader. Paul semblait déstabilisé par les problèmes de son frère.

« L'affaire échappe à notre contrôle », se tourmenta Paul. Crully l'observa. Le candidat regardait par la vitre, les yeux fixés sur les immeubles et les rues bondées de la ville qu'il espérait gouverner un jour.

« Que dois-je faire ? ajouta-t-il.

— Comment ça ? Tu coopères, c'est évident. Tu relèves la tête et tu dis : "Je n'ai rien à craindre. Voici mes empreintes. Prenez aussi un échantillon de ma salive." Tu n'es pas devant un tribunal. Tu mènes une guerre fondée sur les apparences, je te le répète.

— Il faut refuser les analyses. Les résultats ne seront pas bons. »

Le cœur du directeur de campagne s'emballa.

« Qu'est-ce que tu racontes ? Tes empreintes figurent sur la scène de crime ? Ou ton ADN ? »

Paul se tourna vers Crully, la bouche plissée en une grimace amère.

« À ton avis, Mark ?

— Ça veut dire quoi, "les résultats ne seront pas bons" ? Si tu n'étais pas là-bas, ils seront forcément en notre faveur, n'est-ce pas ? À ta place, je remonterais mes manches et je donnerais mes empreintes devant une dizaine de caméras. Aujourd'hui même.

— Aujourd'hui, je ne peux pas.

— Pourquoi ?

— Je dois voir mon frère avant. Il faut aussi que je parle à Sofia. Mes enfants vont accuser le coup. J'ai besoin de les avertir. » Il fit rouler sa langue dans sa bouche et reporta son regard par la vitre. Il ôta ses lunettes dans un geste machinal pour masser l'arête bosselée de son nez. « Au cas où tu n'aurais pas deviné, Mark, les tests prouveront juste qu'il est impossible de distinguer mon ADN de celui de Cass. Hal et ses avocats s'en serviront pour insinuer que je pourrais être le meurtrier. Ma seule parade consistera à nier. Cette injonction est un piège. »

Crully réfléchit un moment. Gianis n'avait pas tort.

« On a pris une décision désastreuse, continua Paul. Tu m'as conseillé de porter plainte pour envoyer un message. Et les avocats devaient bloquer la procédure jusqu'aux élections.

— Certes. Mais tu m'as affirmé que tu n'avais rien à te reprocher. Maintenant, Kronon a la preuve que tu as menti aux flics. Et ta pauvre ex, qui porte carrément ta trahison tatouée sur le front, clame que tu es convaincu de l'innocence de ton frère. Alors ne me colle pas tout sur le dos. Bien souvent, femme varie, O.K. Mais les flics ?

— J'avais oublié ce détail.

— Une négligence fâcheuse.

— De toute façon, je ne leur ai pas menti. Mais peu importe. »

Crully n'avait jamais évoqué précisément l'affaire avec son poulain et il n'était pas certain de vouloir en savoir plus. Même quand la situation se mettait à puer avec des relents de fosse septique engorgée, il s'était toujours abstenu de réclamer des comptes sur les petites cachotteries de son employeur ou la brusque générosité d'un important mécène. Cette discrétion lui permettait de rester droit dans ses bottes quand il déclarait aux journalistes que les accusations formulées étaient fausses, d'après les éléments en sa possession.

« Tu n'as pas menti aux flics ? Tu leur as raconté que toi et ton frère buviez des bières au bord du fleuve au moment des faits. Et Cass a plaidé coupable. Alors, à moins qu'il ne se soit arrangé avec Einstein pour contrevenir aux lois de l'espace-temps, il n'était pas avec toi lorsque la fille a été tuée. D'accord ? »

Gianis lui adressa ce regard contrit que Crully détestait. Puis il se perdit de nouveau dans la contemplation du paysage. Un infime mouvement de tête indiquait qu'il se sentait dépassé.

« Je n'ai jamais prétendu que nous étions ensemble toute la nuit. Ils ont dû mal comprendre. J'ai juste déclaré qu'après la réception nous étions allés à l'Overlook avec quelques canettes.

— Tu veux vraiment donner cette version ? Un malentendu ? Cass confirmera ? » Ils n'avaient pas répondu au spot de Hal car la plainte était encore en cours d'instruction. Ray avait finement manœuvré : il avait demandé au juge Lands de fixer des règles claires. Les différentes parties pouvaient-elles s'exprimer ou non ? De toute évidence, la réponse n'allait pas de soi. Paul était procureur et l'éthique interdisait au ministère public d'intervenir hors du prétoire quand une poursuite était engagée. Lands avait prévu de statuer sur ce cas la semaine suivante.

« Bien sûr que Cass confirmera, s'indigna Paul.

— Et ton frère n'avait rien avoué avant que tu parles à la police, on est d'accord ? La chronologie des événements était donc sans incidence au moment de ta déposition.

— Non, il ne m'a vraiment rien dit.

— Il ne t'a pas prévenu qu'il comptait plaider coupable ?

— Si, évidemment. »

Crully plissa les yeux.

« Tu coupes les cheveux en quatre.

— Sans doute. »

Gianis demeurait évasif. Le véritable problème était là. Quatre-vingt-dix pour cent du temps, vous pouviez cracher sur la presse et les lois de financement des partis, accuser la classe politique de faiblesse, sans qu'on vous donne tort. Mais les vérités importantes, les grosses casseroles, surgissaient toujours en période électorale. Rattraper le coup revenait à effectuer une opération neurochirurgicale au burin. Il était de plus en plus évident que Gianis passait certains éléments sous silence.

« Autre chose ? interrogea Crully.

— Comment ça ?

— Allez, Paul. Tu me prends pour qui ? Madame Soleil ? Ce n'est pas à moi de trouver la bonne question. Tu sais ce qui pourrait nous envoyer par le fond. Est-ce qu'on risque de couler ?

— Non. » Gianis se tourna lentement vers Mark. Il posa sur lui ses yeux de Grec occulte, d'un noir insondable. « C'est ce que tu veux entendre ?

— Oui, fit le directeur de campagne après une seconde d'hésitation.

— Je n'ai pas tué Dita Kronon. Je suis totalement étranger à sa mort. »

Un bon politicien avait des dons d'acteur. Crully prenait toujours leurs déclarations avec des pincettes. Il connaissait un gars que Clinton avait emmené dans un coin discret de la Maison-Blanche pour lui affirmer sans ciller qu'il n'avait jamais dragué Monica Lewinsky. Cependant, il ne pouvait s'empêcher de croire Paul. Il se laissa envahir par une vague de soulagement.

« Mon frère pense qu'on devrait retirer notre plainte, ajouta le candidat.

— Impossible, merde. Ce serait un désastre. Tu aurais l'air d'avoir un truc à te reprocher.

— Je ne dis pas que j'approuve l'idée. Mais je la comprends. Cette action est un bâton merdeux. Sauf à accepter les analyses et taper dans le mille. Cent quatre-vingt-dix-neuf chances sur deux cents d'échouer. Excuse-moi, mais je n'aurais jamais dû t'écouter.

— O.K., vas-y, rejette la faute sur moi si tu en as envie. Mais tu ne peux pas te rétracter maintenant. Fais marche arrière, et je démissionne. »

Gianis inclina la tête pour donner du poids à son regard.

« Une menace ?

— Appelle ça comme tu veux. On doit aller au procès et croiser les doigts. Peut-être que Lands musellera Hal. Peut-être qu'il interdira le spot.

— Il ne fera rien. En tout cas, c'est ce que je déciderais si j'étais juge. Tu ne peux pas autoriser un politicien à porter plainte et bâillonner ensuite l'opposition. Du Bois Lands connaît son travail. J'ai bossé avec lui.

— Je l'ignorais, s'étonna Crully avec un pincement au cœur. Pourquoi personne ne m'a prévenu ?

— Parce que c'est une longue histoire », se justifia Paul. La voiture s'arrêta devant le Métro Club. Le candidat ouvrit la portière et gratifia le directeur d'une tape sur l'épaule. Pour la première fois, un sourire éclaira son visage.

« Réjouis-toi, Mark. Ce jour est mémorable.

— Ah bon ?

— Mon frère sort de prison. » Il jeta un coup d'œil à sa montre. « En fait, il est déjà dehors. »

À 8 h 30, les gardiens avaient dû vérifier ses empreintes de manière à relâcher le bon détenu, et Cass était sorti vêtu du vieux jean et du sweat-shirt qu'il portait au moment de sa reddition. Hillcrest, avec sa clôture

blanche, ressemblait à un ranch de western. Pas de barbe-
lés. On le surnommait le Camp de la Deuxième Chance.
Tous les détenus savaient qu'ils effectueraient leur véritable peine s'ils tentaient de s'enfuir. Ce matin, les agents
avaient ouvert en grand les battants de la porte B, réservée
aux relaxes et aux livraisons par camions. Cass était parti
à pied, seul, sur la route en terre battue gelée. Sofia s'était
levée à 6 heures pour passer le prendre.

Kim et Marty, les assistants, attendaient déjà sous la
marquise verte du Métro Club. Les piétons avaient réduit
la glace et la neige tombée quelques semaines auparavant
en une boue noirâtre qui s'accrochait à l'asphalte tel un
parasite. Paul se demanda quand la chaussée, abîmée
par le sel, devrait être réparée. Il ne s'était jamais posé la
question jusqu'à présent. Mais s'il était élu, ce genre de
préoccupation deviendrait essentiel. Il serait responsable
de chaque défaut, chaque problème dans les infrastruc-
tures des Tri-Cities.

Son portable vibra au moment où il rejoignait ses assistants. Il s'agissait de son téléphone personnel, et non de
celui attribué aux besoins de campagne. Il songea à Beata,
qui avait déjà appelé une fois sans qu'il puisse se ménager un instant d'intimité pour discuter avec elle. Numéro
masqué. Il décrocha.

« Ici Paul Gianis.

— Qui ça ? » répliqua son frère. Ils éclatèrent d'un rire
de collégiens amusés par une blague idiote. Cass utilisait le mobile de Sofia, verrouillé de façon à ce qu'elle
puisse contacter ses patients en toute confidentialité. Les
jumeaux n'avaient pas eu une conversation téléphonique
depuis Dieu sais quand. Vingt ans, au moins. Depuis la
mort de leur père. Les postes du centre pénitentiaire
étaient sur écoute. Ils avaient donc privilégié les entrevues
en tête à tête.

« Tout va bien ?

— Bien.

— Alors… nous sommes libres ?

— Libres, confirma son frère.

— J'ai hâte de te voir.» La date de libération était une échéance dont chaque prisonnier se souvenait, dût-elle advenir dix-huit ans plus tard. Celle de Cass avait été fixée au 31 janvier 2008. La conditionnelle avait néanmoins permis une légère anticipation. «Mais je ne peux pas annuler le déjeuner, continua Paul. Il est prévu depuis quatre mois. On dîne toujours ensemble ?

— Évidemment.»

Ils raccrochèrent de concert. Les larmes montèrent aux yeux de Paul. Il fouilla son manteau à la recherche d'un mouchoir. La perspective de manger avec son frère, de dormir à nouveau sous le même toit lui paraissait encore irréelle. Par superstition, ils avaient évité de trop formuler de projets. L'idée était plutôt, depuis un quart de siècle, d'affronter la situation jour après jour. Vingt-cinq ans. Une éternité singulière. Il se souvenait du plaider coupable et de l'incarcération de son frère un mois plus tard, juste après la célébration du mariage. Les deux événements étaient aussi clairs dans son esprit que ceux de la semaine dernière. Par conséquent, le temps avait été gommé et l'épreuve paraissait moins longue à présent qu'ils l'avaient surmontée. Paul n'oubliait pas que la sentence leur avait semblé interminable quand elle avait été prononcée. Ils s'étaient dit au revoir devant la porte du pénitencier. Il doutait de parvenir à supporter la séparation. Au bout d'un an, il était encore bouleversé de ne pas pouvoir lui téléphoner. Son cœur se déchirait tous les dimanches matin, lorsqu'il se préparait à lui rendre visite. Il fallait être un jumeau, un vrai jumeau pour comprendre la cruauté de cet éloignement forcé.

Maintenant, tout était terminé. Il ferma les yeux et inspira lentement. Il n'était pas certain d'avoir repris contenance. Un froid mordant pénétra ses sinus. Il entra dans l'établissement, un pied devant l'autre. Une pensée s'insinua en lui : les éléments essentiels de sa vie, telle qu'il l'avait connue avant le drame, allaient reprendre leurs droits.

II.

11.

Cass – 5 septembre 1982

« *Je suis content de te voir, Cassian, s'exclame Zeus, désireux comme à l'ordinaire d'apporter une touche d'emphase en prononçant le nom complet de son interlocuteur. Tu as vu ta mère ? J'aimerais bien lui dire bonjour.* »

Il salue le jeune homme d'une poignée de main énergique destinée à montrer l'étendue de son pouvoir et de son charme et lève ses yeux noirs sur lui. Hermione, la mère de Dita, passe dans son dos sans lui accorder le moindre sourire. Elle est aussi fine et neutre qu'un morceau de papier blanc. Le peu de considération qu'elle porte à Lidia et Mickey se répercute sur leurs enfants.

Zeus reste chaleureux. Cependant, en dépit de ce qu'il pourrait déclarer aujourd'hui, il a du mal à supporter que son petit trésor fréquente un policier. Cet homme est un faux jeton. Malgré son affabilité et les compliments qu'il dispense sans compter, Cass sait que celui qu'il aperçoit parfois avec un verre de whisky à la main dans son bureau est froid et calculateur.

Dita, avec son franc-parler téméraire, n'hésite pas à écorner l'image de sa famille. Sa mère est une « andouille » obsédée par les apparences. Elle qualifie sa tante Teri de « divertissante ». Celle-ci, plutôt délurée, est tenue pour responsable des odieuses manières de sa nièce. Son frère aîné, Hal, est un ignorant, mais elle l'aime bien.

En ce qui concerne Zeus, la jeune femme reste étonnamment discrète. Amour et haine mélangés. On entend presque les grésillements des lignes à haute tension lorsqu'elle s'approche de lui. Dita affirme que son père lui a répété un millier de fois que Hal tient de sa mère tandis qu'elle ressemble plutôt à son géniteur. Une appréciation dont la jeune femme ne laisse pas de se délecter. Mais le regard qu'elle adresse en cachette à cet homme imbu de lui-même, onctueux et ambitieux transpire le dédain.

Cet après-midi, Zeus porte une chemise blanche et, pour peu que l'on fasse abstraction de sa cravate aux couleurs du drapeau américain, il s'apparente davantage à un croupier de Las Vegas qu'à un animal politique. S'il prend le temps de saluer les autres invités, son attention n'en est pas moins accaparée par Lidia, qui se tient à côté de Nouna Teri, avec ses cheveux décolorés, secs comme de la paille, et ses innombrables bijoux. Comme son frère, Cass est très réceptif à l'humeur de sa mère. Même à une quinzaine de mètres, il remarque l'expression sinistre avec laquelle Lidia accueille les manœuvres d'approche de son hôte.

Ni lui ni Paul ne comprennent tout à fait les raisons de l'animosité parentale envers les Kronon. Depuis les fréquentes apparitions de Zeus sur le petit écran, Mickey n'allume plus la télé, même pour regarder les matches. Un comportement déroutant, car leur sœur aînée, Helen, soutient qu'avant leur naissance Zeus était considéré comme le sauveur de la famille. Au milieu des années 1950, une insuffisance mitrale avait contraint Mickey à arrêter de travailler. Teri était alors intervenue auprès de son frère pour le convaincre d'embaucher Lidia dans ses bureaux. Elle y était restée deux ou trois ans. Jusqu'à ce qu'elle tombe enceinte des jumeaux et que les progrès en matière de circulation extra-corporelle permettent à Mickey de subir une opération de remplacement de valve cardiaque. Après son rétablissement, il avait ouvert une épicerie avec l'aide de grand-père Gianis. À cinq ans, les jumeaux rangeaient déjà les rayons. Cass se souvient encore du jour où son père, pourtant habitué à garder son sang-froid en présence des clients, a jeté son tablier en criant qu'ils allaient déménager. Il était furieux à propos du bail. Zeus, propriétaire, avait racheté la plupart des magasins du quartier.

« Oh, mon Dieu ! »

Malgré la musique et le bruit des conversations, Cass reconnaît le timbre de son frère. Il s'élance en direction de la voix. Lorsqu'il arrive, il voit son jumeau allongé sur la pelouse, dominé par Sofia. Les jeunes gens s'esclaffent. Un morceau d'agneau grillé et des macaronis accompagnés d'une assiette en carton sont dispersés dans l'herbe, juste à côté de la tête de Paul. Plusieurs personnes, en majorité d'anciens voisins, font cercle autour du couple à terre. L'incident s'avère sans conséquence et chacun retourne à ses occupations. Certains invités saluent Cass avec cette question rituelle : « Lequel des deux es-tu ? » Une interrogation qui lui déchire le cœur.

Au fond de lui, il a toujours été vexé de ne pas totalement ressembler à Paul. À l'époque où elle était enceinte, Lidia accordait beaucoup d'importance au récit d'Ésaü et Jacob. Elle avait donc adjuré le docteur Worut de ne lui révéler sous aucun prétexte lequel des deux enfants naîtrait le premier. Lorsque les jumeaux vinrent au monde et qu'on les lui présenta, elle les baptisa simplement de gauche à droite. Cassian en l'honneur de son père à elle, et Paul en mémoire de celui de Mickey. Aujourd'hui encore, personne ne sait qui est l'aîné.

La volonté de neutralité de Lidia avait été prise par les jumeaux comme une injonction à demeurer semblables. Ils partageaient leur chambre, leurs amis. Impossible d'allumer la télé sans décider par avance du programme. Chaque année, ils protestaient contre le souhait légitime du proviseur de les mettre dans des classes séparées et n'hésitaient pas à plaisanter des professeurs qui, intrigués par les similitudes de leurs copies, soupçonnaient la tricherie. Leur vie était une pomme coupée en deux moitiés parfaites. Du moins jusqu'à ce que, au lycée, Cass comprenne que Paul s'ac-

commodait de la situation car elle était à son avantage. Les différences entre eux, bien qu'imperceptibles de leur entourage, distinguaient ce dernier d'une manière subtile. Il était meilleur, plus séduisant, plus intelligent et plus habile que son frère. Il était de surcroît animé par une soif de compétition indéniable. Quand les jumeaux effectuaient des tours de piste avec l'équipe de tennis pour accroître leur endurance, Paul prolongeait la course. Cass se rappelle la colère qu'il éprouvait alors. Paul ne lui laissait pas le choix. Son désir d'excellence l'obligeait à le suivre. Lors des tournois, Cass était mieux classé. Mais, conscient de son infériorité, il refusait d'affronter son frère, même à l'entraînement.

À l'université, ce sentiment d'irritation devint constant. Cass était troublé, car il aimait démesurément son frère. Il lui manquait chaque fois qu'ils n'étaient pas ensemble.

Maintenant, Cass est en grande conversation avec Dean Demos, sergent spécialisé dans les atteintes aux biens. La discussion porte sur l'école de police. Il aperçoit alors Dita, qui se dirige vers lui.

« Ton frère est un cas désespéré », déclare-t-elle assez fort pour que Dean l'entende. Et elle ajoute, histoire de faire bonne mesure : « Je ne supporte pas ta satanée famille. » Évidemment, elle est saoule, mais Cass la suspecte par ailleurs d'avoir gobé un Quaalude avant la réception pour surmonter l'épreuve.

« D'accord, pas de problème », acquiesce-t-il. Et, au lieu d'entrer dans son jeu, il se contente de l'enlacer et de la conduire à l'écart, sur les berges du fleuve. La mauvaise humeur de la jeune femme se dissipe rapidement et, au bout d'une minute, elle se blottit contre lui tandis qu'ils marchent.

La famille de Cass est persuadée qu'il aime Dita uniquement par esprit de contradiction. La fille de Zeus est sans doute le pire parti qu'il puisse trouver. Mais Dita ne ressemble pas à ses fiancées précédentes. Elle n'a peur de rien. Non seulement elle est dingue, brillante et très amusante, mais elle est aussi dotée d'une gentillesse qu'elle s'escrime *à dissimuler. Ils sont moins d'une cinquantaine, parmi les invités, à savoir qu'elle accomplit un travail formidable en tant qu'assistante sociale attachée au bureau de la protection de l'enfance du comté. Cass a vu à quel point elle prenait soin des petites victimes.*

Elle est sans conteste la personne la plus complexe qu'il connaisse. Une femme qui s'applique à exhiber ses défauts et à cacher ses qualités. Et elle surclasse toutes les autres au lit. Elle fait l'amour – «baise» serait plutôt le terme approprié – comme si elle avait inventé le sexe. Elle jouit plus vite et plus souvent que n'importe qui. Ses orgasmes ne sont que frémissements, halètements et gémissements. Et lorsqu'elle récupère son souffle, c'est pour dire : «Encore.»

La plupart de leurs parties de jambes en l'air se déroulent ici, dans son lit. Le fait d'être à quelques pas de la chambre parentale constitue pour elle un étrange aphrodisiaque. Elle ne ménage pas sa peine, bien que la porte demeure fermée. Si Cass se faufile parfois par l'escalier, il préfère en général grimper sur le petit balcon du premier étage à l'aide des cavaliers fixés pour maintenir la ligne téléphonique.

Sa mère déteste Dita, sans doute en raison de la forte personnalité de la jeune femme, identique à la sienne. Dita devient ainsi l'alliée parfaite pour Cass. Elle ne cédera jamais aux conventions, ne dira jamais : «D'accord, c'est ce que Paul ferait.» Au contraire, elle se réjouit de ses – de leurs – différences. Cass a besoin de ce soutien. Il peut, grâce à lui, contrebalancer l'influence envahissante de son frère.

Il espère en secret épouser Dita. Un choix étonnant, car les réponses de la jeune femme étaient à l'origine coupantes. «Moi? Me marier à un flic?» Ou plus souvent : «Moi, baiser le même mec toute ma vie?» La perspective d'essuyer un refus moqueur lui est insupportable. Il a hérité du tempérament sanguin de sa mère tandis que son frère intériorise plutôt ses sentiments. Il ignore comment gérer cet aspect de Dita, cette tendance à se déprécier et à éconduire tout le monde. En aimant la jeune femme, il prend le risque d'encourir ses foudres.

Aux alentours de 18 heures, tandis que la réception touche à sa fin, le ciel s'obscurcit, les nuages crèvent et la pluie s'abat sur eux. Dita, comme de juste, reste sous l'averse jusqu'à ce que ses vêtements soient trempés. Cass se résout finalement à couvrir son amie à l'aide d'une nappe et à la conduire à l'intérieur. Elle tente de l'attirer à l'étage, mais la maison est bondée. Il lui chuchote qu'il reviendra plus tard. Vers 19 heures, Paul, qui est resté avec son frère et d'autres invités pour faire le ménage, décrète qu'il en a assez.

« Allons à la rivière avec quelques bières, suggère-t-il.

— Pas de petites cachotteries pendant que le révérend fait une belote avec les membres du club ? » Le prêtre perdrait la totalité de son salaire si ses adversaires ne se relayaient pour le faire gagner. Ils se sentent obligés de prendre soin de lui maintenant que sa femme est morte et que ses vœux lui intiment le célibat.

« Pas cette nuit, j'ai la migraine, chéri », ironise le jeune homme. Il n'en paraît pas moins troublé.

« Où est Lidia ? » Depuis l'école primaire, les deux garçons appellent leur mère par son prénom en son absence.

« Elle est partie. Teri la raccompagne. Elles veulent parler. »

Les jumeaux arpentent la pelouse.

« Que s'est-il passé avec Sofia Michalis ? interroge Cass. Vous jouiez au catch ? »

Paul donne quelques explications et conclut : « Elle est devenue super belle, tu ne trouves pas ?

— Tiens, tiens, on dirait que Paulie a un coup de foudre. » Cela fait des années que Paul est intéressé par d'autres femmes que Georgia. À leur entrée à la fac, Paul et elle se sont autorisés plusieurs escapades. Des relations sans importance. Paul passe encore son temps à la cabine télé-phonique du dortoir, les poches pleines de pièces. Il l'appelle au moins trois fois par semaine. Les deux tourtereaux conti-nuent à se plaire malgré le temps qui passe. Mais la période des premiers émois est bien loin. Georgia n'est pas stupide. Elle aurait fait une épouse parfaite à l'époque où les femmes

étaient cantonnées aux tâches ménagères et à l'éducation des enfants. En 1982, c'est une autre affaire. La vie avec elle ressemblerait à un épisode de La Petite Maison dans la prairie *diffusé en boucle. L'éventualité, certes minime, que son frère échappe à l'union suffit à réchauffer le cœur de Cass. Paul se pince le menton, regarde derrière lui.*

« Bon sang, Cass, arrête tes singeries. Georgia pleurerait pendant des semaines si elle t'entendait. »

L'intéressé continue de chantonner la même phrase jusqu'à ce que son frère le frappe à l'épaule et demande en représailles :

« On la prend, cette bière, ou pas ? À moins que tu ne comptes encore te cacher dans les buissons en attendant de monter à la gouttière ? »

Cette tentative prévisible de lui rendre la pareille est si puérile qu'il éclate de rire. La nuit est tombée. La pluie a nettoyé l'atmosphère et le temps s'est rafraîchi. On aperçoit un croissant de lune au-dessus de la rivière où tourbillonnent les flots. Cass n'ignore rien des possibilités de l'existence et de la joie qu'on éprouve à aimer certaines personnes. Paul. Dita. Oui, il l'aime. Il a pris sa décision. Il la demandera en mariage ce soir.

12.

Tante Teri – 1er février 2008

Evon avait toujours considéré la retraite du FBI comme une sorte de mort. Elle avait quitté le service trois ans auparavant, mais devait attendre la cinquantaine avant de faire valoir ses droits, à savoir la moitié de son salaire pour le restant de sa vie. Cette possibilité constituait un des principaux avantages de l'agence fédérale. Au sein du Bureau, on vous conseillait en général de partir le plus tôt possible, tant que vous étiez encore assez jeune pour entamer une seconde carrière. Elle avait cru qu'elle aurait le temps d'y réfléchir, du moins jusqu'à ce qu'un chasseur de tête la contacte. Les pots-de-vin touchés par les employés de ZP en Illinois faisaient les gros titres. Hal et le conseil d'administration avaient estimé judicieux de remplacer Collins Mullaney à la tête du département de sécurité. Ils avaient besoin d'un preux chevalier doté d'une armure neuve et d'une solide réputation en matière de répression. Evon présentait plusieurs atouts. D'abord, elle avait suivi un programme de Master en cours du soir à Easton. Il s'agissait à l'époque de s'occuper après le décès de Doreen. Ensuite, elle jouissait d'une certaine expérience managériale en tant qu'agent spécial affecté au comté de Kindle. L'ancienne policière était la candidate idéale et Hal lui avait fait la proposition traditionnelle : celle qu'on ne pouvait pas refuser.

Elle se retrouvait donc maintenant responsable de la sécurité pour une entreprise renommée. Chose inattendue : elle adorait son travail. Heather, dont les jugements se révélaient souvent perspicaces, avait cerné sa compagne à la perfection. Une nuit, elle lui avait déclaré : «Tu es une de ces personnes accros au boulot.» Sa réflexion était exacte, mais les défis étaient autrement plus complexes. Il ne s'agissait de rien moins que de protéger une société forte de trois mille employés, qui possédait deux cent quarante-six supermarchés et centres commerciaux à travers trente-cinq États. Evon occupait en gros les fonctions d'un commissaire divisionnaire, avec des pouvoirs beaucoup plus restreints. Les établissements de ZP étaient confrontés au quotidien à une flopée de crimes et délits : trafics de stupéfiants, braquages de camions de marchandises, fusillades. Le terrorisme était une préoccupation majeure. N'importe quel illuminé pouvait manifester son point de vue en faisant par exemple exploser un supermarché à Noël. Environ deux mille vigiles veillaient au grain. Ils étaient engagés par des sous-traitants mais il était de son ressort d'intervenir lorsqu'ils piquaient dans la caisse ou, comme ce pervers l'autre fois, violaient quelqu'un dans les cabines d'essayage. Chaque jour avait son lot de rodéos sur les parkings, de vandalisme, de gamins arrêtés pour avoir fumé un joint sous une caméra de surveillance, de chutes malheureuses ou de gosses qui se coinçaient la chemise dans l'escalator. Incroyable le nombre de contestataires résolus à déployer leurs banderoles dans les allées des centres commerciaux. Sans compter les opérations internes. Evon était aussi responsable de la sécurité informatique et des enquêtes diligentées à l'encontre des employés. L'éventail des infractions était hallucinant : du harcèlement sexuel à ce type de Denver qui avait entrepris de louer un coin de leur parking pour les matches de foot au Mile High Stadium. Inutile de citer les problèmes de conformité, sources d'infinis tracas pour le service juridique. Il n'était pas rare qu'elle parte du bureau à 22 heures pour revenir à 7 heures le lendemain, sans avoir eu le temps de souffler.

Ses journées étaient bien entendu prolongées par d'interminables conciliabules avec Hal. Aujourd'hui, justement, l'un d'eux était sur le point de se tenir. Sharize, la petite assistante de son patron, passa la tête dans l'entrebâillement de la porte pour l'informer qu'elle était convoquée séance tenante. Elle retrouva Hal dans son bureau. Celui-ci était assis sur le divan en suédine beige près de la fenêtre, en compagnie de sa tante Teri. Une expression de désespoir se lisait dans ses yeux marron, enchâssés au milieu de cernes noirs.

« Tante Teri m'en veut d'avoir attaqué Paul Gianis. »

Evon connaissait la vieille dame depuis qu'elle travaillait ici. Teri n'avait pas d'enfant et était restée proche de son neveu. Depuis la disparition de ses parents, Hal lui parlait au moins une fois par jour. Des conversations marathon qui le mettaient en retard pour ses réunions et autres téléconférences. Evon éprouvait une certaine admiration pour cette femme, même si elle sentait que Teri est devenue un peu prisonnière du personnage provocant et hâbleur grâce auquel elle s'était forgé une carapace. À force de se conformer à l'image que l'on attendait d'elle, elle était devenue une caricature de matrone intrépide. Hal prenait grand plaisir à se remémorer leurs aventures communes. Une fois, Teri l'avait emmené faire du saut à l'élastique dans le dos des parents. Il avait seize ans et sa tante l'avait pratiquement poussé du pont. Ils avaient aussi survolé le mont Rushmore. Teri, qui venait d'obtenir sa licence de pilote, avait pris les commandes de l'avion. Le P-DG ne cessait d'embellir les histoires qui composaient sa légende. Il racontait comment elle faisait rouler les hommes sous la table – lui le premier – ou la manière dont, régulièrement, elle annonçait aux dîners familiaux qu'elle allait tirer un coup à Manhattan ou Miami la semaine suivante. On lui avait connu peu d'amants, et les rares qui s'étaient présentés s'étaient révélés incapables de tenir la cadence.

Sans prêter attention à Evon, elle sermonna de nouveau son neveu :

«Ton initiative n'est pas constructive. Je n'ai jamais apprécié les gens rancuniers, Héraclès. Jamais. Paul est innocent et tu le sais.» Elle gardait la main posée sur une canne noueuse, un bâton de berger grec. Une immense paire de lunettes turquoise lui mangeait la moitié du visage. La dégénérescence maculaire l'avait rendue quasi aveugle.

Evon avait déjà rencontré des nonagénaires qui avaient conservé une grâce indéniable et, n'était-ce son incorrigible penchant pour l'alcool et les cigarettes, Teri aurait pu en faire partie. Hal la laissait parfois fumer dans le bureau mais, pour l'instant, elle s'abstenait. Le P-DG avait manifestement décidé de la contrarier. Pour être honnête, sa tante paraissait aussi délabrée qu'une vieillarde atteinte de cécité puisse l'être. De grosses taches rouges empourpraient ses joues, ses cheveux mi-longs avaient la blondeur d'un tas de foin et ses ongles écarlates ressemblaient à des griffes. Sous la couche de maquillage et le parfum dispensé à flots, elle semblait s'être effondrée à l'intérieur de sa propre peau. Les plis formés par l'épiderme retombaient sur ses avant-bras. Son rouge à lèvres avait la couleur d'une bouche à incendie et les bijoux, qu'elle portait à foison, cliquetaient autour de son cou et sur ses poignets. Elle se tenait voûtée. L'une de ses hanches était très abîmée. Pourtant, elle demeurait alerte et rusée. Si l'on faisait abstraction de difficultés occasionnelles à mémoriser les noms, elle avait encore l'esprit clair. Elle n'ignorait pas que le respect dû aux aînés lui procurait un avantage redoutable dans l'exercice de la négociation.

Hal s'obstinait néanmoins à résister.

«Je suis dans mon droit, tempêta-t-il. Tu as regardé la télé?

— Georgia Cleon est une vieille pimbêche jalouse. Elle est amère. Personne ne l'a obligée à épouser Jimmy. Désolée que les choses aient mal tourné pour elle, mais Paul n'a rien à voir là-dedans. Elle est en colère parce que...» Elle hésita un bref instant. «Parce qu'il l'a plaquée. Ou plantée. Enfin, tout le monde raconte qu'il lui a brisé le cœur, n'est-ce pas?»

Elle se tourna vers Evon, mais uniquement pour qu'elle lui indique le bon terme.

«Plaquée», précisa la responsable. Heather avait employé le même mot dans le message qu'elle lui avait laissé sur son portable. Elle avait parlé jusqu'à la fin du temps imparti, sa voix montait dans les aigus, déraillait. Elle suppliait qu'on lui accorde une deuxième chance. «Je ne peux pas croire que tu m'aies plaquée. Je ne mérite pas un tel traitement» et ainsi de suite. La litanie de la nuit dernière avait repris. Evon avait écouté le torrent de reproches jusqu'au bout. Tu l'aimes, s'était-elle dit. Tu espères déceler dans la moindre syllabe une réminiscence de la jeune femme élégante, superbe et sensée qui t'avait jadis séduite.

«Evon a discuté avec Georgia, insista Hal. Evon, à ton avis, est-ce que l'ex de Paul a menti?»

La responsable expliqua à la vieille dame que l'ancienne fiancée avait paru réticente à donner sa version, mais Teri n'écoutait pas.

«Pardon, jeune fille, mais je connais Georgia depuis toujours. Je suis sûre qu'elle est convaincue de ce qu'elle raconte. En revanche, quand elle certifie que Paul est persuadé de l'innocence de son frère, elle veut juste montrer à la terre entière à quel point elle était proche de lui.

— Elle l'était», protesta Hal. Il avait enlevé sa veste et sa cravate. Il se tenait assis à côté de sa tante, un bras sur le dossier du divan. Son ventre proéminent donnait l'impression qu'il s'était enveloppé dans un sac de farine.

«Georgia a été reléguée aux oubliettes le jour de la réception, quand Paul a revu Sofia Michalis. Tout le monde s'en est aperçu sauf elle. Dora Michalis jure que Paul est allé prendre un café avec elle à l'hôpital dès la semaine suivante.»

Evon était impressionnée par la mémoire de la nonagénaire. Une telle précision vingt-cinq ans après le drame relevait de l'exploit, même si le meurtre de Dita avait marqué les esprits. Hal en personne paraissait époustouflé.

«Vos familles étaient unies comme les doigts de la main, puis désunies, poursuivit Teri. Et les problèmes ont débuté bien avant la mort de Dita. Certes, il n'y a pas de quoi se réjouir. Lidia est ma meilleure amie depuis quatre-vingts ans. Ton père aurait été très déçu par la tournure des événements, Hal.» Elle ajouta une phrase en grec que le patron de ZP traduisit à contrecœur.

«Celui qui respecte ses parents ne meurt jamais.

— Inutile de faire cette tête, s'agaça Teri. Depuis le jour où Cass a été arrêté, Zeus n'en a pas démordu…

— Une tragédie pour les deux familles, je sais, coupa Hal avec une moue de dégoût.

— Je t'accorde que ta mère désirait d'abord voir le coupable pendu haut et court. Mais, après le décès de ton père, elle s'est rangée à son opinion. Je l'ai entendue te rabrouer un millier de fois quand Paul s'est lancé en politique et que tu as entamé le refrain que tu chantes encore aujourd'hui. Tu as toujours détesté les jumeaux.

— Ce n'est pas vrai. Je les ai gardés quand ils étaient jeunes, tatie Teri.

— Pour mieux te plaindre ensuite. Dieu sait ce qui te dérangeait chez eux.»

Hal encaissa la remarque, puis revint à la charge.

«Je respectais le point de vue de mes parents lorsqu'ils étaient vivants. Je chéris leur mémoire.» Il désigna les étagères où s'entassaient les photos. «Mais ils ne dirigeront pas ma vie depuis la tombe.»

La vieille dame secoua la tête. Ses colliers plaqué or tintèrent.

« Et moi, je prétends que tu les déshonores en utilisant l'argent de ton père pour punir Paul. Zeus aurait désapprouvé ta démarche. »

Hal eut un mouvement de recul. Teri avait marqué un point. Le P-DG, fidèle à lui-même, laissa passer un instant durant lequel ses yeux s'embuèrent. Zeus était mort accidentellement en 1987, lors d'un voyage en Grèce. Pour autant qu'Evon le sache, son patron accordait encore une importance démesurée au défunt. Une phrase qu'elle avait entendue à l'époque où elle se renseignait pour étudier la proposition de ZP lui revint à l'esprit : « Hal essaie de marcher dans les pas de son père avec des jambes deux fois trop courtes. » La force du patriarche, son magnétisme et son adresse l'auraient mené au poste de gouverneur si la douleur n'avait pas mis un terme à sa carrière. Hal n'était pas à la hauteur, et il n'ignorait pas que les incessantes comparaisons jouaient en sa défaveur. Sa vie se résumait à une impossible compétition avec le fantôme de son géniteur. Pourtant, il n'avait jamais médit de lui. En fait, il l'assimilait plutôt à un dieu pour lequel il entretenait une dévotion absolue. Il était malgré tout résolu à prouver que ses victoires ne devaient rien à son héritage. La preuve la plus flagrante de ce désir résidait dans l'implacable expansion de l'entreprise familiale. Au début des années 1990, Hal avait fait de ZP une foncière cotée reconnue. Il n'avait cessé, depuis, de se lancer dans des acquisitions stratégiques. Le contrat YourHouse, par exemple, était sur le point d'être rendu public. Le chef d'entreprise pesait plus d'un milliard de dollars, ce qui ne l'empêchait pas, aujourd'hui encore, de se ronger les ongles jusqu'au sang et de s'exprimer avec les mains pour dissimuler ses tourments intérieurs.

De toute évidence, l'ultime pique de sa tante achevait de lui faire perdre son sens de l'humour.

« Ça suffit, tatie Teri. Je ne joue pas avec l'argent de mon père, mais avec le mien. J'ai doublé la taille de la société. »

Même la vieille femme s'aperçut qu'elle était allée trop loin. Elle agita son poignet orné de bracelets sans ajouter

un mot, puis frappa le sol de sa canne et tenta de se lever.
Hal, toujours courtois, l'aida en la prenant par le coude.
Elle tâtonna jusqu'à trouver la joue du galant homme, sur
laquelle elle laissa une empreinte rouge vif après l'avoir
embrassée.

« Tu es un bon garçon, Hal. Mon neveu préféré. » Une
plaisanterie, bien sûr. Hal était son seul neveu. Elle chercha le soutien physique d'Evon. « Voilà. Raccompagnez-
moi. Il est trop occupé. » La responsable substitua son
bras à celui de son patron, en dépit des faibles protestations du P-DG.

Elles s'étaient éloignées d'une dizaine de mètres du
bureau lorsque Teri marqua une pause. Elle tourna le
visage pour distinguer la forme floue d'Evon.

« Vous devez le convaincre d'arrêter. Tout le monde va
pâtir de cette histoire.

— Je suis juste une employée, mademoiselle Kronon.
Personne ne dicte sa conduite à Hal.

— Si vous le dites. Mais il vous apprécie. Il vous fait
confiance.

— Eh bien, ses soupçons se sont toujours révélés
payants. À ce stade-là, je ne vois aucune raison de lui
conseiller de reculer.

— Paul n'a pas tué Dita, affirma-t-elle sur le ton autoritaire qu'on lui connaissait. Aphrodite n'était pas seulement la sœur de Hal. Elle était aussi ma nièce et je l'aimais.
Je serais la première à exiger un châtiment si Paul était
impliqué. »

Evon guida la vieille femme jusqu'au hall d'accueil, où
l'attendait Germain, qui assurait des fonctions de domestique autant que d'infirmier. Quand l'ascenseur arriva, il
se glissa dans la cabine et maintint les portes ouvertes.
Teri demeura un instant immobile, la tête inclinée vers la
responsable.

« C'est vous, la lesbienne, non ? »

Evon détestait qu'on l'appelle ainsi. Ce qualificatif était
à la fois trop représentatif de ce qu'elle était et pas assez.

142   *Identique*

Mais Teri était âgée. Elle se contenta d'acquiescer poliment. Teri s'approcha. La responsable remarqua combien l'épaisse couche de maquillage s'était incrustée dans ses rides.

« J'aurais voulu naître à votre époque », murmura-t-elle d'une voix douce. Puis elle s'appuya sur sa canne pour entrer dans l'ascenseur.

13.

Du Bois Lands – 5 février 2008

Du Bois avait intégré le bureau du procureur trois ans après Paul et il avait fini comme avocat général au tribunal où Paul avait siégé. D. B. était un bon magistrat. Il avait l'esprit clair et rédigeait de meilleures plaidoiries que la plupart de ses confrères. Il était en outre véritablement passionné par son métier et savait faire preuve d'un certain charme dans le prétoire. Paul et lui avaient adoré travailler ensemble. Ils se fréquentaient en dehors du bureau. L'épouse de Du Bois, Margo, était pédiatre. Sofia l'appréciait beaucoup et, même après la cessation d'activité de Paul, les couples avaient continué à se voir une ou deux fois par an.

En 1993, les choses changèrent. L'oncle de D. B., Sherman Crowthers, fut accusé de corruption alors qu'il officiait en tant que juge chargé de statuer sur les dossiers d'indemnisation au tribunal de première instance. Sa mésaventure était une tragédie américaine typique. Cet ailier de l'équipe universitaire de football avait grandi dans les plantations de noyers en Georgie et était devenu un avocat en vue, zélateur des libertés civiques. Il avait défendu avec succès Martin Luther King, après son arrestation consécutive aux marches protestataires de 1965. Personne n'avait jamais compris pourquoi il était tombé sous la férule vénale du président de la commission, Brendan Tuohey. Sherman jouissait d'un bon niveau de vie. Il appartenait à la classe des nouveaux riches de couleur, guère différente de la bourgeoisie grecque que Paul avait vue éclore. Cependant, sa fortune était antérieure à sa carrière judiciaire. L'un des amis de Sherman avait rapporté ses mots. Une explication tordue, mais simple : « Maman n'a pas élevé un idiot. » Il refusait de se contenter des miettes laissées aux Noirs tandis que ses confrères, blancs de peau, se remplissaient les poches.

À l'époque où il faisait son beurre dans les couloirs du palais de justice, Paul avait entendu les mêmes rumeurs que tout le monde. Quand il devait intercéder auprès des juges proches de Tuohey, il craignait sans cesse que les avocats mandatés par les compagnies d'assurances n'aient versé des dessous de table. Il estimait que cette pratique ne prêtait pas à conséquence tant qu'il plaidait devant les jurés. Et, en effet, il s'en sortait plutôt bien. Certains de ses anciens camarades de classe, salariés de grosses boîtes, lui confiaient de bons dossiers par souci d'éviter les conflits d'intérêt. Paul travaillait avec soin et, à plusieurs reprises, il avait touché le jackpot.

En 1991, il avait gagné son premier procès d'envergure. Dix-huit millions de dollars dans une audience où siégeait Sherman Crowthers. Il était chargé de défendre un violoniste qui avait perdu son bras dans le métro lorsque les portes s'étaient refermées sur son Stradivarius. Le musicien avait été traîné sur les rails sur plusieurs dizaines de mètres. Le jugement n'était pas encore rendu et Paul était tombé sur Sherman au tribunal. Celui-ci l'avait plus ou moins attiré de force dans un coin isolé. Paul avait d'abord pensé que le magistrat comptait le féliciter, mais l'homme s'était contenté de le pousser dans le bureau désert d'un greffier. Sherm était un personnage imposant. Deux mètres dix et presque cent cinquante kilos. Des yeux jaunis surmontés de sourcils gris broussailleux.

« Enfant de salaud, vitupéra-t-il. Tu n'as pas l'air de comprendre ce qui se joue ici. »

Paul, qui se croyait pourtant imperméable à la peur, fut trop terrifié pour répondre. Le juge lui conseilla alors d'aller manger au restaurant de sa sœur, dans le North End.

Paul se renseigna en toute discrétion et apprit que Judith Crowthers s'était fait une spécialité de collecter l'argent pour son frère. La jeune femme, avec ses yeux outrageusement maquillés de fard à paupières violet et ses grosses boucles d'oreilles, accueillait tout le monde dans son établissement prospère. Elle acceptait en silence les enveloppes qui accompagnaient les tickets resto de certains avocats. Paul n'envisageait pas d'agir avant d'en parler à Cass. Ils s'étaient rencontrés deux jours plus tard au parloir de Hillcrest, dans une petite pièce badigeonnée à la chaux vive et mise à disposition des avocats par l'administration pénitentiaire. Paul avait compris les sinistres mécanismes de corruption qui gangrenaient le tribunal de première instance. Il avait déjà engagé presque quatre millions dans la procédure. Dix ou vingt mille dollars de pots-de-vin n'étaient rien. S'il refusait, nul doute que Crowthers invaliderait le jugement et ordonnerait un nouveau procès, que Paul perdrait inévitablement. S'il dénonçait les pratiques du juge véreux, ce serait sa parole contre la sienne. Le magistrat concéderait simplement avoir recommandé le restaurant de sa sœur. Pire, Paul deviendrait l'homme à abattre pour Tuohey et sa clique. Ils feraient leur possible pour l'évincer des couloirs du palais de justice.

« Qu'il aille se faire foutre », avait conclu Cass. Le séjour carcéral leur avait appris à tous deux combien il était risqué de se prosterner devant les tyrans. L'engrenage était sans fin. Il s'agissait simplement de ne pas se laisser faire. En aucun cas de moucharder.

Le lendemain, Paul exigeait la dessaisie du juge, au motif laconique d'un « non-respect de la procédure contradictoire ». Une bonne dizaine de personnes avaient

vu Crowthers entraîner Paul à l'écart. Si l'histoire s'enve-
nimait, Paul aurait des témoins. Mais l'intéressé préféra
se retirer. Les deux années suivantes, chaque fois que Paul
plaidait devant les amis de Tuohey, le non-lieu était prononcé. Ils tentèrent par la suite d'exporter leurs pratiques
dans les comtés voisins.

Ce fut à cette époque qu'Evon Miller, agent spécial du
FBI, vint frapper à la porte du bureau de Paul. L'opération
d'infiltration du tribunal de première instance, nommé
projet Petros, faisait les gros titres. Evon possédait une
copie de la requête de Paul. Elle lui demanda ce qu'il entendait par « non-respect de la procédure contradictoire ».
Paul fit traîner les choses en attendant sa prochaine visite
à Hillcrest, le dimanche suivant. Cass et lui, comme d'habitude, abordèrent le problème sous un angle identique :
il était temps de tout dévoiler. Dès lundi, Paul racontait sa
mésaventure à Evon et acceptait de témoigner. Il s'avéra
que Crowthers avait été placé sur écoute, mais l'informateur responsable des enregistrements était décédé. Sherm
avait donc une ligne de défense toute trouvée. Cependant,
le récit calme et détaillé de la tentative de corruption fit
de Paul un emblème de vertu. Le contraste avec les arguments avancés par les ordures impliquées était saisissant.
La déposition de Gianis fut décisive.

Du Bois Lands était le neveu de Sherman Crowthers,
plus exactement le fils de sa belle-sœur. La mère de D. B.,
jadis institutrice, avait été emprisonnée pour usage de stupéfiants. En ce temps-là, lorsque les Noirs trébuchaient, la
chute était impitoyable. D. B. avait effectué des séjours
réguliers dans la vaste demeure coloniale de son oncle, à
Assembly Point. Ce dernier était devenu son idole. Quand
Paul s'était présenté devant le tribunal fédéral pour témoigner contre Sherman, Du Bois était au premier rang. Il
avait fusillé Paul de ses yeux perçants. Paul avait deviné
le fond de sa pensée sans qu'il ait besoin de prononcer un
mot : « Tu n'étais pas obligé d'aller jusque-là. Tu aurais pu
prétendre que tes souvenirs étaient trop imprécis, que tu

ne te rappelais pas.» Les deux hommes ne s'adressèrent plus jamais la parole.

Du Bois siégeait depuis cinq ans au tribunal de première instance. Il occupait à présent la place de son oncle. Paul et Ray Horgan attendaient le début des hostilités dans la salle d'audience. L'architecture fonctionnelle des lieux semblait directement issue du Bauhaus. Les lambris, la tribune basse et carrée, ainsi que la barre des témoins formaient un arc de cercle jaunâtre. Kronon et Tooley étaient assis du côté opposé, à la table dévolue à la partie adverse. Plusieurs dizaines de journalistes et de dessinateurs s'étaient installés sur les bancs de devant. La salle était bondée.

Lorsque Du Bois avait été chargé d'instruire la plainte en diffamation, Paul avait cru qu'il pourrait demander sa dessaisie, mais Ray s'y était opposé. Il refusait de s'aliéner les électeurs Noirs, majoritairement favorables à son poulain en dépit de la candidature de Willie Dixon, conseiller municipal du North End. Sans compter que D. B. jouissait d'une solide réputation. Quand il s'était présenté à ce poste, Ray avait été l'un de ses trois principaux soutiens.

Le greffier annonça l'affaire : «Gianis contre Kronon, dossier numéro C-315».

Tooley, avec son postiche ridicule, arriva le premier à la barre tandis que Ray s'avançait d'une démarche raide. L'avocat de Hal exposa avec ferveur ses doléances : prises d'empreintes et analyses génétiques.

«J'ai déjà consulté les documents, messieurs», coupa Du Bois. La méticulosité du juge, voire son austérité étaient légendaires. Il traitait tous ses interlocuteurs avec la même rectitude teintée de scepticisme. Il maîtrisait par ailleurs une compétence essentielle : l'inflexibilité. Au contraire de certains confrères qui tergiversaient ou tentaient d'arrondir les angles, il rendait ses verdicts sans effet de manche, mais après mûre réflexion. «Prenons les choses dans l'ordre, dit-il. Tout d'abord, maître Horgan désire savoir jusqu'à quel point les parties en présence pourront s'exprimer publiquement au sujet de la plainte.»

D. B. abordait le dossier avec sérieux, mais refusait, ainsi que l'avait craint Paul, de limiter la liberté de parole. Les avocats devraient s'accommoder des déclarations effectuées en dehors du prétoire. Le juge estimait que, étant donné les enjeux électoraux, le candidat devait conserver toute latitude de répliquer. Paul se demanda si D. B., dans sa grande mansuétude, n'avait pas décidé d'avoir sa peau. Le juge étudia ensuite les demandes d'analyses.

« Maître Horgan, quelles sont vos requêtes ? »

Paul avaint organisé une grande réunion à ce sujet deux jours auparavant, dans son QG de campagne. Crully et Ray, accompagnés d'une dizaine de responsables et même de Sofia, avaient été consultés. L'épouse de Paul était très affectée par la tournure des événements.

Ray possédait toujours le charme et l'autorité de celui qui avait joué un rôle important au palais de justice ces cinquante dernières années.

« Votre Honneur, le sénateur Gianis compte démontrer point par point que les allégations de M. Kronon à son encontre sont fallacieuses. »

D. B. l'interrompit : « Venez-en au fait, maître Horgan.

— J'ai informé maître Tooley que, considérant l'accès mutuel des deux parties aux pièces du dossier, nous n'avions pas d'objection à ce que les autorités de Greenwood transmettent les empreintes relevées sur la scène de crime ainsi que les autres éléments en leur possession à la cour. Ils ont désigné le professeur Dickerman pour expertiser les empreintes. Je vois qu'il est d'ailleurs présent parmi nous. » Ray désigna Mo Dickerman au fond de la salle d'un geste théâtral. Le professeur, considéré comme un véritable dieu de l'identification, se leva brièvement. Cet homme maigre, tout en angles, était vêtu d'un costume sombre. Il rajusta ses épaisses lunettes à monture noire sur son nez. Ray poursuivit :

« Le sénateur Gianis est prêt à fournir ses empreintes dès que la cour en exprimera de désir. Aujourd'hui même s'il le faut. »

Il marqua une pause.

Du Bois acquiesça, manière de confirmer le caractère acceptable de la décision. Sa coupe en brosse, son teint mat et ses grands yeux gris lui conféraient encore une allure séduisante, malgré la quarantaine bien tassée.

« Votre Honneur, s'enquit Tooley, qu'en est-il de notre demande de test ADN ? »

Du Bois invita Ray à parler.

« Nous sommes disposés à coopérer, mais cette exigence nous paraît excessive. Les requérants ont obligation de prouver la pertinence des examens qu'ils entendent pratiquer. Le docteur Yavem évalue les chances de succès d'une telle procédure sur de vrais jumeaux à une sur cent. Cette doléance n'est qu'une manœuvre de déstabilisation.

— Peu importent les probabilités, votre Honneur, contesta Tooley. Considérons le problème sous cet angle : pourquoi le sénateur Gianis refuserait-il de se soumettre à un prélèvement qui pourrait l'innocenter à quatre-vingt-dix-neuf pour cent ? »

Cette question n'appelait pas de réponse. Elle était simplement destinée aux journalistes. Du Bois n'était pas né de la dernière pluie. Le manège de Tooley était évident. Il en avait assez entendu. Il laissa tomber le stylo avec lequel il prenait des notes et poussa les papiers sur le côté.

« Voici comment nous allons procéder : certaines demandes ne me semblent pas prioritaires. Je vais donc valider en partie vos requêtes, maître Tooley. Sous réserve que l'ensemble des pièces soient aussi communiquées à maître Horgan, j'ordonne la réquisition des éléments détenus par les services de police de Greenwood, y compris les relevés d'empreintes. Comme le sujet ne paraît pas être soumis à controverse, je vous autorise à solliciter toutes expertises liées à ces relevés. La cour accepte par ailleurs la proposition du sénateur Gianis d'agréer la prise d'empreintes.

— Nous y sommes favorables, votre Honneur. Ici même, dans cette cour », s'enflamma Ray. Cette déclaration, formulée à l'intention de la presse, produisit son petit effet. Les journalistes se mirent à taper sur leurs portables et à griffonner sur leurs calepins avec frénésie.

« Je vous remercie, maître Horgan, mais je ne crois pas qu'il soit nécessaire de transformer ce tribunal en laboratoire d'analyses. »

Quelques rires fusèrent.

« Nous procéderons donc séance tenante dans mon bureau, sous la supervision du professeur Dickerman », ajouta Ray.

Du Bois balaya cette dernière remarque d'un revers de main qui signifiait « à votre guise », puis désigna Mo.

« Je désirais justement adresser quelques mots au professeur. »

Le spécialiste se leva et s'approcha de la barre. Personne n'avait jamais songé à lui reprocher un goût immodéré pour la discrétion. Lands proposa de le nommer expert sur le dossier aux frais partagés des deux parties. En dehors des techniciens du FBI, Mo était sans doute l'analyste le plus réputé des États-Unis. Nul ne se risquerait à mettre sa parole en doute. Ray accepta avec enthousiasme l'idée du juge. D. B. fit comme s'il n'avait rien entendu.

« Je ferai parvenir les jeux d'empreintes au professeur Dickerman, précisa-t-il. Si les indices sont encore exploitables, il sera chargé de les comparer aux prélèvements consentis aujourd'hui par le sénateur Gianis.

— Et l'ADN ? » répéta Tooley. De toute évidence, Hal tenait beaucoup à ce test.

« Eh bien, vous savez, répondit le magistrat, maître Horgan n'a peut-être pas tort. Est-il vraiment judicieux d'effectuer des analyses dont les résultats seraient, selon votre expert, aléatoires ? Je réserve ma décision. Maître Horgan, vous avez une semaine pour me fournir un argumentaire plus complet. Et vous, maître Tooley, je vous donne une semaine pour répondre. D'ici là, le professeur Dickerman nous présentera sans doute des éléments susceptibles d'éclairer mon choix. Convenons d'une prochaine audience. Greffier, veuillez fixer une date, s'il vous plaît.

— Le 20 février, à 10 heures du matin.

— Qu'il en soit ainsi », conclut le président. Paul estimait qu'à sa place il aurait fait de même. Du Bois avait rendu un jugement équitable, sensé et réfléchi. Lands demanda une suspension de séance et se leva, aussitôt imité par l'assemblée. Pour la première fois, il regarda directement Paul. Un coup d'œil rapide, mais accompagné d'une mimique entre sourire et grimace. Tu vois ? semblait-il dire.

14.

Dickerman – 5 février 2008

Le tribunal de grande instance, qui comprenait entre autres la section des injonctions et réparations, était surnommé le Temple. Tim n'y était pas venu depuis des années. L'édifice, construction en briques polies, datait des années 1950. Il ressemblait à une fabrique d'armes agrémentée d'un dôme qui faisait pleuvoir une lumière blafarde sur la rotonde centrale, lieu de toutes les bousculades à 9 h 30 du matin. Jadis, Tim traînait plutôt du côté de la chambre pénale où se jugeaient les affaires criminelles. Au Temple, il se sentait dans la peau d'un touriste. Après qu'il eut passé les détecteurs de métaux, un vigile lui indiqua que Du Bois siégeait au quatrième étage.

Tim avait bien connu l'oncle de Lands, mais uniquement durant le mandat de Crowthers. Sherman lui avait laissé une impression vivace. Tim classait ses plaidoiries au rang des meilleures qu'il eût jamais entendues dans un prétoire. Sherman avait tendance à terroriser les témoins, à rugir d'une voix tonitruante, à se moquer d'eux sans lâcher le morceau. Il surplombait la barre de manière que sa grande carcasse les intimide davantage. Lors d'un procès pour meurtre, il n'avait pas hésité à prendre le revolver trouvé sur la scène de crime et à pointer l'arme sur son interlocuteur en le questionnant. Son manège avait duré une bonne dizaine de minutes avant que l'adjoint au procureur ne consente à formuler une objection. Comme tout le monde dans la salle, l'employé du ministère public avait été fasciné par Sherm.

Tim venait aujourd'hui au tribunal à la demande de Tooley, pour s'informer des requêtes approuvées par le juge. Avec l'accord de Ray Horgan, il avait déjà confié plusieurs pièces à Greenwood la semaine précédente. La veille, il avait amené les relevés d'empreintes et les rapports de police au bureau de Mo Dickerman.

À présent, le détective était assis parmi le public au fond de la salle d'audience. Dickerman le vit dès qu'il entra. Tim se glissa sur le banc pour lui faire de la place. Il avait travaillé sur Dieu savait combien d'affaires avec l'expert. L'analyste avait intégré l'identification judiciaire alors que Tim était déjà lieutenant. Le policier avait sans doute été le premier à reconnaître les talents exceptionnels de Mo : un technicien hors pair doublé d'un érudit dans son domaine. En fin de compte, Tim l'avait recommandé pour une promotion, devant d'autres types plus anciens. Depuis cette époque, Mo avait une dette envers l'enquêteur. Les deux hommes s'entendaient bien. Mo n'avait jamais été un personnage chaleureux et il était tellement à cran que ses amis n'étaient plus très nombreux au commissariat.

Il avait plus de soixante-dix ans – soixante-douze peut-être –, ce qui faisait de lui le plus vieil employé des forces de l'ordre. Il était trop célèbre pour qu'on le mette à la retraite forcée. L'administration prolongeait son contrat tous les ans. Même si l'âge n'avait pas beaucoup de prise sur lui, on percevait désormais une certaine lassitude dans son regard. L'usure se peignait sur son long visage et ses cheveux gris clairsemés. Des plis de chair triste et argileuse s'étaient amassés autour de ses yeux. Comme Tim, il était veuf. Son épouse, Sally, était décédée quelques mois auparavant et l'on pouvait voir, à l'accablement qui succédait au dynamisme d'autrefois, qu'il en était affecté.

Tim posa la main sur son genou lorsque le vieil homme s'installa à côté de lui.

« Comment ça va, mon pote ? Tu t'en sors ? »

Dickerman était absent quand Tim était passé déposer les pièces à son bureau la veille.

Mo grimaça. Il savait que Tim parlait de la disparition de sa femme. Pour le détective, le deuil faisait partie des choses inévitables et il évoquait avec grande réticence ses dernières années de vie commune : allers et retours jusqu'à l'hôpital, visites chez le perruquier, longues heures dans les salles d'attente, les tripes nouées par l'inquiétude tandis qu'on opérait Maria, les pleurs de sa fille chaque fois qu'elle voyait la malade. Mo, en revanche, était d'une autre trempe. Il parlait sans cesse de son épouse. Une façon d'accepter sa disparition. L'expert se tassa sur le banc jauni. Il voulait parler discrètement, mais les souvenirs ravivaient la douleur.

« Quand ils ont trouvé la tumeur, j'ai pensé "Oh, mon Dieu ! Elle va perdre ses seins." J'étais prêt à me prosterner devant l'oncologue pour qu'il me dise que c'était fini. Mais la maladie était trop avancée. Ils ont insisté, histoire de rendre les choses plus affreuses encore. À la fin, elle me suppliait de la laisser partir. Huit mois se sont écoulés entre le diagnostic et les funérailles. »

Tim posa un bref instant sa main sur celle de Mo. Vous partagiez votre existence avec quelqu'un, rêviez ensemble, fondiez une famille et organisiez des repas. Le quotidien se déroulait sans enthousiasme excessif malgré la certitude d'avoir trouvé la perle rare. Et soudain, vous étiez seul. Le sentiment d'abandon devenait inconcevable, même lorsque vous preniez conscience de sa dimension inéluctable.

Le juge Lands entra dans la salle et tout le monde se leva. Le greffier en chef annonça l'affaire Kronon.

Tooley et Horgan s'avancèrent d'un pas nonchalant. Les deux gaillards ressemblaient à un couple qui rejoint l'autel. Tooley précéda de quelques instants son confrère au pupitre.

Du Bois connaissait son métier. Il agissait avec efficacité. Tim n'avait jamais éprouvé une sympathie débordante pour les juges durant ses années de service. Beaucoup d'entre eux entravaient le boulot des flics et il n'était pas rare que les magistrats se croient au centre du monde. Cependant, personne n'assistait à un match de base-ball pour voir l'arbitre.

Les avocats commencèrent à se chamailler tandis que Lands tentait de garder le contrôle de la situation. Le nom de Mo fut mentionné à une ou deux reprises. L'expert se leva à chaque fois. Le juge le convoqua finalement à la barre. Il s'exécuta d'une démarche raide. Tim se souvint que Dickerman avait joué au base-ball plusieurs années auparavant et en avait conservé des problèmes aux genoux.

Quand la cour se retira, Tim se fraya un chemin jusqu'à la table de la défense où Tooley, comme à l'accoutumée, s'affairait à calmer son client. Hal venait de comprendre que Paul et son équipe avaient obtenu ce qu'ils voulaient. Les cameramen s'étaient précipités à la rotonde centrale. Lorsque Paul irait donner ses empreintes, il aurait toute l'attention requise pour les journaux de 20 heures.

« Une saloperie de coup de pub, vitupéra Kronon.

— Hal, tempéra l'avocat. Gianis aurait profité des objectifs de toute façon. C'est une audience publique. »

L'associé de Horgan vint leur demander s'ils désiraient vérifier la bonne marche du protocole. Le trio prit la direction du rez-de-chaussée. Dickerman avait monté sa table au beau milieu du hall. Sur ses instructions, Paul était allé se laver les mains. À son retour, il traversa la réception à grandes enjambées et passa à quelques pas de Ray tandis que les voyants au xénon des appareils de prise de vue convergeaient vers lui. Gianis confia son manteau à l'un de ses assistants de campagne, puis remonta ses manches de chemise.

À l'époque de Tim, Mo aurait utilisé un encreur et aurait appliqué les doigts et la paume du candidat sur une fiche décadactylaire, papier plat et rigide. Cette pratique était d'ailleurs encore en vigueur dans beaucoup de commissariats, mais l'expert privilégiait maintenant les relevés numériques, effectués selon le système livescan. Lorsqu'il travaillait à son compte, il avait son propre équipement et son propre assistant : sans doute un étudiant de l'université où Mo enseignait. Celui-ci apporta un attaché-case métallique. Le spécialiste l'ouvrit et dégagea un scanner de la taille d'une caisse enregistreuse. Mo connecta l'appareil à son PC et prit plusieurs clichés. Le premier représentait la main à plat, puis Dickerman appliqua chaque doigt sur une bande blanche de la zone de capture. Les images s'affichèrent immédiatement à l'écran tandis que les journalistes luttaient pour obtenir un gros plan. Par sécurité, Mo collecta aussi un jeu d'empreintes sur étiquettes prétraitées. Il se servit pour cela d'un de ces nouveaux tampons céramique.

Hal en avait assez vu. Il entraîna Tim et Tooley à l'écart.

«On ne trouvera rien, se désola le P-DG. Ses empreintes ne correspondront pas aux échantillons récoltés dans la chambre. Voilà pourquoi il s'adonne à cette mise en scène. Il ressemble à un magicien de cabaret qui montre ses manches vides.

— Un risque à prendre, dit Tooley.

— On devrait annuler cette requête.

— Elle vient d'être approuvée. On ne peut pas l'annuler.

— On ne trouvera rien, répéta Hal. Cet échec servira de prétexte à son abruti de copain, Du Bois, pour écarter notre demande. Je veux cette satanée analyse génétique.»

Tooley était habitué à l'impétuosité de son client et à ses crises. Il garda le silence une minute, puis objecta :

«Si les empreintes l'innocentent, on ne pourra pas balayer cet argument d'un revers de main.

— Je vais me gêner.»

Après avoir lancé un regard désespéré à Tim, l'avocat déclara qu'il retournait à son bureau. Le P-DG, lui, regagna sa Bentley garée le long du trottoir. Le détective s'attarda pour assister à la fin de la procédure, mais Gianis rattachait déjà ses boutons de manchettes. Mo remettait son appareil dans le caisson rembourré. Il vit Tim et lui fit signe d'attendre. Il fallut une bonne dizaine de minutes au spécialiste pour s'extraire de la meute des journalistes en quête de scoop. Lorsqu'il put enfin rejoindre son camarade, le hall était désert.

« Je voulais t'en parler tout à l'heure, dit l'expert, mais le souvenir de Sally m'a troublé. Tu vas devoir repasser à Greenwood.

— Pourquoi donc?

— J'ai besoin du dactylogramme de Cass. Il n'était pas dans le fourbi que tu m'as rapport hier.

— Cass? Je croyais que Paul et lui avaient des empreintes différentes.

— Exact. Mais il est difficile de faire le tri dans le cas qui nous occupe. »

Mo se lança alors dans un de ces exposés dont il avait le secret. Il expliqua que les dermatoglyphes de base, crêtes papillaires et volutes, étaient semblables au stade fœtal. Les vrais jumeaux avaient un patrimoine commun, mais de subtiles variations apparaissaient au cours de la grossesse. Les fœtus touchaient la paroi utérine ou bien leur propre corps. Les minuties localisées dans les deltas et les boucles des extrémités commençaient à diverger.

« Comprends-moi bien, insista l'expert. Si je compare sérieusement deux fiches décadactylaires, on verra la différence. Mais tu sais aussi bien que moi que les empreintes latentes prélevées sur une scène de crime sont souvent incomplètes. On a parfois juste un doigt ou deux, enfin tu vois. Voilà où je veux en venir : avec une trace partielle, on risque d'être incapables de distinguer les jumeaux.

» Le meilleur moyen d'identifier un individu reste donc la fiche décadactylaire. Quand je me suis aperçu que les empreintes de Cass manquaient à l'appel, j'ai contacté Tooley pour qu'il appelle le bureau du procureur. Entretemps, il m'a fait parvenir les relevés effectués en prison. Je suppose qu'il les a trouvés dans le dossier de libération conditionnelle. Seul inconvénient : c'est une copie laser. Haute résolution, mais copie quand même. Personne ne peut expertiser un document pareil. Tu dois donc retourner à Greenwood et demander aux flics de retrouver sa fiche.

— D'accord, patron », plaisanta Tim. Il pensait que son trait d'humour lui vaudrait un sourire de la part de Mo, mais l'analyste se contenta de rester planté devant lui. Il avait plutôt l'air agacé. À l'évidence, un détail le tracassait.

« J'ai un autre souci, fit-il. Peut-être que tu peux m'aider. »

Tim haussa les épaules. Il se sentait flatté. En général, Mo résolvait ses problèmes sans le concours de quiconque.

« Quand j'ai eu la copie de la fiche de Cass, j'ai décidé de l'utiliser pour une étude. Je dois aller faire une conférence en Italie...

— Pauvre chou, s'amusa Tim.

— Oui, une sacrée épreuve. Mais j'avais envie de me pencher sur la question. J'ai consulté le rapport de Logan Boerkle, qui a identifié les empreintes de Cass en 1983. Je voulais voir les points de concordance de façon à procéder à un premier examen quand j'aurai la fiche de Paul. »

Tim acquiesça. L'idée était bonne.

« Logan buvait beaucoup, à l'époque. » L'intéressé avait dirigé le labo d'analyses avant que Mo ne le remplace. Son emploi à Greenwood revenait à intégrer la première ligue de football au lieu de la dernière division.

« Logan est mort de froid dans sa maison de campagne, non ?

— Tout à fait. Il possédait un cabanon à Skaegeon. Un jour, il est sorti pour uriner. Il était fin saoul et s'est écroulé dans la neige, où il est décédé. En 1983, c'était déjà une épave. La plupart du temps, il n'arrivait même plus à reconnaître l'extrémité d'un microscope lorsqu'il venait travailler. Je veux bien être damné, mais quand j'ai comparé son rapport aux relevés de la scène de crime et à la copie de Hillcrest, je me suis aperçu que les signatures digitales ne correspondaient pas. Elles sont proches, très proches. Les variations minimes rappellent celles qu'on rencontre chez certains jumeaux.

— Et Logan n'a pas tiqué.»

Dickerman eut un mouvement fataliste. «Apparemment.

— Tu es en train de me dire qu'on a incarcéré le mauvais frère?

— Je t'explique, c'est tout.»

Tim réfléchit un instant avant de secouer la tête.

«Paul Gianis est trop malin pour croire qu'il va en réchapper deux fois. C'est un ancien procureur. J'ai vu comment il est arrivé dans le hall. Il est persuadé que ses empreintes sont absentes de la scène de crime.

— Ou alors il considère que personne n'ira vérifier le rapport de 1983. Il pense peut-être que je vais limiter mes recherches au fichier d'empreintes séparées. Je connais beaucoup de techniciens qui procéderaient ainsi. Quoi qu'il en soit, j'ai besoin des relevés originaux de Cass. Nous obtiendrons sans doute une réponse après comparaison. Je comprendrai peut-être d'où provient l'erreur de Logan. Pour l'heure, je suis perplexe.» Mo jeta un coup d'œil à son interlocuteur. «Ça reste entre toi et moi. Je ne tiens pas à passer pour le roi des crétins dans deux semaines, si cette histoire s'ébruite.»

Tim approuva. L'énigme était aussi insoluble pour lui que pour Mo. Les deux hommes quittèrent le tribunal unis dans une étrange proximité, pareils à un couple de vieillards se soutenant mutuellement par crainte de la chute.

15.

La scène de crime – 9 février 2008

Quand Evon avait regagné son appartement dimanche, Heather était toujours là. La jeune femme s'était contentée d'ouvrir sa valise sur le lit, sans plus. Elle était assise en nuisette, dans une posture de lépidoptère, la plante des pieds jointe. Sa chevelure blonde flottait sur ses épaules. Elle avait commencé à pleurer sitôt qu'Evon était apparue sur le seuil. Celle-ci n'avait aucun doute quant à la mise en scène de tout cela. Heather avait disposé sa valise avec ostentation et s'était habillée d'une façon trop suggestive.

« Il faut que tu partes », avait martelé Evon.

Heather s'était perdue en supplications, avait répété ses promesses et fini par perdre son calme. Evon n'avait pas le droit de l'évincer de son propre foyer, s'était-elle écriée. La jeune femme oubliait cependant quelques détails. En premier lieu, Evon avait payé l'appartement jusqu'au moindre denier. Ensuite, la propriété était à son nom et Heather n'avait pas contribué aux frais depuis des mois. La responsable avait accepté de prolonger le délai. Heather avait jusqu'au samedi suivant pour quitter définitivement les lieux.

Samedi matin, Evon arriva donc à l'appartement pleine de résolutions. Elle frappa à la porte, sans succès. Lorsqu'elle essaya d'ouvrir avec sa clef, elle se rendit compte que sa compagne avait changé les serrures. Elle cogna encore au battant pendant quelques instants avant de se résoudre à appeler un serrurier et à contacter le syndic. Elle effectua ensuite un aller-retour jusqu'à sa banque afin de récupérer l'acte notarié. Elle regardait à présent le serrurier dévisser le cylindre. Ronda et Harry, la présidente du syndic et son mari qui habitaient juste à côté, firent une brève apparition pour voir ce qui se passait. Evon entendait Heather menacer d'appeler la police à travers la porte. Comme l'employé continuait de s'activer, elle consentit à ouvrir. La jeune femme était encore en nuisette. Elle tendit un jeu de clefs à sa compagne.

« Je te les aurais données. Tu n'avais qu'à demander. »

Evon ne répondit pas. À ce stade-là, son amie aurait pu dire n'importe quoi, même le mensonge le plus éhonté, elle s'en moquait. Elle laissa le serrurier installer une nouvelle serrure et se rendit au magasin de sport le plus proche, chez qui elle acheta le plus gros sac de camping qu'elle puisse trouver. De retour à la copropriété, elle commença à remplir le sac avec les affaires de Heather. La jeune femme assistait à la scène, mortifiée. Evon fourra sans ménagement les robes avec les cintres dans la besace. Elle savait que Heather ne pourrait supporter cette vision, car elle prenait soin de ses vêtements comme s'il s'agissait de verres de Venise. Une fois l'opération achevée, elle descendit le sac à la voiture de la jeune femme et le balança dans le coffre. Heather la suivait, en larmes. Evon profita de ce qu'elle était occupée à gémir pour piquer un sprint dans l'escalier – elle pouvait encore semer la plupart des gens de son entourage – et ferma la porte munie d'un verrou flambant neuf. Heather arriva dans le couloir. Elle composa le numéro d'Evon à plus de quarante reprises. Celle-ci prit la peine de lui répondre juste une fois : « Si tu ne t'en vas pas, je serai obligée d'appeler les flics. » Une demi-heure plus tard, tandis que Heather s'obstinait à téléphoner toutes les cinq minutes, Evon entrebâilla la porte pour lui jeter son sac à main. Lorsque les tambourinements, les textos et les appels cessèrent, Evon eut la confirmation que sa compagne était partie. Elle s'assit alors par terre, dans ce salon qu'elles avaient naguère partagé avec joie, puis se mit à hurler.

Quand elle sortit pour prendre son journal du dimanche, Heather était assoupie dans le couloir. Elle était toujours en nuisette, le sac en guise de coussin. Evon contacta un couple d'amies communes. Par la fenêtre, elle les regarda accompagner la jeune femme jusqu'à sa voiture de l'autre côté de la rue. Heather était hystérique. Ses chaperonnes acquiesçaient à intervalles réguliers. Ensuite, Evon fut incapable de faire quoi que ce soit de la journée, sinon appeler Merrel et regarder le football. Elle avait eu raison, sa réaction était légitime. Il lui fallait simplement quelqu'un pour expliquer tout cela à son cœur brisé.

Quand elle partit travailler lundi matin, elle n'allait pas beaucoup mieux. La séparation, le stress et l'absence de sommeil l'avaient vidée de l'intérieur. Elle avait l'impression que la seule partie intacte de son anatomie était sa peau. L'imposante entrée de la maison mère de ZP faisait cinq étages de haut. Trois parois de verre, au centre desquelles serpentaient les couloirs de l'administration centrale. Des employés en tenue grise étaient occupés à suspendre un énorme cœur de roses écarlates en papier crépon, destiné à égayer les locaux pour la Saint-Valentin. C'en était trop pour Evon. Elle parvint de justesse à son bureau et ferma la porte derrière elle pour sangloter en toute discrétion. Elle était encore en train de pleurer lorsque Mitra, son assistante, l'appela à l'interphone pour lui signaler que Tim Brodie était arrivé. Elle avait complètement oublié ce rendez-vous. Tooley avait adressé une copie de l'intégralité des rapports de police à Horgan avant de rendre les originaux au détective. Elle et Tim, qui maîtrisait les arcanes policiers, étaient censés passer toutes les pièces en revue afin d'exploiter de nouvelles pistes.

Elle se moucha, se remaquilla. Son miroir de poche lui renvoya l'image d'une femme dévastée. Les larmes sur les lentilles de contact lui avaient rougi les yeux. Son nez irrité la faisait ressembler au neuvième renne du père Noël. Tim lui jeta un coup d'œil en entrant.

«Que se passe-t-il?»

Elle tenta de se ressaisir, en vain. Elle enfouit son visage dans ses mains.

«Des problèmes sentimentaux, dit-elle.

— J'avais déjà compris lorsque nous avons discuté chez moi. Vous avez besoin des conseils d'un vieil homme?»

Impossible de lutter contre Tim. Son calme irrésistible était d'un naturel stupéfiant. Son père possédait la même faculté. Ce n'était pas un intellectuel, mais il était solide, réfléchi et attentionné. Elle avait besoin de se confier. La plupart de ses amies connaissaient aussi Heather. Elles étaient trop impliquées. Evon avait préféré garder ses difficultés de couple pour elle.

Elle lui raconta toute l'histoire entre deux sanglots.

«Le pire, c'est que j'ai ma part de responsabilité, se lamenta-t-elle. Où avais-je la tête? Qu'est-ce que je faisais avec une fille comme Heather? Un mannequin. Une ancienne des défilés haute couture. Je voulais juste qu'une jolie femme m'apprécie, sans doute pour me sentir belle à mon tour.

— Il n'y a rien de mal à désirer être belle, la rassura Tim. Ni à côtoyer la beauté.» Maria avait été l'une des créatures les plus splendides qu'il ait rencontrées. Un corps parfaitement proportionné, une bouche divine. Il avait eu le coup de foudre presque aussitôt, tant elle paraissait ignorer sa propre valeur. «C'est comme l'argent, ajouta-t-il. Le mauvais côté réside dans l'influence qu'il exerce sur ceux qui souhaitent en posséder ou en ont déjà trop.

— Quelle imbécile! J'ai cinquante ans.

— Les gens ne voient que ce qui les arrange. Si vous n'avez pas envie de reprendre les cours de psychologie, souvenez-vous simplement de ceci : chaque fois qu'un individu tombe amoureux, il bâtit des mythes qui correspondent à son état. Des leurres sur lui-même, sur l'autre. C'est ce qui rend l'expérience si délicieuse. Comment pourrait-il en être différemment ? Vous avez fait de cette fille une déesse, vous avez accédé par procuration à son statut. À présent, elle est redevenue mortelle.

— Mortelle ? Elle est folle. Sérieusement dérangée. On m'avait prévenue. Et j'ai refusé d'écouter.

— Vous croyez être la première ? » Tim était resté debout en face du bureau. Il n'avait pas ôté son pardessus et tenait son bonnet à la main. Son crâne était hérissé de petites touffes de cheveux. Il ouvrit les pans de son manteau, puis fouilla dans la poche du veston Harris en tweed qui ne le quittait pas. Il en ressortit un morceau de papier.

« J'ai recopié cette citation voilà quelques mois. Tirée du *Songe d'une nuit d'été*. » Il lut à voix haute :

« *L'amour ne voit pas avec les yeux, mais avec l'âme ;*
Et voilà pourquoi l'ailé Cupidon est peint aveugle[1]. »

Il lui tendit la feuille froissée, sur laquelle il avait inscrit les mots en lettres capitales. On était obligés d'aimer Tim. Il ne se contentait pas d'étudier Shakespeare à quatre-vingt-un ans, il le comprenait aussi.

« Vous vous promenez partout avec ça dans votre poche ?

— Non. Je recopie simplement certains passages des pièces que je lis quand quelque chose me fait penser à Maria. À un moment donné, au cours des cinquante dernières années, Cupidon a recouvré la vue. Ce miracle ne laisse pas de m'intriguer. Je me demande jusqu'à quel point je l'ai déçue.

— Je ne peux pas croire que vous étiez un mauvais mari.

— J'ai essayé d'être bon. Mais je n'étais pas du genre expansif. Elle n'a jamais pu être sûre que je l'aimais

---

1. François Guizot pour la traduction française, in (*Œuvres complètes de Shakespeare*, Didier, 1862. (*N.d.T.*)

complètement. Cependant, quand j'y repense, c'était le cas. Encore une fois, peut-être s'agit-il d'un leurre destiné à m'apaiser. »

D'une certaine manière, il était plus facile de chérir les morts. Tim savait, non sans regret, que la Maria qu'il pleurait n'était pas tout à fait la femme avec laquelle il avait vécu pendant plus de cinq décennies. Il se souvenait mal de son franc-parler, et par conséquent des termes impitoyables qui franchissaient parfois ses lèvres ; ceux-là mêmes qui faisaient chavirer son cœur desséché. Il se rappelait en revanche certains détails qui n'étaient pas aussi clairs à l'époque : ce qu'elle représentait pour lui, la répartition des rôles d'après les besoins qu'elle comblait, les points sensibles et les zones de confort. Ces rémanences ne rendaient pas justice à sa complexité, mais donnaient la juste mesure de leur amour passé.

« Chaque minute partagée valait la peine, déclara-t-il. Du moins pour moi. Je peux juste vous répéter ce que je disais à mes filles quand un garçon leur brisait le cœur. L'amour est un sentiment si exquis qu'il a forcément une contrepartie. C'est la vie. »

Elle songea à cette maxime un instant, puis fit le tour du bureau. Elle envisageait de tapoter l'épaule de Tim ou de lui toucher la main, mais il ouvrit ses bras pour la serrer contre lui. Elle comprit alors qu'elle attendait cette étreinte depuis longtemps.

« On a du travail, dit-elle finalement.

— Quand il n'y en a plus, il y en a encore », approuva-t-il. Il ôta son manteau, puis s'installa sur le divan, avant de lui présenter un épais dossier. À l'évidence, ils avaient déjà un problème sur les bras. Il lui expliqua l'empressement de Dickerman à obtenir les empreintes de Cass Gianis ainsi que l'incapacité des services de Greenwood à retrouver la fiche décadactylaire du prévenu. Tout comme les échantillons sanguins, cette fiche avait été obtenue auprès de l'école de police de Kindle. Greenwood avait renvoyé le tout après que le jeune homme eut plaidé coupable. Les relevés avaient été perdus quand l'école avait informatisé le système, dix ans auparavant.

« Greenwood n'a pas procédé à une nouvelle collecte de données lors de l'arrestation ? » s'étonna Evon. Elle était retournée derrière son bureau : une plaque de verre de trois centimètres aux bords verdâtres et translucides. Des remparts de clichés s'élevaient autour d'elle. Photos des enfants de Merrel joliment encadrées dans un coin, images de ses nièces et neveux sur une étagère de la bibliothèque. Accrochés aux murs, les distinctions honorifiques du FBI côtoyaient un portrait d'elle-même, croquée par un dessinateur judiciaire durant un des procès Pétros.

« On aurait pu le croire, convint Tim. Apparemment, personne n'a pensé à pratiquer les relevés d'usage quand il s'est présenté à l'audience. Ils possédaient déjà la fiche remplie à Kindle et Sandy Stern, l'avocat de Cass, avait l'assurance que l'affaire serait vite tranchée. Son client serait libéré sous caution dans l'après-midi. Ils vont continuer à chercher, mais je doute qu'ils se donnent beaucoup de mal.

» Quoi qu'il en soit, poursuivit-il, je suis passé chez Tooley ce matin. Il m'a transmis la requête adressée à Cass. Il doit se soumettre à de nouveaux prélèvements et tout ce qui s'ensuit. Je vais être obligé de lui mettre la main dessus et de le convaincre. Ray Horgan a déjà signifié à Tooley qu'ils refuseront le mandat d'amener. Paul a failli devenir fou lorsqu'il a eu vent de l'histoire. Il exige qu'on laisse son frère tranquille, après toutes les épreuves qu'il a endurées. Sandy Stern ne m'aidera pas. Il comprend notre point de vue, mais nous devrons nous débrouiller seuls.

— Cass habite avec Paul, non ?

— Selon la presse. On raconte qu'il projette d'ouvrir une école pour les anciens détenus mais, jusqu'à présent, il se fait discret. J'ai parlé à Stew Dubinsky. Aucun journaliste n'a vu Cass depuis son élargissement.

— Il est peut-être parti en vacances, suggéra Evon. C'est ce que je ferais au bout de vingt-cinq ans de détention.

— J'espère que ce n'est pas le cas. Dickerman est déjà assez énervé comme ça. »

Greenwood avait fourni les photos couleur prises par les techniciens dans la chambre de Dita la nuit de sa mort. Evon se leva pour les examiner avec Tim. Elle n'avait jamais vraiment apprécié ce genre de clichés. Le sang et les tripes ne la dérangeaient pas. Elle avait joué au hockey sur gazon à un niveau mondial et avait eu son content de traumatismes crâniens ou de dents éclatées comme du pop-corn à coups de crosse, mais les images des scènes de crimes avaient un aspect obscène et voyeuriste qui la mettait mal à l'aise. Elles réduisaient les victimes telles que Dita, surprises dans une ultime posture tragique, à une série d'indices, de lésions visibles qui n'étaient aucunement représentatifs de la vie menée auparavant.

Tim, de son côté, paraissait affronter ces représentations avec une détermination triste. Evon supposait qu'il ne goûtait pas plus qu'elle l'expérience, mais il en saisissait la dimension inévitable. Tandis qu'elle l'observait, en proie à une intense crispation, une anecdote de Collins Mullaney lui revint en mémoire.

« Tim m'a beaucoup appris, avait raconté l'ancien policier. Je me souviens d'un corps repêché dans la rivière, près de la digue de la zone industrielle. Un meurtre de gang. Bon Dieu, le garçon était dans un état effroyable. J'ai pourtant l'estomac bien accroché, mais là, j'ai eu la nausée. "Qu'est-ce qu'on fait ici, Timmy ?" j'ai demandé. Et Tim m'a répondu du tac au tac : "On aide les autres à bien se comporter. On leur montre que ce genre de choses ne sera pas toléré. Ils prennent conscience de leurs actions parce que toi et moi, on alpague ceux qui passent outre. Voilà ce qu'on fait." Un sacré discours. Je n'ai jamais oublié ces mots. »

Les clichés du cou et du visage de Dita étaient révélateurs. Le sang avait coagulé en une épaisse croûte sur son crâne, souillant les cheveux au-dessous de la plaie. La lésion soulignée par un gros plan était un sourire de trois centimètres, l'hématome de la taille d'une noix une bour-souflure. On aurait dit que Cass – ou Paul – avait plaqué avec force la main sur la bouche de sa victime avant de cogner l'occiput à plusieurs reprises contre la tête de lit. Le côté droit de la mâchoire présentait un léger bleu de forme oblongue au niveau du condyle mandibulaire. Cass ou Paul avait frappé fort. Les joues empourprées de Dita marquaient facilement et le dessin d'une main ouverte se détachait sur l'épiderme. Trois doigts apparaissaient clairement, les autres se perdaient dans des spires de couleur. Un second gros plan détaillait une petite coupure perlée d'un sang marron.

Evon désigna la blessure sur la joue de Dita.

«Voilà comment vous saviez pour la bague, n'est-ce pas?

— Les tocards de Greenwood m'ont regardé comme si j'étais le Magicien d'Oz quand je leur en ai parlé. Ils pensaient juste à un coup de poing. Je ne leur jette pas la pierre. Ce sont des types sympas. Ils se contentent de toucher leur chèque en fin de mois et de mener une vie tranquille. Mais ils sont complètement à l'ouest.

— Selon Tooley et les autres avocats, nous devrons prouver que la bague appartient à Paul. Ils ne comptent pas sur Georgia, puisqu'on lui a promis qu'elle ne serait plus interrogée.»

Tim opina du chef. Un détail le tracassait. Il passa les photos en revue.

«Je me souviens avoir soulevé un lièvre avec la légiste de Greenwood. Elle était aussi inexpérimentée que la police du comté en matière d'homicides, et un peu susceptible de surcroît. Autant dire qu'elle n'était pas ravie qu'un privé lui indique certains éléments. Après examen, j'ai songé que l'entaille sur la joue de Dita était antérieure de plusieurs minutes au trauma crânien. Regardez là. Les lividités sont différentes. La peau cesse de marquer après la mort. Et puis il y a ça.» Il compara la trace sur la mâchoire et le cercle violacé sur la joue, puis s'attarda sur le cliché de la main gauche de la victime. Ses doigts étaient longilignes, élégants, même après avoir baigné dans le sang. Tim attira l'attention d'Evon sur un détail précis : on distinguait une tache brunâtre sur une des jointures.

« Le labo a procédé à une analyse. C'est son propre sang. Ils ont décelé des traces similaires sur le côté gauche de son visage. J'en déduis donc que Dita s'est essuyée lorsque la coupure sur sa joue a saigné. Sa main ne porte pas d'autre souillure. Elle n'a pas touché à la blessure à l'arrière de son crâne. Sans doute s'est-elle évanouie avant de s'apercevoir de quoi que ce soit.

— Et que s'est-il passé avec la légiste ?

— Je lui ai expliqué qu'à mon avis Dita était restée un moment avec son assaillant. L'individu la gifle, ils discutent, elle frotte le sang sur sa joue. Il lui cogne l'arrière de la tête une dizaine de minutes plus tard. Si le docteur Gorgen ne contestait pas l'antériorité de la coupure, elle ne suivait pas mes conclusions sur la coloration des contusions. Selon elle, la différence pouvait provenir de la proximité des vaisseaux sanguins avec l'épiderme. Et la légère entaille avait pu être infligée quand son agresseur l'avait agrippée.

— Qu'en est-il du sang sur la jointure ?

— Goren estime que Dita a pu toucher son cuir chevelu avant de perdre connaissance. D'après moi, elle se serait servi de sa main droite. Sauf à considérer la chronologie autrement. Toujours est-il que nous ne sommes pas parvenus à un terrain d'entente. La légiste pense que la victime a simplement été sonnée par la gifle avant d'être projetée contre la tête de lit.

— Pourquoi sonnée ?

— On n'a décelé aucun signe de lutte. Elle n'a même pas tourné la tête au moment où son crâne a percuté le bois. Les points d'impact se situent tous plus ou moins au même endroit. Et puis, regardez sa main droite. Si elle avait répliqué, il l'aurait immobilisée. Aucune marque sur le poignet. Pareil à gauche. Sans compter l'absence de cellules épithéliales sous les ongles. Bien sûr, les analyses ADN donneraient peut-être d'autres résultats aujourd'hui mais, à l'époque de l'enquête, nous sommes partis du postulat que les choses s'étaient passées très vite. Le meurtrier était un type assez balaise. Essayez donc d'attraper ma tête et de la repousser.» Evon s'exécuta. «Pas facile, hein? La résistance est forte, même en admettant qu'on soit pris par surprise.

— Quel est l'intérêt d'établir une chronologie? Le délai entre les coups est-il capital?

— Eh bien, si l'on accepte l'hypothèse qu'elle a été frappée et qu'elle est demeurée assise avec son agresseur pendant dix minutes sans appeler à l'aide, cela signifie qu'elle connaissait notre homme.

— Il la menaçait peut-être avec un couteau ou un revolver.

— Et il lui brise le crâne au lieu d'utiliser son arme?

— Un revolver fait du bruit.

— Une vitre cassée aussi. Moi, je penche pour quelqu'un de proche.

— Un critère qui correspond à Cass, hein?

— Ou Paul. Comme je vous l'ai dit, Zeus était très agité et les enquêteurs subissaient une telle pression que personne n'arrivait à raisonner de façon correcte.»

Evon se souvint d'une réflexion de Tim.

«Vous avez insinué que Zeus avait suspecté ses ennemis pendant plusieurs mois.

— La mafia grecque.

— Oui, mais ce n'est pas ce que j'ai compris.»

Le vieux détective étouffa un rire et s'adossa au canapé. Une nouvelle anecdote se profilait.

«Une famille dans les parages d'Athènes, les Vasilikos, a commencé à monter des opérations de racket dans les années 1920. Des types malins. Leur devise était la suivante : *Grandes causes, petits effets, et non l'inverse.* Vingt-cinq drachmes pour une semaine de protection. Qui ira

voir la police, de toute façon ? Nikos, le père de Zeus, vivait
aux États-Unis. C'était un homme ambitieux qui avait des
contacts avec pas mal de truands originaires d'Athènes.
Pendant la Seconde Guerre mondiale, Zeus a rejoint les
Alliés pour travailler comme traducteur. En octobre 1944,
les troupes ont débarqué en Grèce tandis que les Alle-
mands fichaient le camp. Grâce à son fils, Nikos avait un
pied dans le pays. En mai 1946, Zeus est revenu en Amérique accompagné d'une charmante épouse, Hermione,
dont le nom de jeune fille était Vasilikos. Il avait aussi un
enfant d'un an, Hal. Il rentrait au bercail avec un sac rempli d'argent liquide. Ce butin, la mafia grecque entendait
l'exfiltrer du territoire avant que la guerre civile n'éclate et
que les communistes ne confisquent tout.

— Vous tenez cette histoire de Zeus ?

— Quelques allusions, oui, mais il n'avait pas besoin de
s'étendre sur le sujet. Le récit était connu de la commu-
nauté.

— Et le sac de billets ? »

Tim éclata d'un rire joyeux propre à la majeure partie
des flics, toujours prompts à s'émerveiller de la bizarrerie
humaine.

« Zeus a fait construire son premier centre commercial
en 1947. Il possédait une sorte de don, vous savez. Il avait
compris que les Américains désiraient consommer. Et
d'où lui venait la mise de départ ? Ce type était juste un
soldat de Kewahnee démobilisé.

— Le sac ?

— C'est ce qu'on raconte. Donc, Zeus est devenu riche.
Mais ça a bardé à Athènes. Personne n'avait prévu que
l'argent allait servir de capital à Zeus. L'homme d'affaires
s'est justifié : "On est en Amérique, les gars. Le pognon ne
se cache pas sous le matelas. Et puis, la combine fonctionne à merveille." Il considérait qu'il s'agissait d'un prêt.
Il comptait le rembourser avec des intérêts conséquents.
À Athènes, ils pensaient : "Attendez, on a fait un investissement. Il faut payer toute la vie." Zeus l'a jouée fine :

"Marché conclu." Eux : "On verra." Le père d'Hermione, qui était aussi le garant de Zeus, a passé l'arme à gauche un an avant le meurtre de sa fille. Les événements coïncidaient. D'ailleurs, le décès de Zeus était lui aussi sujet à caution. Vous connaissez l'histoire ? »

Evon savait juste que le chef d'entreprise était mort dans un accident en Grèce.

Tim continua son exposé : « Les Grecs retournent toujours au pays. Mais Zeus, en raison d'une animosité certaine, refusait d'y remettre les pieds. Cependant, à la disparition de Dita, il a nourri le projet de l'enterrer au mont Olympe. Et au cinquième anniversaire de la mort de leur fille, Hermione a enfin accepté l'idée. Certains Vasilikos ont fait le déplacement pour la cérémonie. Le jour suivant, Zeus s'est rendu à pied au cimetière pour méditer sur la tombe, et on ne l'a plus revu. Son corps a été retrouvé cent cinquante mètres en contrebas de la montagne. » Le détective haussa ses larges épaules. « À la paroisse, ils sont beaucoup à suspecter qu'on l'a aidé à chuter. »

Evon n'avait jamais entendu son patron mentionner la mafia grecque. Pourtant, il ne dédaignait pas s'épancher sur ses parents après un verre au bureau en fin de journée. Quelle était donc cette expression ? Une grande fortune lave les péchés des générations précédentes. Aux yeux de Hal, Zeus était une figure olympienne. Il incarnait le génie entrepreneurial à l'état pur. Le P-DG ignorait sans doute pratiquement tout des circonstances de l'accident. Ou il n'avait pas demandé. Tim avait déjà expliqué tout cela à Evon : les gens ne croyaient que ce qui les arrangeait.

16.

Sofia – 11 février 2008

L'après-midi même, Tim se rendit à l'université d'Easton. Le trajet prenait une quarantaine de minutes lorsque la circulation était fluide. Easton correspondait à l'image que les gens avaient en général d'une fac : des collines vallonnées, des constructions en brique rouge ornées de faîtières blanches et de colonnes doriques. La plus vieille université privée du Midwest. Elle n'était plus aussi élitiste que jadis. Toutes sortes de parents et d'étudiants – Indiens, Vietnamiens ou Polonais, Blancs ou Noirs – étaient convaincus qu'un tel établissement constituait un ticket d'entrée pour une vie meilleure. Quand vous parveniez à les arracher à leurs satanés portables, ces jeunes gens avaient tous cet air éveillé et plein d'assurance si différent de celui des gamins défavorisés que Tim avait côtoyés quand il était flic. Les étudiants soutenaient votre regard et souriaient. Ils n'avaient rien à craindre des adultes. Démétra, la cadette du vieux détective, y était entrée moyennant une bourse conséquente. Tim et Maria adoraient lui rendre visite et la voir se balader avec ces gosses irradiant de confiance en l'avenir.

Il trouva le Foyer des anciens élèves, un modeste édifice en brique dont le perron était surmonté d'une arche blanche. Il avait déjà inventé une histoire pour la femme qui l'accueillerait à la réception.

« Mon neveu séjournait chez moi et il a perdu son anneau universitaire dans la bonde de l'évier. Je voudrais m'en procurer un nouveau. Vous savez qui s'occupe des fournitures ?

— Quelle promotion ?

— 1979. »

Au bout de presque vingt-cinq ans d'investigations privées, Tim avait encore du mal à s'accommoder des inconvénients du métier, au rang desquels le mensonge figurait en bonne place. Il avait en effet consacré son existence entière à la recherche de la vérité. Certes, à l'époque où il portait un badge, il avait souvent manipulé les suspects pour les forcer à avouer les détails sordides de leur crime. Il leur certifiait que c'était dans leur propre intérêt, sachant pertinemment qu'ils ressortiraient libres s'ils la fermaient. Chaque profession exigeait son lot d'intrigues, mais il connaissait les limites. Il ne disait jamais rien qui puisse envoyer sa vieille carcasse ridée derrière les barreaux.

La réceptionniste s'absenta un long moment puis revint avec le nom d'un fabricant en Utah, partenaire privilégié d'Easton depuis un demi-siècle.

Il parcourut ensuite le campus en sens inverse afin d'aller consulter les archives des photos de classe. La fac de droit consistait en une série de bâtiments trapus d'influence gothique disposés autour d'un vaste parc. Les dortoirs, les classes et la bibliothèque étaient rassemblés à cet endroit. Les gamins venaient s'étendre sur les pelouses au printemps.

Les archives étaient conservées à la bibliothèque. Un lieu magnifique : six mètres de haut, des longues tables en chêne qui semblaient attendre une confrérie de chevaliers en armure, des lambris jusqu'au plafond. Des rambardes en cuivre poli délimitaient les balcons du dernier étage. Un des bibliothécaires retrouva le volume de 1982 sans poser de question. Le détective avait néanmoins concocté un autre mensonge, selon lequel il désirait joindre une photocopie du cliché à la carte d'anniversaire de son neveu, qui soufflait ses cinquante bougies. L'ouvrage contenait deux images de Paul Gianis : un plan rapproché, identique à ceux de ses cent soixante camarades de promotion, et un portrait de groupe où le futur candidat posait en compagnie des étudiants en fin de cursus. Paul, assis avec les conférenciers au premier rang, avait les mains sur les cuisses. Aucune bague visible. La photo avait dû être prise quelques mois avant le meurtre de Dita. Les clichés de 1980 et 1981 n'apportèrent pas plus d'information.

Deux ordinateurs trônaient à proximité du guichet principal. Les usagers s'en servaient en général pour consulter leurs e-mails. Le navigateur était accessible sans mot de passe. Aujourd'hui, on pouvait effectuer la moitié du travail de détective privé par Internet. Pour une personne de son âge, Tim se débrouillait plutôt bien. Rien de fantastique. Certes, il était complètement largué dès que le problème touchait à la sécurité informatique, mais il savait encore taper un nom dans un moteur de recherche.

Les images de Paul Gianis disponibles sur la toile étaient légion. La plupart d'entre elles dataient de la dernière décennie. Tim les étudia une à une. Chaque fois que les mains du politicien étaient visibles, la seule bague qu'on distinguait était son alliance.

Il revint en ville à l'heure de pointe et en profita pour contacter le fournisseur d'Easton.

« Oh Seigneur, se désola la femme au bout du fil. On va devoir éplucher les catalogues de l'entrepôt. J'ignore si vous allez retrouver le même modèle. Le style évolue avec le temps, vous savez.

— J'aimerais lui faire une belle surprise.

— On va essayer. »

Sa prochaine mission consistait à remettre la requête de Tooley à Cass. Paul et Sofia habitaient à Grayson, une zone à l'ouest du comté, prisée de longue date par les professeurs, les flics et les pompiers, tenus de résider à proximité des Tri-Cities en vertu de leurs obligations professionnelles. Le quartier était composé de coquets quatre-pièces, un cran au-dessus du secteur où vivait Tim, à Kewahnee. Le faubourg était circonscrit par les maisons plus cossues, établies sur des pelouses inclinées. Celles-ci appartenaient principalement à des docteurs, des avocats, des banquiers et des agents d'assurances officiant dans les antennes locales. La demeure des Gianis était l'une des plus belles. Elle avait été érigée au xixe siècle, d'après ce que Tim avait lu dans le *Tribune*, par des mormons propriétaires de grands magasins. Les journaux parlaient de « résurgence romane » quand ils évoquaient l'architecture de la bâtisse. Des briques ocre festonnées de lauriers, un toit en tuiles vertes et des gouttières cuivrées patinées par les embruns. Le premier étage était allumé, mais l'allée dépourvue de véhicule. Tim scruta les environs aux jumelles pendant un instant. Il ne décela aucun signe d'activité. Selon la presse, les enfants du couple étaient scolarisés à Easton.

Il avait de nouveau envie d'uriner. Parfois, sa vessie le torturait sitôt qu'il avait quitté les toilettes. Aller au petit coin toutes les dix minutes faisait partie des charmes de la vieillesse. Quand il examinait son corps, il était souvent étonné des outrages infligés par le temps, de l'avachissement, de la pâleur de son épiderme, aussi blanc qu'un poisson mort. Les organes encore en état de marche étaient rares. Il avait l'impression de mettre une éternité à simplement trouver une pièce de monnaie et son esprit fonctionnait comme un levier de vitesse défectueux. Il lui arrivait cependant d'avoir de bonnes surprises. Hier matin, par exemple, il s'était réveillé avec une érection. Il avait considéré son membre dressé avec le respect dû à un visiteur d'une autre planète, tant il croyait cette région de son anatomie expurgée de toute vie. Il s'était senti revigoré pendant quelques heures.

Les retraités de la police étaient si nombreux à rester sur le carreau que l'amicale avait racheté l'ancien foyer des vétérans, laissé à l'abandon après une période de disette. L'odeur de la levure de bière l'accueillit sitôt qu'il en franchit le seuil. Le hall du rez-de-chaussée était désert, mais il entendit du bruit au premier étage. Il commença à gravir les marches usées.

En haut l'attendait un bar à l'ancienne mode. Des glaces murales succédaient au comptoir en acajou. La salle était composée de tables hexagonales tapissées de feutrine verte. Un groupe de vieux s'était installé à l'une d'elles. Plusieurs spectateurs assistaient à la partie tandis que les joueurs distribuaient cartes et jetons. Tim n'avait pas effectué trois pas qu'une voix tonitruante l'apostropha :

« Bon Dieu, je te croyais mort ! »

C'était Stash Milacki. Il était attablé et s'esclaffait si fort que son visage s'empourprait. Stash était entré dans la police grâce à son tordu de frère, Sig. Ce n'était pas un mauvais enquêteur, mais il n'avait jamais réussi à intégrer la Criminelle, département de toutes les convoitises.

Tim éclata de rire. Il s'empressa néanmoins de gagner les w-c avant de revenir le saluer. Stash était autrefois un sacré gaillard et il avait pris au moins vingt kilos entre-temps. Maintenant, il n'était plus qu'un vieux gars au faciès couperosé, obligé d'écarter les jambes sur son tabouret pour laisser place à son ventre proéminent.

« Et moi, tu ne me parles pas ? » bougonna un des joueurs. Tim reconnut Gilles LaFontaine. Il paraissait avoir vingt ans de moins que Stash. Tim avait patrouillé avec lui à ses débuts. « Alors, tu rejoins le club des fauchés qui n'ont pas les moyens de jouer au golf en Floride ? fit Gilles.

— Eh non. J'ai de la chance. Je bosse de temps à autre comme privé.

— Vraiment ? s'étonna Stash.

— Principalement pour ZP », précisa Tim. L'entreprise de Hal était désormais son unique client, mais le détective jugea inutile de s'étendre sur le sujet.

« C'est quoi ce bordel avec les spots télévisés ? interrogea Gilles. J'étais avec mon petit-fils l'autre jour et ils en ont passé un. Celui avec l'ancienne copine délaissée. Mon petit-fils pense qu'il s'agit d'une plaisanterie. Moi, je lui ai dit : "Non. Ce dingue, Kronon, est vraiment persuadé que Gianis a tué sa sœur." J'ai raison, pas vrai ?

— Oui.

— Si j'étais patron de chaîne, je refuserais de diffuser une connerie pareille. » Paul avait vécu dans le quartier pendant plusieurs années et les gens d'ici étaient fiers de sa célébrité, de son succès. Un ou deux types autour de la table étaient moins enthousiastes que Gilles, mais ce dernier poursuivit : « Le frangin a purgé sa peine, point. Cette histoire date d'il y a vingt-cinq ans et tout à coup ce fêlé prétend que Paul est impliqué. Je ne marche pas.

— Qu'est-ce qu'il fait en ce moment, le frère ? » s'enquit Tim.

Gilles haussa les épaules. Il jeta un coup d'œil à ses cartes. Un de ses acolytes, mexicain ou italien, capta son regard et s'immisça dans la conversation : « Les journaux racontent qu'il compte donner des cours aux ex-détenus, non ? Le même genre de soutien qu'il offrait en prison.

— Bruce Carroll habite à côté des Gianis. Vous le connaissez ? » intervint un autre retraité assis derrière les joueurs.

Non, Tim ne le connaissait pas.

« Lui et bobonne sont à la maison presque tout le temps. Ils n'ont pas vu le frérot. Cass, c'est ça ? Il fuit sans doute la presse. En tout cas, ils n'ont constaté aucune allée et venue, sauf quand il a été libéré.

— Il a quitté la ville ? » s'inquiéta Tim.

L'homme eut un geste évasif. « Peut-être. Mais si j'avais passé vingt-cinq piges en taule, j'aurais envie de rester en famille. Paul et lui sont vrais jumeaux, hein ? Très proches ? J'ai lu qu'ils s'écrivaient presque chaque jour.

— Vingt-cinq ans ? ajouta un quatrième comparse. Moi, je ferais venir quatre filles, une bouteille de whisky, et en avant la musique. »

Tous éclatèrent de rire.

D'une manière générale, Tim fréquentait peu les anciens flics. Pendant trente ans, il avait joué au golf les samedis d'été avec trois copains de la brigade criminelle. Quand Maria était tombée malade, il avait cessé d'aller sur le green. Sa défection avait sonné le glas des parties hebdomadaires. Dannaher souffrait trop du dos pour continuer à manier le club et Rosario ne voyait plus la balle. Carrer avait encore de bons yeux, mais oubliait la direction à prendre sitôt qu'il quittait le tee. En dehors de ces trois-là, les amis de Tim étaient des musiciens à la retraite. Certains d'entre eux jouaient toujours. Le détective aimait les voir à l'œuvre. Ses mains à lui étaient trop raides pour exécuter les partitions au trombone, ses lèvres ne répondaient plus. La plupart du temps, ils se réunissaient pour écouter de la musique, grognaient lors des passages intéressants, se remémoraient certains concerts et évoquaient les prouesses des bons interprètes. Son meilleur ami, Tyronius Houston, avait déménagé à Tucson. Il suppliait Tim de passer le voir. Les autres faisaient des apparitions sporadiques en avril, lorsque les conditions météo s'amélioraient.

Tim se rendit une dernière fois aux toilettes avant de partir. Il retourna ensuite à la maison des Gianis, qu'il surveilla assis dans sa voiture de l'autre côté de la rue. Aux alentours de 18 heures, une voiture pénétra dans le garage. Quand le volet roulant s'éleva, il distingua un autre véhicule dans l'obscurité. Une Acura grise. En cette période, Paul était probablement par monts et par vaux avec son équipe de campagne. Le jour déclinait à partir de 17 h 30. Lorsque les lumières s'allumèrent au premier étage, Sofia apparut dans les jumelles du détective aussi précisément que si elle était entrée sur scène. Tim la regarda passer un coup de chiffon dans la cuisine, vêtue de son sarrau vert. Il passa la première et s'engagea dans l'allée circulaire de la maison.

Sofia Michalis s'était distinguée des autres gosses dès qu'elle avait su parler. Maria s'était bien entendue avec sa mère, à l'église. Celle-ci avait déjà quatre enfants. Elle agissait comme si la petite dernière était pourvue de dons surnaturels. Sofia était capable de lire peu après avoir appris à marcher. Elle avait débuté sa scolarité avec un an d'avance. Au contraire des gamins ostracisés par leur précocité, Sofia, avec ses grands yeux noirs et profonds dignes d'un personnage de dessin animé, avait gardé toutes les apparences de la normalité. Elle avait été camarade de classe de la cadette de Tim, Démétra. C'était une jeune fille que l'on ne pouvait se permettre d'accueillir trop souvent chez soi. Elle jouait aux osselets avec Démétra, mais dès que Tim franchissait le seuil de son domicile, elle le suivait dans la cuisine pour l'abreuver de questions sur la dernière affaire en date. À sept ans, elle dévorait les quotidiens d'informations de bout en bout. Les techniques d'identification la passionnaient : par quel mécanisme la poudre révélait-elle les empreintes latentes ? Était-il possible de reconstituer l'apparence d'un individu d'après son squelette ? Malgré son envie de répliquer "Comment veux-tu que je le sache ?", Tim répondait de son mieux et Sofia, après avoir réfléchi aux explications de son interlocuteur, redevenait une fillette.

Un jour, elle lui avait demandé : « Il n'y a pas beaucoup de monstres comme ça, par ici ? » Elle faisait référence à l'un des dossiers les plus sanglants auquel le policier eût été confronté. Un tueur en série nommé Delbert Rooker, qui avait assassiné plusieurs jeunes femmes.

« Pas un seul », l'avait rassurée Tim. Il avait conscience que, même à sept ans, la môme était trop intelligente pour le croire.

L'un des jeux favoris des deux gamines consistait à incarner le médecin et l'infirmière. Sofia endossait le rôle du docteur, Démétra celui de l'aide-soignante. Un groupe de poupées faisait office de patientes. Ces mises en scène s'étaient révélées étrangement prémonitoires. Démétra, après avoir passé son diplôme, était désormais infirmière en chef à l'hôpital d'Hutchinson, à Seattle. Sofia, quant à elle, avait intégré la fac de médecine, réussi son internat, et travaillait maintenant au service de chirurgie plastique et réparatrice de l'hôpital universitaire.

Elle comptait en outre parmi les rares personnes à avoir proposé son aide lorsque Kate était tombée malade. Elle passait à la maison, faisait la lecture à la convalescente ou la gardait l'espace d'une heure, quand Maria allait au supermarché en l'absence des filles. Sofia, qui ne roulait pourtant pas sur l'or, refusait d'être dédommagée. Impossible d'oublier une enfant aussi attentionnée.

Tim avait toujours ressenti une pointe de fierté parentale devant la réussite de la jeune femme. Depuis qu'elle avait dirigé les équipes médicales en Irak, Sofia était sans doute plus célèbre que son mari en dehors du comté de Kindle. Le détective l'avait vue plusieurs fois sur CNN. Il avait apprécié son discours sur les mines antipersonnel qui mutilaient aussi bien les soldats américains que les civils irakiens. Quelle chose horrible que de voir des hommes capables d'accomplir tant de prouesses en agriculture ou en médecine développer de concert une technique si dévastatrice. Sofia et ses confrères s'étaient escrimés à réparer les dégâts : panser les brûlures, ajuster les prothèses aux membres suppliciés, reconstituer les visages à l'aide de moulages en silicone.

Tim sonna. Il entendit des bruits de pas à l'intérieur. Puis la porte s'ouvrit sur Sofia, bouche bée. Il n'avait pas l'intention de se présenter. Avec un cerveau tel que le sien, la jeune femme devait se souvenir de tout le monde. Sans compter que, dans sa profession, les aptitudes physionomistes étaient sûrement indispensables.

«Monsieur Brodie?» interrogea-t-elle.

Il ne put s'empêcher de sourire. Elle s'avança pour l'enlacer.

«Quel plaisir de vous voir! Entrez, je vous en prie.»

Il secoua la tête. «J'aimerais bien, mon cœur, mais je suis là pour le travail.

— Eh bien, entrez quand même. Comment vont Démétra et Marina?»

L'aînée de Tim était musicienne. Elle jouait du cor anglais dans l'orchestre symphonique de Seattle et enseignait à l'université. Elle avait commencé sa carrière dans le rock et avait enchaîné les liaisons hasardeuses avant de trouver Richard, un bassoniste. Ils ne s'étaient jamais mariés – Richard était contre – mais avaient deux merveilleuses filles, dont Stefanie, qui avait fini par emménager à proximité.

Depuis que Sofia était petite, il était indéniable qu'elle ne serait jamais Miss Monde. Elle savait cependant prendre soin d'elle. Elle n'omettait jamais de se maquiller, y compris lorsqu'elle opérait. Ses cheveux bruns mi-longs portaient la marque d'un coiffeur aguerri, le vernis rouge de ses ongles demeurait impeccable, et l'on pouvait toujours se noyer dans ses immenses yeux noirs. Son nez proéminent constituait une revendication de l'acceptation de soi.

Tim refusa d'enlever son manteau. Il se contenta de rester dans l'entrée et ils parlèrent pendant une bonne dizaine de minutes de leurs familles respectives. Derrière Sofia s'élevait un escalier majestueux orné d'une rampe en noyer. De splendides vitraux dominaient le palier du premier étage. Un chien consigné à la cuisine gémissait tristement et grattait à la porte. Sofia était au courant pour Maria. Elle rappela à Tim sa présence lors de la veillée, mais le vieil homme se souvenait simplement d'avoir eu la tête sous l'eau, focalisé sur le moment où il pourrait reprendre sa respiration.

« Donc, vous travaillez encore ? s'émerveilla-t-elle. Je pensais que vous étiez à la retraite depuis longtemps.

— En effet. Mais j'arrondis mes fins de mois comme détective privé. Et j'ai bien peur d'être mandaté par ZP.

— Oh mon Dieu, rit la jeune femme. Je comprends maintenant pourquoi vous décliniez mon invitation.

— Désolé. Je dois transmettre une assignation à Cass. Juste ses empreintes, pour l'instant. Un test ADN plus tard, en admettant que le juge l'ordonne.

— Je suis confuse, monsieur Brodie. Il me semble que cela est du ressort des avocats.

— Eh bien, si vous me certifiez qu'il vit ici, je peux vous donner la citation. On en aura fini.» Il sortit le document de sa poche.

Son sourire chaleureux ne quitta pas son visage, mais elle eut un signe de dénégation.

«Je ne peux rien vous dire, monsieur Brodie. J'espère que vous comprenez.

— Bien sûr. Voici ma carte. Demandez-lui de me contacter quand vous le verrez.

— J'accepte votre carte. Mais uniquement pour savoir où vous êtes.»

Elle nota ensuite l'adresse mail de Démétra, puis Tim prit congé.

Le lendemain matin, à 5 h 30, il était à son poste devant la maison. La porte du garage s'ouvrit peu après 6 heures. Plus qu'une seule voiture dans le box. Sofia, en tenue de travail, monta dans le véhicule, sortit en marche arrière et s'engagea dans la rue. Quand elle passa devant lui, elle appuya sur les freins de sa Lexus gold, manœuvra de façon à se porter à sa hauteur et baissa sa vitre. Le détective l'imita.

«Il reste du café frais à la maison. Vous voulez une tasse? proposa-t-elle.

— Tu as toujours été si gentille. Je suis bien, là. Va donc soigner les gens.»

Elle lui adressa un geste guilleret avant de s'éloigner. Tim avait maintenant la certitude que Cass était parti.

17.

La décision – 20 février 2008

« C'est un jour crucial », affirma Crully. Il était 9 h 15. La foule matinale, en route pour quelque paradis électronique *via* une multitude d'oreillettes, arpentait les rues hivernales du centre-ville.

Mark et lui revenaient d'un petit déjeuner organisé par l'amicale de la police. Les flics étaient éventuellement prêts à soutenir la candidature de Paul. Cette visite était inévitable. Tonsun Kim, le nouveau président, entendait danser un menuet sur la musique de son choix. Davantage de fonctionnaires, plus de moyens, des retraites revalorisées et une meilleure considération. Les adhérents appréciaient Paul. En tant qu'ancien substitut, le candidat comprenait mieux que quiconque leurs problèmes. Paul était à l'aise devant ce genre de public. Il appartenait à cette catégorie de gens qui, tout gosses, rêvaient de devenir policiers. Son discours avait fait mouche quand il avait évoqué la loi de la rue et les difficultés professionnelles qui en découlaient. Que l'hostilité entre les Noirs et les Latinos diminue, et les agents des forces de l'ordre avaleraient moins de couleuvres. Ils auraient plus d'applaudissements, leur tâche serait facilitée. Il adorait convaincre l'assistance de l'aspect gagnant-gagnant de son programme.

« Tu parles des flics ? demanda-t-il à son directeur.

— Non, de la procédure judiciaire. »

Ils se dirigeaient vers le Temple. Ensuite, Paul devrait passer une longue journée au téléphone à récolter des fonds. Le spot commandité par Hal avait considérablement ralenti les dons. Paul espérait aussi trouver un moment pour appeler Beata en catimini. Ils se verraient à l'appartement cette nuit.

À ce stade de la campagne électorale, vous n'étiez plus qu'un canard en fer-blanc dans un stand de tir. Les soucis du quotidien étaient ajournés, à l'image d'une démangeaison que vous n'aviez pas le temps de gratter et que, par conséquent, vous ne sentiez pas. Il se souvint néanmoins de ce qui le gênait lorsque Mark évoqua la procédure en cours. Le *Tribune* de ce matin titrait : « Les relevés d'empreintes innocentent Gianis. » L'article résumait les dernières trouvailles de Dickerman. L'information était pourtant censée rester confidentielle jusqu'à ce que Mo annonce ses conclusions au juge dans la journée. La précision des éléments révélés laissait peu de doutes quant à la provenance des sources.

« Je n'aime pas l'article du *Tribune* », décréta Paul.

Crully grimaça. Il suspectait Paul de jouer la comédie. La fuite provenait bien entendu du directeur de campagne. Celui-ci désirait bénéficier au maximum des faveurs de la presse. Il avait agi sans en référer à son employeur car il voulait lui laisser la possibilité de déclarer franchement : « Je n'ai rien à voir avec cette histoire. »

« Je suis sérieux, Mark. Le juge va être furieux.

— Lands est un grand garçon. On est en pleine campagne. Tu te contentes d'esquiver les Scud d'un milliardaire à moitié givré. Il sait que tu dois te servir des médias. » Cette remarque était typique de Crully. Il se considérait comme un expert même dans les domaines qu'il ne maîtrisait pas. Il se prenait à son propre jeu. « On braque les projecteurs pour signifier à l'opinion que tes empreintes sont absentes de la scène de crime, ajouta le

responsable. Du Bois va refuser le test ADN. Fin de partie
pour Kronon. Pile au bon moment. »

Paul lui demanda ce qu'il entendait par « bon moment ».
Crully se tut un instant, puis lâcha :

« Greenway a effectué un sondage pour Willie Dixon. »
Dixon était le principal opposant noir de Paul. Il occupait
un poste de conseiller municipal dans le North End et se
distinguait par sa ruse. Seule sa véhémence le desservait. Il
menait une campagne à peu de frais, largement au-dessus
de ses moyens. Deux autres Afro-Américains étaient en
lice, dont May Waterman, une amie de Paul au Sénat.
Elle s'était présentée uniquement parce que Paul lui avait
assuré, quelques mois auparavant, qu'il ne prendrait pas
ombrage de sa candidature. Conformément aux prédictions de Crully, Paul et elle s'étaient adressés aux mêmes
instituts de collecte de signatures sans que personne le
remarque. « Je te rappelle qu'on a un gars chez Willie »,
insista le directeur.

Dans une course électorale, il y avait toujours des
membres de l'équipe qui mangeaient à plusieurs râteliers.
La mairie se gagnait en deux étapes. Un premier tour, le
3 avril et, en l'absence de majorité absolue, un second en
mai, disputé par les deux meilleurs. Si Willie était éjecté
au premier scrutin, certains se rabattraient sur Paul. Ils
négociaient en ce moment même leur reconversion avec
Mark.

« D'après mon informateur, expliqua Crully, on a six
points d'avance. »

Six. Paul acquiesça en tentant de rester calme. Il comprenait mieux la stratégie de son directeur. Ils allaient
déjouer l'offensive de Hal. Les empreintes le blanchiraient
et l'action judiciaire, faute d'analyses plus poussées, ces-
serait de monopoliser l'intérêt de la presse. Ce jour était
en effet crucial.

Lands s'installa à son pupitre avec un visage impassible.
Paul connaissait assez D. B. pour deviner son mécontent-

tement. Le juge enjoignit Mo Dickerman, assis au premier à rang, à s'approcher. L'expert se dirigea d'un pas raide à la barre.

«Professeur Dickerman, j'ai lu votre rapport. Pensez-vous que l'article en une du *Tribune* le synthétise de manière satisfaisante?»

Des rires fusèrent dans l'assistance. Du Bois fusilla Ray de ses yeux gris pendant une fraction de seconde. Il évita de regarder Paul, mais le message était clair. La vie d'un homme politique se résumait souvent à endosser la responsabilité d'actions que l'on réprouvait.

«Il est plutôt fidèle à la réalité, convint Mo. Je n'ai pu attribuer aucune des empreintes latentes prélevées dans la chambre de la victime au sénateur Gianis. Certaines d'entre elles sont inexploitables sans le concours de Cass. J'ai suggéré aux deux parties d'obtenir sa participation. Cela étant dit, la présence du sénateur sur les lieux est exclue d'après les éléments dont je dispose.»

Une légère agitation parcourut les rangs des spectateurs et des journalistes.

«Je vais donc adjoindre vos conclusions au dossier, indiqua le juge. Elles resteront accessibles à ceux qui n'ont pu en avoir la primeur.» Du Bois adoptait un ton lourd de reproches. Horgan intervint :

«Votre Honneur, je tiens à préciser...

— Inutile, maître. Ces aléas sont inévitables, nous le savons tous. La fuite peut provenir de vous, d'un de vos adversaires ou encore d'une tierce personne qui poursuit des motifs mystérieux. Je me garderai donc de formuler la moindre hypothèse. Ce rapport était certes destiné à la cour, mais je me rends compte à présent que je n'en ai pas formellement interdit la divulgation prématurée. Alors laissez-moi éclaircir les choses à partir de maintenant. Le parquet ouvrira une enquête au prochain incident de ce type. Compris?»

Ray hocha la tête plusieurs fois en une quasi-révérence. La vigueur avec laquelle il approuvait les remontrances du juge faisait ployer son corps. Elle évoquait l'humilité d'un chevalier prêtant allégeance au trône.

« Nous sommes prêts à vous fournir tous les renseignements que vous jugerez utiles, votre Honneur, flagorna Tooley.

— Poursuivons », fit Lands. Le soin qu'il mettait à ignorer la bonne volonté manifeste de l'avocat était représentatif du sentiment général. Tooley n'était pas vraiment apprécié au sein du palais de justice. « Concernant l'affaire en cours, M. Kronon souhaite donc obtenir un échantillon sanguin ainsi que les relevés effectués sur la scène de crime dans le but de procéder à une identification ADN des éléments susnommés. Il me demande par ailleurs de contraindre le sénateur Gianis à fournir un échantillon salivaire. »

Le juge consulta un bref instant le dossier devant lui, puis agita ses doigts en un geste arachnéen.

« J'ai beaucoup réfléchi à ces propositions. Le professeur Yavem indique qu'il y a de fortes probabilités pour que les résultats soient non concluants. Le rapport sur l'identification dactylotechnique fourni par le docteur Dickerman semble corroborer cette hypothèse. Je comprends le point de vue de maître Horgan lorsqu'il affirme qu'une analyse génétique serait un procédé trop lourd à ce stade. Cependant, mon problème est d'une autre nature. La question est de savoir si l'absence de résultats positifs sera pertinente dans le cadre de la procédure qui nous occupe.

» Considérant cela, il m'incombe de rappeler aux partie présentes que le sénateur Gianis est à l'origine de la poursuite. Comme il est de rigueur dans la plupart des actions en justice, il appartient au plaignant de prouver que les allégations formulées à son encontre sont fausses et que, par conséquent, la diffamation est caractérisée. Je rappelle que M. Kronon accuse nommément M. Gianis d'avoir participé au meurtre de sa sœur. En termes mathématiques, le sénateur a obligation de démontrer que l'examen des preuves lui sera favorable à cinquante et un pour cent.

» Je souligne aussi l'importance des travaux du professeur Yavem. Selon le spécialiste, les résultats ont quatre-vingt-dix-neuf chances sur cent d'être négatifs. Mais cela ne signifie pas pour autant que l'ADN n'appartient à personne. Une telle conclusion rendrait les tests inutiles. La possibilité d'un résultat négatif implique juste que la signature pourrait être celle du sénateur Gianis ou de son jumeau. On peut dès lors évaluer le ratio à cinquante-cinquante. »

Assis du côté des plaignants, Paul étudia l'expression de Du Bois. Il comprit soudain où son raisonnement allait aboutir. À l'image d'une attaque nerveuse, l'inquiétude déferla en lui.

« Si l'on tient à prouver que les accusations de Kronon sont fausses à cinquante et un pour cent, reprit le juge, l'analyse des échantillons ADN est donc pertinente. Pas pour le sénateur qui entend établir la diffamation, mais pour la défense de M. Kronon. Celui-ci doit justifier de l'exactitude de la moitié de ses déclarations pour emporter la décision du tribunal.

» En tant que citoyen, j'ai une opinion très tranchée sur le sujet. Mais mon avis personnel importe peu dans cette salle. Je me fonde sur le Code pénal. Et au regard de la loi, cette analyse demeure souhaitable dans le cadre de la procédure. Je vais donc réquisitionner tous les éléments génétiques disponibles auprès de la police d'État et des services de Greenwood, en particulier les relevés sanguins, et autoriser le professeur Yavem à pratiquer les examens nécessaires. Le sénateur Gianis sera par ailleurs tenu de fournir un échantillon salivaire au laboratoire. Maître Horgan, voulez-vous désigner votre expert ? »

Debout à la barre, Ray paraissait incapable du moindre mouvement. Sa veste, boutonnée pour soigner sa présentation face au magistrat, épousait les contours de sa silhouette volumineuse. Il s'était redressé sous l'effet du choc.

«Je suis désolé, votre Honneur. J'informerai la cour de notre décision le plus tôt possible. Sauf votre respect, vous vous doutez sûrement que nous sommes pris au dépourvu.»

Du Bois acquiesça. Il semblait assez satisfait de la surprise occasionnée.

«Vous avez trois jours pour nommer un expert de votre choix. J'attendrai votre résolution. Messieurs, j'espère disposer d'un échéancier complet d'ici la semaine prochaine. Ce sera tout.»

Le juge ordonna une suspension d'audience, le temps pour l'assistance d'évacuer le prétoire. Au moment de se lever, il lança un regard en direction de Paul. À l'écoute du verdict, le candidat comprenait la justesse de la décision. Il se mit à la place de Lands, imagina étudier son propre dossier avec le même point de vue impartial et devina ce que le juge, lui, savait depuis le début : l'identification génétique était un piège qui servirait les intérêts de Hal à quatre-vingt-dix-neuf pour cent, mais apporterait aussi, le cas échéant, les preuves légales et matérielles nécessaires à la cour pour établir la diffamation. Il se leva, croisa le regard du magistrat et hocha la tête en signe de respect.

Crully, Horgan et Paul traversèrent le couloir pour se rendre dans la salle réservée aux avocats. Ils devaient déterminer la conduite à adopter face aux journalistes qui attendaient en bas des marches. La pièce était meublée de quelques chaises bancales et d'un vieux bureau identique à celui d'un professeur d'école.

«On peut faire appel? interrogea Crully. Je n'aime pas l'idée, mais je veux évaluer toutes les options.»

Ray eut un geste de dénégation. «Une perte de temps. On peut toujours déposer un recours en mandamus. Je doute cependant qu'un tribunal inférieur accepte d'intervenir. Ils vont nous débouter et ce sera pire.

— Alors, autant essayer de limiter les dégâts, fit le directeur. On déclare qu'il s'agit simplement d'une procédure de routine, qu'ils ne trouveront aucune trace suspecte. On met l'accent sur le rapport de Dickerman. Qu'en penses-tu, Paul ?»

Le candidat avait toujours été le plus tempéré des jumeaux. Cass savait prendre sur lui mais laissait parfois la colère l'emporter. Paul devait malgré tout lutter pour garder son sang-froid. Choisir la vie qu'il menait revenait à marcher sur un fil, muni d'une ombrelle, et à ignorer le chant séduisant de l'abîme sous ses pieds. L'entreprise se révélait toutefois stérile lorsque l'unique issue paraissait fatale.

«Rien de bon, répondit le politicien. Cette action en justice est une véritable catastrophe. J'ai eu la faiblesse de vous écouter et maintenant je me retrouve épinglé en une des journaux

— Paul, murmura Horgan.

— Non, coupa l'intéressé. Je donne peut-être l'impression de vous adresser des reproches, mais ce n'est pas le cas. Vous m'avez conseillé au mieux et j'ai pris ma décision. Néanmoins, j'ai assez fréquenté le palais de justice pour savoir qu'une fois la machine lancée les choses deviennent vite incontrôlables. J'aurais dû me contenter de rire et de traiter Hal d'imbécile de droite.»

Ray haussa les épaules. Avec le recul, son client n'avait sans doute pas tort.

«On fait quoi, alors ? demanda Paul. Une déclaration sous serment ? Hal va m'obliger à déposer devant la cour pendant trois jours.

— On peut requérir un délai, argua l'avocat. Éventuellement pousser jusqu'en mai.

— Impossible de reculer. C'est le même raisonnement que pour la prise d'empreintes ou l'ADN : j'ai besoin de transparence. Ils vont ensuite exiger une déposition de Cass. Un vieux privé le cherche pour lui remettre une assignation. Et après, ils voudront peut-être interroger Sofia.

— Pas Sofia», souffla Ray. L'absence de commentaires sur Cass sous-entendait qu'il n'en réchapperait pas.

« On retire notre plainte aujourd'hui », décréta Paul.

Crully s'adossa à sa chaise et plissa ses vilains petits yeux.

« Pas question. Je t'ai déjà expliqué ce que ça impliquait pour moi.

— Franchement, Mark, il est peut-être temps de changer de boutique. Tu as mis sur pied une campagne formidable. Tu es un très bon directeur. Cependant, tu as commis deux ou trois erreurs grossières. La fuite du rapport d'expertise était une idée désastreuse. Du Bois aurait sûrement agi comme toi, mais ce n'était vraiment pas le moment de l'énerver. »

Le visage empourpré de Crully contrastait avec sa chemise blanche. Il frémit en silence. Les lamentations d'une femme au sortir d'une salle d'audience résonnèrent dans le couloir. Mark était habitué à ces moments de crise, lorsque la campagne électorale, lancée comme un tank, roulait sur une mine et que les accusations fusaient. Il s'abstint de justifier la fuite et asséna la vérité à Paul. Il préférait le faire devant témoin pour éviter que Paul ne s'en serve contre lui plus tard.

« Tu perdras, fit-il. Couche-toi, et tu perdras.

— Ce sera moindre mal comparé à ce qui nous attend. J'ai les analyses d'empreintes. Elles démontrent que j'étais absent cette nuit-là. Je ne vais pas offrir l'occasion à Hal d'utiliser les échantillons sanguins pour réduire la probabilité à une chance sur deux. Ce serait un mensonge. Et je refuse qu'il humilie mon frère. Je me suis toujours promis de ne pas sacrifier ma famille à ma carrière. Cass a passé vingt-cinq ans dans une prison dégueulasse. Il a le droit de recommencer sa vie. Voilà maintenant qu'on le flingue à la télé cinq fois par semaine. Tout le monde parle d'une affaire qui devrait être morte et enterrée. Mes gosses lisent que je suis un meurtrier. Pas l'ordure politicarde ordinaire, mais un individu qui a prétendument tué une femme à mains nues. C'est trop pour moi, Mark. Si je perds, tant pis.

— Tu vas laisser un crétin de républicain comme Hal te descendre ?» Cette dernière remarque venait de Ray. Ses yeux bleus et tristes, son visage rubicond cadraient avec la question très sérieuse qu'il posait. Paul et lui avaient toujours adhéré aux mêmes thèses. Ils étaient convaincus que les riches ne devaient pas, en plus de leur fortune, s'emparer de la démocratie.

«Je n'ai pas dit que j'abandonnais, objecta le candidat. J'interromps simplement la poursuite. Je vais me concentrer sur le bon combat sans rien lâcher. Et je parlerai des promesses non tenues. Mais la plainte est annulée. Pas de test ADN ni de déclaration sous serment. Finis les contes à dormir debout.»

Il se leva. La discussion était close.

18.

Objections – 20 février 2008

Les signes avant-coureurs du printemps apparurent ce matin-là. Le thermomètre avoisinait encore les moins cinq mais le ciel était clair. Une amélioration bienvenue après ces mois d'horizon chargé comme de la laine de verre. En ces périodes clémentes, lorsqu'elle n'avait pas de rendez-vous prévus au bureau, Evon parcourait à pied les douze pâtés de maisons qui séparaient ZP de son appartement. Durant l'hiver, quand elle n'avait pas besoin de conduire, la responsable se risquait à participer à ce qu'elle appelait en secret « le derby destructeur », à savoir qu'elle prenait le bus de Grant Avenue. Les transports en commun des Tri-Cities avaient leur propre code de la route. Ils déboulaient au milieu de la circulation, se déportaient sur la voie de gauche sans égard pour les autres véhicules. Les syndicats des transporteurs exonéraient les chauffeurs de la plupart de leurs responsabilités, sauf en cas d'homicide.

Dès qu'Evon descendit du bus, à deux pas de ZP, elle vit Heather sur le trottoir d'en face. Son ancienne petite amie portait un foulard et des Ray Ban. Elle était emmitouflée dans le manteau Burberry en laine beige qu'Evon lui avait offert. De toute évidence, la jeune femme n'avait aucune intention de se cacher. La responsable lui jeta un coup d'œil et força l'allure. Elle entendit les talons de son ex frapper l'asphalte tandis qu'elle courait pour la rattraper. La top model arriva à sa hauteur, essoufflée.

«Tu m'aimes et je t'aime, déclara-t-elle tout de go. Cette histoire est insensée. Je vais m'améliorer, juré. Je vais te rendre heureuse, te combler. Donne-moi juste une seconde chance, chérie. Juste une, s'il te plaît.»

Evon avait nourri l'espoir que son amie abandonne. Les deux amantes ne s'étaient pas parlé depuis une semaine. À présent, la responsable s'obstinait à garder la cadence, les yeux au sol, et Heather continuait à la suivre. La jeune femme esquivait les passants, peaufinait son discours. Ses promesses sur l'amour et le dévouement étaient sincères, bien entendu. Elle se connaissait si mal qu'elle croyait en ce qu'elle disait.

Evon détestait mélanger vie privée et boulot, Heather en avait conscience. Et c'était justement en vertu de cette répugnance qu'elle espérait contraindre sa compagne au dialogue. Evon, cependant, n'avait pas le choix : elle poursuivit sa route en direction du bureau. Heather ne se contenta pas de la suivre à travers la porte-tambour, mais se débrouilla pour se glisser dans le même compartiment de verre qu'elle. Elle essaya de l'enlacer, dans le but évident de lui voler un baiser. Bloquées entre les panneaux vitrés, les deux femmes luttèrent un bref instant. Evon était plus petite, mais beaucoup plus forte que sa compagne. Elle n'eut aucune difficulté à repousser ses assauts.

«Comment peux-tu être si insensible? Regarde comme tu me traites. Je ne mérite pas ça. Je t'aime, Evon. J'ai été gentille avec toi. Pourquoi est-ce que tu te comportes ainsi?»

En dépit des tentatives d'obstruction de la part le la jeune femme, l'intéressée parvint à s'extraire du piège transparent pour surgir à l'air libre, dans le hall d'accueil. Elle se dépêchait de s'en aller lorsque la voix de son ex interrompit son élan.

«Je suis enceinte», entendit Evon. Elle se retourna. Les deux femmes avaient déjà évoqué le sujet. Dans les meilleurs moments de leur relation, blotties l'une contre l'autre, elles avaient souvent rêvé de concrétiser ce projet.

Evon mit une seconde à se ressaisir.

«N'importe quoi.

— C'est la vérité. J'ai fait ça pour toi, Evon. Je veux cet enfant. Il aura besoin de ses parents. Nous pouvons être une famille.»

La perspective que cette jeune femme à moitié cinglée puisse être la mère de quelqu'un était vraiment terrifiante. Qu'Evon soit là pour atténuer les dégâts n'y changeait pas grand-chose. Cependant, les sentiments de la responsable la portaient vers d'autres considérations. La férocité de la situation ne lui échappait pas. Chaque point faible, chaque regret était avivé par cette déclaration. Quand le désir était tel que la douleur devenait négligeable, la cruauté prenait son essor, pensait-elle.

Le gardien, Gerald, était à son poste, derrière le comptoir assorti au granit couleur taupe de la vaste réception. Sa principale fonction consistait à relever l'identité des visiteurs et à leur fournir les passes nécessaires pour franchir les tourniquets menant aux ascenseurs. Il travaillait sous les ordres d'Evon, qu'il appelait «patronne».

La responsable prit la direction de son bureau. Elle désigna son amie du pouce. «Elle ne rentre pas.» Puis poursuivit sa route tandis que Gerald bondissait de son siège et empoignait la jeune femme par le coude.

«Doucement, madame.»

Heather cria :

«Si je n'ai pas de nouvelles de toi d'ici vendredi, je me fais avorter.» Les gens présents dans le hall profitèrent tous de sa voix perçante.

Une fois dans son bureau, Evon ferma la porte, puis demeura assise, seule. Elle ne pleurait pas, mais tremblait de tous ses membres. Par chance, une téléconférence imminente lui évita de trop se lamenter. Dykstra avait enfin accepté de se séparer du terrain d'Indianapolis pour vingt-cinq millions de dollars. Le P-DG avait incriminé ses subalternes pour ce contretemps. La transaction avait été annoncée au journal officiel la veille. Elle serait ratifiée la semaine suivante. Evon devait discuter de certaines modalités avec son homologue de YourHouse. La réunion se déroula en compagnie d'une dizaine d'interlocuteurs. La responsable termina à 11 h 30. Son assistante l'informa ensuite que Tim Brodie l'attendait pour régler un problème urgent.

« Je vous ai appelée mais vous étiez occupée, fit le détective en entrant dans son bureau. Je me suis permis de passer directement pour vous donner le scoop : Paul Gianis retire sa plainte. » Il lui détailla le verdict du juge, puis décrivit la conférence de presse organisée par le candidat au Temple. Le tout s'était conclu par une meute de caméras et de journalistes lancée aux trousses du politicien tandis qu'il quittait le palais de justice.

Bien qu'encore ébranlée par sa confrontation avec Heather, Evon fut stupéfaite devant ce coup de théâtre.

« Hal est au courant ? » demanda-t-elle.

Dès la fin de la réunion, le directeur de ZP avait accordé une interview à un journal économique en compagnie de Tooley. Ils avaient évoqué l'acquisition YourHouse. Cinquante minutes plus tard, Tim et Evon se rendirent dans le bastion lambrissé de leur supérieur, qui revenait de l'entretien. Tooley était encore là. Aucun d'eux n'avait été informé de la volte-face de leur adversaire.

Hal était furieux.

« Il n'a pas le droit ! »

L'avocat lui rappela la loi. Jusqu'à la tenue du procès, chaque plaignant avait la possibilité d'annuler l'action qu'il avait entreprise.

« Comme ça ? s'emporta le P-DG. Sans même s'excuser ?

— On peut exiger le remboursement des frais de justice.

— Qui s'élèvent à combien ?

— Deux ou trois cents dollars. Le coût des dossiers, les témoins…

— Je me moque de ces deux cents dollars. Je veux un test ADN. Il dissimule quelque chose.

— On a toujours la possibilité de continuer à crier notre indignation sur les toits. L'agence de pub pourrait faire un très bon spot.

— Je ne vais pas le laisser s'en tirer aussi facilement.

— Se tirer de quoi ?

— De ce qu'il cache.

— L'analyse a quatre-vingt-dix-neuf chances sur cent d'échouer. Qu'est-ce que tu veux qu'il cache ? Arrête de t'énerver tout seul. »

Les yeux globuleux de Hal allaient et venaient derrière ses lunettes tandis qu'il considérait ses employés.

« J'ai réclamé une analyse ADN. »

Mel regarda sa main, puis tenta une nouvelle approche.

« Tu as gagné, Hal. Tu ne le vois pas ? Gagné. Tu as convaincu l'opinion publique que ce type en sait plus qu'il ne le dit, et Paul a lâché l'affaire. Accepte ta victoire. Détends-toi un peu.

— Je n'ai rien gagné du tout. Paul est mêlé à l'assassinat de ma sœur. Il faut pratiquer un test. Fais quelque chose. Je suis ton client. Obéis. Bouge-toi.

— Peut-être qu'on pourra étudier certaines options après la signature du contrat YourHouse.

— Non. Maintenant. C'est encore plus important que l'acquisition du terrain. Nos juristes spécialisés dans le droit des sociétés peuvent s'occuper de la transaction. »

Tooley et Tim quittèrent le bureau. Evon resta un moment pour expliquer au P-DG comment s'était déroulée la téléconférence.

« Bon Dieu, soupira Mel dès qu'ils eurent fermé la porte derrière eux. Je connais Hal depuis qu'il a six ans. Il n'a jamais su quand s'arrêter. Au lycée, il demandait huit fois à une fille de sortir avec lui et s'étonnait chaque fois de son refus.

— Je ne pige pas, fit Tim. Retirer la plainte fait plus de tort à Paul qu'une simple identification génétique. Sa décision est étrange.
— Peut-être qu'il est comme moi, suggéra l'avocat. Il en a marre de Hal.»
Il secoua la tête et se dirigea vers l'ascenseur.

Du Bois Lands leva ses yeux gris de la feuille qu'il tenait devant lui. Le reste de son corps demeurait totalement immobile. Il lut à voix haute :
«L'accusé, M. Kronon, souhaite formuler une objection concernant l'annulation de l'action intentée à son encontre.»
On était le 21 février. Le lendemain du jour où le magistrat avait rendu son verdict.
«Oui», confirma Tooley, debout juste à côté de Ray Horgan. De dos, les deux hommes paraissaient former une masse bovine indistincte et compacte. L'assistance était nombreuse, mais pas autant qu'au début du procès. Les spectateurs portaient tous des costumes gris ou bleu foncé. Des avocats, probablement.
«Expliquez-moi donc cela, ordonna le président.
— Le plaignant agit dans le but manifeste d'échapper à un test ADN capital, votre Honneur. Nous pensons que la cour devrait réserver son jugement jusqu'à ce que M. Gianis ait fourni les échantillons demandés et que les analyses idoines aient été pratiquées conformément à la première décision. Il essaie de contourner l'injonction.»
Horgan fit mine de protester, mais le juge l'interrompit d'un geste de la main.
«Le sénateur Gianis respecte le cadre de la loi, maître Tooley.
— Il tente de dissimuler des preuves», répliqua l'intéressé.
Tim observa son employeur. Hal bouillonnait d'impatience. Il serrait les poings sous la table.
«Affirmation subjective, reprit Lands. Le choix du plaignant peut, bien entendu, être soumis à plusieurs

interprétations, mais peu importe. Ma fonction se limite
à arbitrer le litige. Je veille à l'application du Code pénal.
Je vous enjoins, si la rétractation du plaignant vous pose
problème, de vous référer aux textes. Votre objection va
être rejetée.

— Eh bien, votre Honneur, permettez-nous de souligner un point.

— Qui est…?

— L'obligation d'exécuter la citation rendue en première instance. Le verdict a été prononcé et nous aime-
rions obtenir les pièces demandées. »

Cette fois-ci, Horgan saisit la balle au bond.

« Tout cela est ridicule, votre Honneur. Sans plainte, pas
de citation. »

Du Bois réfléchit un bref instant avant de s'adresser à
Ray.

« Non. Je comprends les arguments développés par
maître Tooley. Nous avons un problème d'antériorité. La
décision était exécutoire avant le retrait de la plainte. De
quelles pièces parle-t-on ? »

Tooley avait apporté une liste. D'abord, un prélèvement
salivaire de Paul, ensuite une nouvelle fiche décadactylaire
pour Cass, et enfin la réquisition des preuves matérielles
trouvées sur la scène de crime par la police d'État, à savoir
les traces de sang sur la vitre et les échantillons collectés
auprès des personnes présentes. Le comté de Greenwood
recevrait une demande identique par mesure de sécurité.

« Votre Honneur, s'insurgea Ray. Ils veulent effectuer les
tests de leur côté. »

Le juge laissa passer un sourire infime. De toute évidence, il n'était pas dupe du stratagème.

« Je vous le répète, maître Horgan, c'est juste une question d'arbitrage. Que dit le Code pénal ? Voilà ma seule
préoccupation. Et voilà aussi pourquoi on me paie si gras-
sement. » Dans un monde où certains juristes gagnaient
des millions, les juges plaisantaient souvent sur leur
salaire, qui tenaient en comparaison de la roupie de

sansonnet. Après une courte pause, Du Bois reprit : « Bien. Je vais vous expliquer comment nous allons procéder. Nous allons clore cette affaire, mais pas aujourd'hui. Regardez derrière vous et vous verrez une salle remplie d'avocats. Les audiences de jeudi. Chacun de ces hommes est rétribué par ses clients pour s'asseoir sur ces bancs. Nous allons donc éviter de leur faire perdre leur temps. D'ici une semaine, le tribunal exige d'avoir en sa possession l'ensemble des requêtes et des pièces voulues par M. Kronon. Les deux parties me fourniront par ailleurs un récapitulatif des raisons pour lesquelles elles réclament ou contestent l'exécution légale de ces requêtes. Je trancherai à la lumière de ces documents jeudi prochain. Si les demandes sont validées, les éléments détenus par la cour seront remis sans délai aux personnes concernées. J'ai été ravi de m'entretenir avec vous, messieurs, mais nous avons encore du travail. Je vous reverrai par conséquent dans une semaine. »

Le magistrat abattit son marteau et invita le greffier à annoncer l'affaire suivante.

19.

Sa bague – 22 février 2008

« Ici Shirley Wilhite, annonça la voix au bout du fil. Vous pensiez que je vous avais oublié ? » L'horloge marquait 11 heures. Tim était assis sous la véranda. Il poursuivait sa lecture des mythes grecs tandis que Kai Winding jouait du trombone dans les enceintes du tourne-disque. Il songea d'abord que Shirley était l'une de ces veuves qui téléphonait sans relâche, usant des subterfuges les plus éhontés – un plat succulent qu'il fallait partager ou une réponse à l'un de *ses* appels – pour le revoir. « Ils ont mis une éternité pour retrouver le modèle dans les archives, poursuivit la voix. Tout le monde croit être surchargé, dans ce pays. Un mal endémique, si vous voulez mon avis. »

Il répondit machinalement, comme toujours, avant de se souvenir que Shriley travaillait pour le fabricant de bagues, en Utah.

« Heureusement qu'on utilisait encore le papier à cette époque, s'amusa la jeune femme. Cinq ans plus tard, l'information était stockée sur disquette trois pouces. Vous vous rappelez ces supports ? Essayez donc de trouver quelqu'un capable d'ouvrir les programmes. Vous étiez intéressé par l'université d'Easton, n'est-ce pas ? Comment s'appelait votre neveu ?

— Gianis. » Le détective épela le patronyme. La célébrité de Paul ne s'étendait pas jusqu'en Utah. « Pour être exact, ce n'est pas vraiment mon neveu, nuança Tim. Mais c'est tout comme.

— Oh, je comprends. La moitié des enfants du quartier me surnomment tata Shirley.

— Voilà.

— Bien », fit l'employée. Elle ajouta après une seconde de silence : « Nous avons deux Gianis.

— Des jumeaux. Je cherche Paul.

— D'accord. Il a acheté deux bagues.

— Deux ?

— Laissez-moi vérifier. Oui. Un modèle homme, un modèle femme. Série identique. J46, avec l'écusson. Maintenant, voyons le catalogue. » Tim l'entendit fouiller dans ses papiers. « On ne fabrique plus les J46. Il me semble que les K106 se rapprochent assez du design original. J'ai les photos. Vous avez un ordinateur ?

— Je peux en trouver un.

— Notre catalogue actuel est consultable en ligne. Je vais vous envoyer une copie de l'ancien, vous pourrez comparer. Disposez-vous d'un fax ?

— J'aimerais aussi examiner le modèle femme. Sans doute appréciera-t-il d'avoir les deux. Pourriez-vous joindre un bon de commande ? Il voudra peut-être faire jouer l'assurance.

— Pas de problème. À votre service. »

Deux bagues ? Après avoir réfléchi à la question, il se rendit en fin d'après-midi au centre-ville. Il y récupéra les fax, qu'il transmit à ZP. Quand il passa devant la maison de Georgia Lazopoulos, une impulsion subite le poussa à s'arrêter pour sonner chez elle.

Georgia apparut à la contre-porte. Elle le fixa un moment. Ses yeux de raton laveur et son visage lourd se teintèrent d'une expression de reproche. Bien qu'étouffée par la vitre, sa voix était claire :

« Vous m'aviez assuré que je ne serais plus embêtée. »

Elle était affublée de la même tenue négligée qu'à leur précédent entretien : un pantalon de survêtement rose et un sweat-shirt froissé.

« J'ai juste besoin d'un renseignement sur la chevalière de Paul, s'excusa le vieil homme.

— Il n'en portait pas », répliqua-t-elle avant de refermer le battant.

Tim se souvenait de Georgia comme d'une gentille fille. Dieu que la vie était cruelle. Il commença à descendre les marches du perron, se ravisa, remonta et sonna à nouveau. Rien à perdre.

« Vous nous avez indiqué qu'il en possédait une, insista-t-il dès que la porte se rouvrit.

— Non, pas du tout. Et franchement, je regrette de vous avoir parlé. Vous vous êtes moqué de moi, vous et cette femme qui vous accompagnait. Dans le quartier, tout le monde pense que j'ai eu tort de vous laisser faire cet enregistrement. J'ai l'air d'une vieille bique rancunière.

— Vous n'êtes pas juste. Ni envers nous ni envers vous-même.

— Les gens m'en veulent. Ils pensent que je suis allée trop loin en salissant le nom de Paul. Cass est venu en personne me le dire.

— Cass est passé chez vous ? » À la connaissance de Tim, l'ancien détenu était demeuré invisible depuis son élargissement. « Quand ça ?

— Oh, je ne sais plus. Quelques jours après la diffusion du spot. Il voulait que je prenne contact avec ses avocats. Je lui ai répondu que je ne commettrais pas la même erreur deux fois. Il se tenait là où vous êtes, et il m'a dit : "Paul n'a pas l'intention d'en rajouter, Georgia. Il est désolé de t'avoir fait tant de mal." Je me suis sentie minable. » Elle eut une mimique défaitiste.

« Il n'a pas contesté le contenu du film, n'est-ce pas ? » interrogea le détective.

Georgia se contenta de ruminer en silence. Sa main n'avait pas quitté la poignée et elle s'apprêtait à fermer de nouveau la porte.

«Attendez! s'exclama Tim. Je ne comprends pas pourquoi vous revenez sur vos propos, pour la bague.» Il craignait que la confrontation avec Cass ne l'ait bouleversée au point de renier l'intégralité de son témoignage. «Je sais qu'il en a acheté une.

— Vous m'avez demandé s'il avait acheté une chevalière identique à celle de son frère. J'ai confirmé.

— Il s'en est procuré deux, en fait. Je pensais qu'il vous avait donné l'autre car il s'agissait d'un modèle féminin.

— Non. Elle appartenait à Lidia. Elle s'était juré que ses fils feraient des études. Dans sa famille ou dans celle de Mickey, personne n'était allé à la fac. Lidia n'a jamais caché son regret d'avoir interrompu sa scolarité. Les jumeaux ont donc estimé qu'elle serait heureuse d'arborer cet emblème. Ils connaissaient leur mère par cœur. J'ai l'impression que Lidia a montré ce satané anneau à tout le monde pendant dix ans.»

Georgia n'était pas non plus allée à l'université. Tim n'arrivait pas à deviner si son amertume résultait de l'évocation de Lidia – une femme de tête – ou de la bague.

«Alors, Paul portait bien le deuxième exemplaire?»

Elle toisa le vieux privé d'un regard empli de colère, puis fit demi-tour sans un mot. Le détective resta planté sur la dalle froide du perron. Peut-être était-il censé s'éclipser, mais la porte était toujours ouverte. Il attendit un moment dans l'air glacial. Son interlocutrice réapparut au bout d'une minute ou deux. Elle tira le battant d'un mouvement sec et plaqua un objet dans la paume de Tim. La bague. Un bijou orné des chiffres 19 et 79, gravés de part et d'autre d'une grosse pierre rouge.

«Voilà, grogna Georgia. Vous pouvez la garder, ça n'a pas d'importance. Paul me l'a offerte lorsqu'il a eu son diplôme. Je la conservais autour du cou, attachée à une chaîne. C'était la mode à l'époque, vous vous souvenez?

Cet anneau n'avait pas de valeur en soi. Il représentait juste l'issue favorable que j'escomptais. Quelle idiote!
— Donc, il ne l'avait pas quand Dita est morte.
— Bon sang, Tim. Vous m'écoutez ou pas? La bague était à mon cou. Elle ne me quittait pas. Et il était hors de question que je l'oublie le jour de la réception, avec toutes ces pimbêches qui tournaient autour de Paul. Pour autant que je sache, il ne l'a jamais passée à son doigt. Il détestait les bijoux. Pas assez masculin à son goût. J'arrivais à peine à le convaincre de porter une montre.»

Le détective baissa les yeux sur la chevalière, puis observa Georgia. Son visage s'était de nouveau assombri. Elle poussa un grand soupir et entrebâilla la contre-porte, juste le temps de récupérer son souvenir.

Enfin, elle recula et claqua le battant derrière elle.

«Pas de bague», répéta Evon. Ils étaient assis dans son bureau. La responsable se servait d'une poubelle en guise de repose-pied. «Elle ne nous avait pas dit que Paul en portait une?»

Tim lui exposa la version de Georgia. Evon acquiesça. «Elle ne ment pas. Elle a simplement affirmé que Paul avait acheté le même anneau que son frère. Il ne nous est pas venu à l'esprit qu'elle omettrait de nous expliquer ce qu'il en avait fait.»

Le détective lui lança un regard en coin. Il fallait être bien naïf pour accepter une bague universitaire pendant trois ans au lieu d'un gage de fiançailles. Evon était d'accord avec lui.

«Je doute qu'elle ait saisi l'importance de cet objet dans le déroulement de l'enquête, ajouta Tim. Les investigations étaient tellement bâclées qu'aucun rapport n'a mis l'accent sur les lésions de la victime et leurs implications.
— Récapitulons: Cass portait une bague et Paul non.
— C'est ce qu'il semble.
— Et les empreintes de Cass figurent sur la scène de crime. Pas celles de son frère.

— Exact.

— Le patron voudra probablement réfléchir à deux fois avant de s'opposer au retrait de plainte.

— Possible. Mais n'oublions pas l'autre chevalière. »

Tim avait gardé à l'esprit les confidences de Dickerman selon lesquelles la fiche décadactylaire d'Hillcrest ne correspondait pas aux traces retrouvées sur les lieux du crime. Il avait promis au spécialiste de ne pas ébruiter l'information mais l'expert avait à présent rendu son rapport et le détective n'avait plus entendu parler de cette histoire. Il tenait tout de même à prévenir Evon que le technicien avait parfois tendance à voir les choses d'une façon spéciale.

« Une anecdote circule à propos de Mo. J'ignore quelle est la part de vérité, mais la sœur d'un ami jure ses grands dieux qu'elle a assisté à la scène. Vous connaissez ces tickets de navette, violets pour les arrivées, blancs pour les départs ? Un jour, Mo sort de l'aéroport, prend un ticket blanc, et le glisse dans la pochette au dos du siège devant lui. Il constate soudain que tous les passagers ont un ticket violet. Il apostrophe sa voisine : "Regardez-moi ces idiots. Ils se sont tous trompés de rame." »

Evon éclata de rire. « N'importe quoi.

— Vous voyez à qui on a affaire. »

Il lui confia ensuite les conclusions partielles auxquelles le spécialiste s'était livré après avoir examiné la copie du dossier pénitentiaire.

« Constat erroné, décréta aussitôt la responsable. La correspondance est obligatoire. Il a certifié à la cour qu'aucun élément ne révélait la présence de Paul dans la chambre. Alors quoi ? Personne n'était là le jour du meurtre ? »

Tim haussa les épaules. Il n'avait pas de réponse à cette question.

« Cass n'a pas fourni de nouveau jeu d'empreintes, n'est-ce pas ? demanda Evon.

— Non. Mais un autre détail me chiffonne. Il est invisible depuis sa libération. Georgia affirme pourtant qu'il est passé chez elle pour la chapitrer, après la diffusion de son témoignage.

— Il n'est donc pas parti en vacances.

— De toute évidence.»

Tim s'enquit ensuite de la vie sentimentale d'Evon. Elle eut un sourire triste.

«J'ai passé la majeure partie de la nuit à étudier le moyen d'obtenir une injonction d'éloignement.»

Le vieil homme poussa un grognement.

«On ne m'y reprendra plus, Tim. Je n'aime pas être déçue.» Désabusée, elle ajouta : «Shakespeare a-t-il un conseil à me donner?»

Le détective fouilla ses poches en silence, trouva le papier qu'il cherchait, plié en quatre dans son portefeuille. Il le lui tendit.

«Vous plaisantez? s'étonna la responsable.

— Lisez. C'est tiré de *La Comédie des erreurs*.»

Il s'agissait encore d'une citation recopiée en lettres capitales. Elle évoquait une goutte d'eau perdue dans l'océan, à la recherche de sa pareille.

«Bon. Et ça veut dire quoi?» questionna-t-elle après avoir parcouru le sonnet plusieurs fois. Elle lui rendit le morceau de papier. Tim l'étudia un moment.

«Je n'en suis pas sûr. Je dirais que l'auteur explique pourquoi nous sommes tous sujets à une forme d'égarement occasionnel. Et au dépit. Mais l'océan continue de nous entourer. Vous ne devez pas abandonner. Pas à votre âge. Si Maria était morte quand j'avais cinquante ans, j'aurais pensé : "Je suis trop jeune pour rester seul."

— Mais plus maintenant, hein? Vous connaissez pourtant la rengaine, Tim. Un homme aussi vieux que vous, capable de conduire, peut courtiser une ancienne Miss Univers.» Bien que la responsable eût touché un point sensible, le détective s'amusa de cette remarque. Il n'y voyait plus très bien dans le noir et évitait de prendre le volant à la nuit tombée. Bientôt, sa vue baisserait de jour aussi. Alors, il devrait déménager à Seattle. Ses filles le suppliaient au moins une fois par semaine de se décider. Cependant, il n'était pas encore prêt. Il refusait de quitter sa maison, de laisser ses affaires, d'oublier l'existence qu'il avait menée en compagnie de son épouse.

« Non, plus maintenant, admit-il. Je n'ai plus la force. J'aime toujours mes proches. Mes filles, mes petits-enfants et celles qui demeurent dans mon cœur : Maria et Kate. Toutes ces personnes me sont chères. Elles m'ont révélé à moi-même. À mon âge, c'est suffisant. J'en profite. Par contre, à cinquante ans, j'aurais été persuadé de pouvoir renouveler l'expérience, d'en apprendre plus, de changer davantage et d'aimer encore. Vraiment. »

Evon le regarda par-dessus son bureau. Elle n'était pas tout à fait convaincue. Tim se dirigea vers la sortie. Arrivé devant la porte, il se retourna.

« Il vaudrait mieux ne pas répéter cette histoire, à propos de Dickerman. C'était juste pour l'anecdote.

— En *off*, comme on dirait aujourd'hui, sourit-elle. De toute façon, cette péripétie est trop farfelue pour que je la raconte à quiconque. Vous avez parlé à Mo depuis qu'il a analysé les empreintes de Paul ?

— J'aurais bien voulu, mais je n'en ai pas eu le temps. » Mo était parti donner une série de conférences dans diverses écoles de police sur la côte Ouest. Aussi incroyable que cela puisse paraître, il s'était ensuite rendu à Hollywood pour travailler comme consultant sur une production audiovisuelle. Le succès des émissions de faits divers était tel que l'on ne pouvait plus zapper sans tomber à un moment ou un autre sur la grosse bouille de l'expert, caché derrière ses épaisses lunettes à verres teintés.

« Repassez quand vous pouvez, fit Evon. Nous devons éclaircir ce point. »

Tim lui souhaita un bon week-end sur un ton farceur. Elle était bloquée à ZP pour finaliser la transaction YourHouse, dont la signature était prévue lundi.

20.

Victoire ou défaite – 28 février 2008

L'audience finale du procès Gianis contre Kronon avait drainé une foule de curieux. Le barreau lui-même était bondé. Horgan était accompagné de deux associés et le cabinet de Hal avait dépêché trois avocats pour appuyer Mel. L'avocat général, une femme d'origine indienne responsable de la section d'appel, ainsi que deux agents de la police d'État, dont l'un portait un casier en fer censé contenir les échantillons sanguins, participaient à la séance. Deux substituts avaient fait le déplacement depuis Greenwood. Sandy Stern était également au rendez-vous pour représenter les intérêts de Cass. La seule personne absente du prétoire était précisément celle que tout le monde attendait. Paul Gianis n'était pas venu, au motif que la plainte avait été retirée. Cette défection lui éviterait d'avoir à fournir son ADN sur-le-champ, si le juge l'ordonnait.

Les bancs étaient presque remplis. Evon s'était installée au premier rang avec Tim, là où étaient rassemblés les journalistes et les dessinateurs. À l'annonce du dossier, les avocats s'avancèrent à la barre. Ils ressemblaient à un groupe de choristes prêt à chanter. Ils déclinèrent tour à tour leur identité. Sandy Stern prétendit « faire une apparition à titre exceptionnel ».

Lands, qui paraissait ravi de clore cette épineuse affaire, déclara : «Votre présence est toujours un événement exceptionnel, maître Stern. Maître Horgan, voyez-vous un inconvénient à ce que maître Stern participe à l'audience? Il nous a déjà informés qu'il contesterait toute citation à l'encontre de son client.»

Mel fit remarquer, avec assez peu de conviction, que Stern entendait obtenir le beurre et l'argent du beurre. Argument rejeté par le juge.

«Bien, reprit ce dernier. Voyons ce qu'il en est. Madame Desai, voulez-vous détailler l'ensemble des pièces à conviction détenues par les services de police?»

Les scellés se résumaient à des échantillons sanguins, pour la plupart collectés sur la vitre et sur les membres de la famille Kronon. Le comté de Kindle possédait en outre un hémogramme de Cass, effectué lorsque celui-ci s'était soumis à un test de dépistage avant son entrée à l'école. Les policiers d'État avaient conservé les moulages des empreintes de semelles et de pneus, découvertes respectivement sous la fenêtre et au bas de la colline, ainsi que des éclats de verre provenant de la baie vitrée. Ces débris étaient destinés à être comparés ultérieurement aux fragments que l'on pourrait détecter sur les affaires des suspects éventuels. Ils avaient aussi rassemblé plusieurs indices biologiques : coupures d'ongles effectuées *post mortem* par l'institut médico-légal, six cheveux d'origines différentes prélevés sur le corps, et plusieurs fibres dont il s'avéra, après examen, qu'ils appartenaient aux vêtements de la victime. En 1982, les techniques scientifiques modernes en étaient à leurs balbutiements. Le laboratoire avait néanmoins pu déterminer l'absence de cellules épithéliales exogènes sous les ongles de Dita, ce qui tendait à prouver que la jeune femme ne s'était pas défendue et qu'elle connaissait son agresseur. Au moment des faits, on avait établi que deux des cheveux découverts sur la dépouille ressemblaient à ceux de Cass. Cependant, les progrès accomplis en matière d'analyse génétique au cours des vingt-cinq dernières années avaient relégué la comparaison capillaire au rang de l'anthropométrie en vogue au XIXᵉ siècle.

Les représentants de Greenwood expliquèrent ensuite qu'ils avaient déjà confié la totalité du dossier à la cour. La fiche décadactylaire de Cass, unique pièce manquante, venait d'être retrouvée et ils l'avaient envoyée à Dickerman vendredi, conformément à la première décision de justice. L'insistance de Lands, devant un parterre de journalistes, avait de toute évidence incité le greffe et le bureau du shérif à accentuer leurs recherches.

« D'accord, dit le président. Je vais maintenant donner la parole aux avocats. Pas d'objection ? »

Le ministère public passa la main. Tooley fut invité à s'exprimer en premier. Sa plaidoirie fut brève. Il se contenta de mettre l'accent sur la chronologie des événements. Les requêtes étaient valides. Le test ADN demeurait indissociable du reste de la procédure. Il demanda donc que l'ensemble des pièces fût versé en une seule fois. Que la plainte soit annulée ou non, son client était fondé à obtenir gain de cause.

« C'est absurde, s'offusqua Horgan. L'affaire est close puisque nous nous rétractons. La loi nous y autorise. L'exécution de ces requêtes n'a plus lieu d'être. »

Il mentionna plusieurs jurisprudences avant de souligner le harcèlement dont Paul était victime. Stern enfonça le clou : après vingt-cinq ans d'emprisonnement, Cass méritait un peu de tranquillité. Comme à son habitude, le juge observa avec attention les différents intervenants. Il semblait deviner à l'avance ce que chacun allait dire, tant les effets de manche le laissaient indifférent.

« Bien, conclut-il lorsque Tooley eut terminé. Ma femme vous dirait sûrement que passer son dimanche à évaluer la pertinence d'une réquisition est symptomatique de ma personnalité torturée, mais j'ai apprécié l'exercice. » Plusieurs spectateurs pouffèrent de rire. Du Bois Lands était rarement aussi expansif.

« Je rappelle ce que tout le monde sait déjà, continua le président. La réquisition est un ordre du tribunal qui vise à obtenir les preuves nécessaires à la poursuite d'une action. En ce sens, maître Tooley, les éléments appartiennent à la personne ou aux institutions qui les confient à la cour. Dans le cas qui nous occupe, les forces de l'ordre les ont en quelque sorte empruntés afin de faciliter la procédure. À la clôture du dossier, les parties impliquées n'ont plus aucun droit sur les pièces matérielles sauf si elles en sont les propriétaires d'origine.

» Ce point étant établi, j'ai déjà précisé que le sénateur Gianis pourrait retirer sa plainte aujourd'hui, ainsi que la loi l'y autorise. Quelques interrogations subsistent néanmoins quant à l'exécution du premier jugement. La première consiste à se demander si les preuves doivent être conservées en prévision d'un autre procès. J'aimerais poser une ou deux questions aux représentants du bureau de Greenwood, de même qu'à l'avocat général. »

Deux femmes se levèrent. « Existe-t-il, au sein de votre juridiction, des affaires en cours liées au meurtre ? » Une manière détournée de s'enquérir auprès des instances légales d'un complément d'enquête éventuel concernant le rôle du sénateur.

« Non », confirma Muriel Wynn, le procureur. Celle-ci était une vieille amie de Paul et une fervente supportrice du candidat. Elle n'avait pas fait mystère de ses préférences quand elle avait qualifié, devant les journalistes, les accusations formulées par Hal de « balivernes ».

« Rien à l'heure actuelle », affirma de son côté la substitut de Greenwood. Son ton était plus sec. Les républicains étaient nombreux au sein de l'administration judiciaire, mais aucun d'entre eux n'était disposé à concéder une erreur datant d'un quart de siècle. Comme tout professionnel, ils voulaient croire qu'ils avaient accompli un travail irréprochable. Le juge prit quelques notes sur une tablette qui ressemblait, selon Evon, à celles que l'on trouvait dans les berlines à compartiments des années 1950.

Les regards étaient braqués sur le président. Le silence qui régnait dans la salle indiquait que personne n'avait la moindre idée de ce qu'il avait en tête.

« Question suivante, poursuivit-il. Les parents de M. Kronon sont-ils encore vivants ? »

Tooley resta un instant bouche bée avant de répondre par la négative.

« Qui a hérité de la maison d'après les dispositions testamentaires ? »

Pourtant rompu à la pratique pénale, Mel n'aurait pas été plus surpris si le magistrat l'avait interrogé sur la composition chimique des étoiles. Il se tourna vers son client.

Hal se leva, essaya de boutonner sa veste sans quitter l'avocat des yeux, puis renonça et se contenta de maintenir les pans fermés avec la main.

« Moi, avoua-t-il.

— Pas d'autres frères et sœurs ?

— Non, monsieur le président.

— Qui était l'héritier de votre sœur ? Vous ou vos parents ?

— Mon père avait établi des clauses précises. Une procédure habituelle en ce qui concerne les biens fonciers. Le legs de Dita m'est revenu. »

Lands continua de griffonner sur sa tablette.

« Bien. Je vais donc rendre mon verdict. Les requêtes de M. Kronon sont exécutoires, mais uniquement dans le cadre de la maison et du terrain de Zeus Kronon. Cela comprend évidemment les indices prélevés sur le corps de la victime. La loi est claire à ce sujet. Aujourd'hui encore, le plaignant peut se réserver le droit d'intervenir dans le dossier criminel original : celui pour lequel Cass Gianis a été inculpé, à Greenwood. Après avoir rempli une demande, il pourra récupérer les preuves collectées sur sa propriété. J'estime ne pas abuser de mon pouvoir discrétionnaire en stipulant que la mesure prend effet immédiatement.

» J'ajoute cependant que vous n'obtiendrez rien de plus, maître Tooley. Vos exigences concernant MM. Paul et Cass

Gianis sont déclarées non recevables. Pas d'ADN, aucun jeu d'empreintes supplémentaires.

— Et la fiche de Greenwood? voulut savoir l'avocat. Celle qui a été envoyée à Dickerman? On peut l'avoir?

— Non, dit le juge. J'allais y arriver. Les empreintes trouvées dans la maison de la victime sont à vous. Le professeur Dickerman vous les remettra. Les empreintes fournies par le sénateur Gianis dans le cadre de la plainte pour diffamation demeurent sa propriété exclusive. Elles vont lui être restituées tout de suite. Le comté de Greenwood conservera quant à lui la fiche décadactylaire de Cass dans sa base de données. Elle pourra être consultée lors d'investigations futures. Cass pourra de son côté récupérer les échantillons sanguins auprès du comté de Kindle. Cette instance est la seule dans un rayon de cinquante kilomètres à n'avoir envoyé aucun représentant légal à cette audience.»

La raillerie du juge provoqua un murmure amusé dans l'assistance. Evon avait depuis longtemps remarqué que les plaisanteries de la chaire avaient tendance à faire mouche.

«Je terminerai en actant l'abandon des poursuites engagées par le sénateur Gianis. L'affaire est close. Je vous remercie de votre attention, messieurs, et vous souhaite une bonne journée.»

Le président quitta la salle.

Tooley invita Tim à réceptionner des preuves appartenant à Hal. Le détective parapha les reçus, puis inscrivit la date et l'heure sur les enveloppes et la caisse en fer. Stern vint aussitôt saluer l'ex-policier.

«Le meilleur enquêteur qu'on ait jamais vu ! » s'exclamat-il à l'intention d'Evon. La responsable s'était approchée pour aider son vieil ami. Elle ignorait si l'avocat savait qui elle était.

«En effet, dit-elle. J'ai entendu une rumeur à ce sujet.

— Les anciens vivent pour ces moments-là, rayonna Tim. Recevoir des compliments immérités.»

Ils éclatèrent de rire tous les trois. Mel Tooley s'avança. Il prit Stern par le coude.

« C'est quoi, cette embrouille ? »

Stern lui opposa un sourire calme et mystérieux.

« Eh bien, je dirais que le juge est sans doute la personne la plus éclairée d'entre nous. Un soulagement, non ? »

Mel ne parut guère convaincu.

Pour une fois, Tooley n'eut aucun mal à dissuader Hal de s'adresser à la presse. Le P-DG semblait aussi perplexe qu'Evon. Tim, Mel et la responsable s'entassèrent dans la Bentley de leur patron afin de regagner les locaux de ZP. Le détective gardait sa moisson d'indices sur les genoux. Il se demandait s'il devait les donner à Yavem.

« On a gagné ou on a perdu ? » interrogea Hal dès que Delman, le chauffeur, eut refermé la portière. Le loquet s'était abaissé avec un bruit feutré digne d'un coffre à bijoux.

« Cinquante-cinquante », estima Tooley. La remarque ironique de Stern lui était manifestement passée au-dessus de la tête. Evon, elle, réfléchissait à la question depuis plusieurs minutes.

« Je crois qu'on s'en tire bien.

— Vraiment ? s'inquiéta Hal, malgré tout désireux d'avoir des bonnes nouvelles.

— On voulait pratiquer une analyse génétique, non ? On a les traces de sang prélevées sur la baie vitrée. Vraisemblablement celles du meurtrier.

— Il nous manque le typage des jumeaux.

— Les empreintes de la maison suffiront. Beaucoup d'entre elles appartiennent à Cass. On peut en extraire l'ADN. »

Le visage du P-DG s'illumina.

« Ah bon ?

— Je n'en suis pas sûre à cent pour cent, mais ça vaut le coup d'essayer. Yavem est capable d'obtenir des résultats. La technique est au point. Il faut juste une trace exploitable. Avec autant de matériel, le généticien devrait s'en sortir.

— Et Paul ? intervint Mel. Dickerman va lui rendre sa fiche.

— On arrive à établir un génotype sur une aile de poulet entamée ou un mégot. Tim n'a qu'à suivre le candidat pendant deux ou trois jours. Il récupérera ce qu'il faut.

— Super, ronchonna l'intéressé, jusque-là muet. Paul me connaît. Démétra a été à l'école avec lui et son frère. Il m'a vu au tribunal. Je vais me faire virer à la première occasion.

— Peut-être pas, tempéra la responsable. C'est bien vous qui me disiez que les personnes âgées passaient inaperçues. Et puis, s'ils vous démasquent, refilez le bébé à l'un de vos collègues. Les privés capables d'effectuer ce genre de mission ne manquent pas, dans votre entourage. »

Le mécontentement de Tim persista, mais Hal exulta : « Merveilleux ! » Même Tooley s'était un brin ragaillardi. L'affront du juge devenait soudain moins cuisant.

Tim emporta les pièces à conviction au laboratoire de Yavem, puis retourna étudier le site de Paul dans le box que ZP lui avait alloué. Le candidat y détaillait ses déplacements : un emploi du temps surhumain compte tenu de ses obligations professionnelles au cabinet. Durant les heures de pointe, il allait serrer des mains aux arrêts de bus et aux stations de métro. Les repas étaient consacrés aux levées de fonds. Plusieurs fois par semaine, il tenait des conférences de presse qui lui permettaient d'évoquer son programme électoral. Aujourd'hui, le politicien se rendait dans une caserne de pompiers. Il devait exposer ses projets aux soldats du feu. Un sujet sensible, car les progrès en matière d'urbanisme ces trente dernières années avaient rendu obsolète un tiers du service. Le soir et le week-end, Paul rendait visite aux foyers municipaux ou aux paroisses. Par curiosité, Tim compara l'agenda de Paul à celui de ses concurrents. Aucun d'entre eux ne mettait autant de cœur à l'ouvrage. Un tel rythme conduisait à s'interroger sur l'utilité de tout ce manège. Si Paul accédait à la mairie, il n'aurait aucune période de répit. Le premier magistrat de la ville ne chômait pas.

Ce soir-là, Tim alla traîner du côté de l'Union communautaire israélite, dans le centre. L'événement n'avait pas
attiré les foules – soixante-quinze personnes tout au plus –,
mais le candidat gravit les marches du podium avec
enthousiasme. Il portait une veste de sport beige. Pas de
cravate. Il monopolisa le micro pendant près de cinquante
minutes. Charmant et décontracté, il devisa sur les trois
S : scolarité, sécurité et stabilité. Le dernier terme sous-entendait à la fois une maîtrise des dépenses publiques et
une constance dans le parcours, puisque le politicien
était originaire de Kindle. Il avait travaillé à l'épicerie de
son père jusqu'à l'obtention du bac. Quelques anecdotes
savoureuses sur l'étiquetage des boîtes de conserve, quand
Cass et lui avaient cinq ans, lui revinrent en mémoire.

« Dans ma famille, expliqua-t-il, l'invention du code-
barres a surpassé l'alunissage. »

Lorsqu'il invita l'auditoire à poser des questions, plusieurs membres de l'assistance l'interrogèrent sur son
retrait de plainte. Tandis qu'il pesait ses mots, il remonta
ses lunettes sur la bosse de son nez.

« Pour être franc, nous avons fait une erreur, concéda-t-il. Les propos de Hal m'ont mis en colère et j'ai voulu
marquer le coup. Mais, quand l'obsession de vos adversaires atteint un tel paroxysme qu'il devient impossible de les
raisonner, il faut savoir jeter l'éponge. Ils continueront à
croire ce qu'ils veulent, quoi que vous fassiez. »

Les arguments contentèrent la majeure partie de l'assemblée clairsemée. Un vieux type en chemise de flanelle
se leva pour se lancer dans une longue diatribe sur les
canailles comme Kronon, qui n'hésitaient pas à menacer
les gens avec leurs millions. Si les riches pouvaient dépenser autant pour influencer le jeu démocratique, on était
revenu à l'ancien temps, où seuls les propriétaires blancs
votaient. Les spectateurs applaudirent. Finalement, la discussion s'orienta sur le budget scolaire et la qualité des
repas de cantine.

En milieu de débat, Paul but une grande rasade de la bouteille d'eau minérale posée devant lui. Tim ne quitta plus le récipient des yeux.

Lorsque le candidat descendit de l'estrade, le détective se glissa dans une file de cinq ou six personnes qui attendaient d'adresser quelques mots au tribun. En haut des marches, Paul vida la bouteille. Il discutait avec une vieille dame préoccupée par la détérioration des services hospitaliers. De près, la fatigue se lisait sur son visage. Tim distingua des cernes qu'il n'avait pas remarqués au tribunal.

Le détective avait profité de ses années d'investigations privées pour peaufiner maints déguisements : postiches ridicules, pantalons de travail usés, et même une ou deux robes qu'il portait en dernier recours. L'étourderie des gens ne laissait pas de le surprendre. Ce soir-là, il avait choisi de rester simple. Après avoir échangé son vieux pardessus contre une parka, il s'était muni d'un bonnet, baissé jusqu'aux yeux pendant toute la réunion. Il avait en outre gardé les lunettes qu'il utilisait la nuit. Il s'avança pour proposer son aide à l'instant où Paul rebouchait la bouteille.

« Je m'en occupe, sénateur. »

Celui-ci le remercia, puis se tourna vers l'interlocuteur suivant. Tim s'éloigna avec son butin. Il songea que le candidat, pris d'un doute, pourrait jeter un coup d'œil dans sa direction. Il fit mine de jeter la bouteille à la poubelle et la cacha dans la manche de sa parka. Dès qu'il eut regagné son véhicule, il mit le récipient dans un sac plastique. Le lendemain, à la première heure, il emmena sa moisson au laboratoire. L'assistante du docteur Yavem lui assura qu'il aurait les résultats d'ici trois semaines.

21.

Éphéméride – 29 février 2008

La fête patronale de Cass tombait le 29 février. Pas la célébration normale du 1er mars, mais la véritable date de naissance du saint protecteur, Kassianos, qui revenait tous les quatre ans. Ce mois-ci avait été émaillé de tensions entre les deux frères. Bien plus que ce à quoi Paul s'était attendu. Celui-ci espérait apaiser la situation par une commémoration digne de ce nom. Pour Cass, ce serait la première fête d'envergure depuis vingt-cinq ans. On ouvrirait la maison aux membres de la famille et aux voisins, les gens se côtoieraient. Mais lorsque Tim Brodie avait commencé à traîner dans les parages muni de sa requête, tel un chat après la souris, ils avaient annulé l'événement. Sofia avait appelé les invités, prétextant des impondérables dus à la tournée électorale. Et même si la plainte n'avait plus lieu d'être, on avait jugé préférable que Cass continue à faire profil bas. Impossible d'anticiper le prochain mouvement de Kronon. Nul doute, cependant, que l'ancien détenu serait pris dans la tourmente.

Les festivités se déroulèrent donc en petit comité. Plus tôt dans la journée, les jumeaux avaient rendu visite à leur mère au foyer Saint-Basil, puis s'étaient séparés jusqu'à 9 heures pour honorer certaines obligations de campagne. Ils étaient rentrés après un détour par le Restaurant d'Athènes. Quelques proches les y avaient rejoints. Les enfants de Paul et Sofia, Michael et Stephanos, que l'on surnommait Steve, firent un bref déplacement depuis Easton pour saluer leur oncle. Ils paraissaient mal à l'aise de voir les jumeaux ensemble. Beata Wisniewski resta pour dîner, mais repartit aussitôt après. Elle devait prendre l'avion à 6 heures du matin. Sa mère l'attendait à Tucson.

Beata avait été la première petite amie de Cass à entrer dans leur vie, en 1981. Cette blonde séduisante mesurait presque deux mètres. Cadette de dix-huit ans à l'école de police, elle avait encouragé Cass à poser sa candidature. Le temps qu'il soit accepté, la rupture était consommée. Beata était tombée amoureuse d'un des instructeurs, Ollie Ferguson. Ils s'étaient rapidement mariés. Le jeune homme, plus déçu que véritablement accablé, s'était consolé dans les bras de Dita. Leurs idylles respectives n'avaient été fructueuses ni pour l'un ni pour l'autre. Aujourd'hui, Beata était agent immobilier. Elle s'occupait en général de locaux d'entreprises, mais avait tout de même pu leur dégoter ce meublé quand ils s'étaient aperçus des manœuvres de Tim Brodie. Elle avait établi le bail à son nom. De toute évidence, les changements récents la déstabilisaient aussi. Elle avait paru soulagée de prendre congé.

À présent, Cass était assis auprès de Sofia. Paul, lui, avait pris place de l'autre côté de la table circulaire. Sofia avait cuisiné les baklavas, loukoums et autres diples toute la soirée. Le vinyle acajou était constellé de pâte phyllo et de miettes de noix. Une petite pyramide de cartons ouverts – les cadeaux de Cass – se dressait en bout de table.

D'une certaine manière, cet appartement était agréable. Le salon surplombait le fleuve, la lumière matinale s'y déversait à travers de larges fenêtres. La cuisine ouverte offrait un vaste espace à vivre. Deux petites chambres, exposées à l'ouest, complétaient le tableau. Bien que Sofia eût personnalisé les lieux avec moult photos de famille, l'endroit demeurait malgré tout une simple planque. Cass ne s'y rendait que déguisé et son frère prenait soin d'arriver en décalé, de façon qu'ils ne soient pas vus ensemble.

Cass ôta le pull en cachemire bleu que Beata lui avait offert. Les jumeaux furent de nouveau habillés à l'identique. Paul avait l'impression qu'ils étaient redevenus des gamins de six ans, vêtus de la même marinière. De fait, ils portaient tous les deux une chemise blanche en popeline de coton, ainsi qu'un pantalon taille 39, confectionné par le couturier de Paul. Leurs cravates de l'université d'Easton reposaient dans la poche de leurs vestes, suspendues aux dossiers de chaises. La seule différence notable résidait dans le port des lunettes, que Cass avait délaissé pour l'occasion. Il se massa l'arête du nez, puis sortit la prothèse nasale de sa veste. Il la posa sur la table. Sofia avait commandé l'accessoire fin janvier. Exception faite des bords translucides destinés à gommer les raccords, la bosse de silicone ressemblait à une phalange. Le réalisme de la pigmentation évoquait presque un organisme vivant. L'effet était déjà saisissant en soi, mais l'épaisse couche de fond de teint dont les jumeaux se munissaient pour affronter les caméras rendait l'artifice indétectable.

« J'ai un mal de chien à porter ce truc », grogna Cass. La douleur l'avait contraint à se passer de lunettes. Il semblait excédé. Une attitude que Paul estimait désormais habituelle chez son frère. Sofia s'empara de la prothèse, puis se rendit à la cuisine pour la passer sous l'eau chaude.

« C'est parce que tu n'enlèves pas tout l'adhésif, expliqua-t-elle. Tu sais pourtant que tu dois la nettoyer tous les jours. » Elle lui conseilla une pommade antiseptique à appliquer chaque nuit pour le restant de la semaine. Il existait bien entendu des colles moins irritantes, mais celle-ci était une nouveauté réputée pour sa résistance à l'exposition aux projecteurs.

Deux bouteilles de retsina – une vide et une à peine entamée – trônaient au milieu de la table. Paul fouilla dans son attaché-case, à la recherche de son emploi du temps pour le lendemain. Il jeta les feuilles à côté des bouteilles.

Le trio détermina qui irait où et comment ils se partageraient les e-mails professionnels ainsi que les affaires judiciaires en cours. Sofia était très douée pour répartir les tâches. Les jumeaux ne pouvaient apparaître en public au même moment. Paul s'appliquait à respecter un délai raisonnable entre deux rendez-vous, selon qu'il était honoré par lui ou son frère. Ce soir-là, par exemple, Sofia s'était connectée pour envoyer des rappels à chacun sur leurs missions respectives. Une pensée ne quittait plus Paul : ils ne pourraient prolonger cette mascarade bien longtemps.

Il se leva pour partir, mais Cass le retint.

«J'ai réfléchi. Je pense vraiment qu'on devrait faire appel du jugement de Du Bois.»

Le politicien n'en croyait pas ses oreilles. Il avait attendu son frère pendant vingt-cinq ans et, comme souvent dans la vie, la réalité n'avait pas été à la hauteur de ses espérances. Leurs retrouvailles étaient beaucoup plus pénibles que prévu et surtout bien plus folles que tout ce qu'il avait imaginé. Les gens normaux ne pouvaient pas comprendre à quoi ressemblait l'existence lorsqu'on la percevait à travers les yeux de l'autre, le mélange d'amour et de rancune que cette particularité impliquait. Quand Cass avait été condamné, Paul avait ressenti une souffrance presque physique à l'idée de leur séparation. Ils avaient cependant surmonté l'épreuve. Ils s'étaient adaptés à l'autonomie comme on s'habitue à la disparition d'un être cher. Maintenant que Cass était de retour, les similitudes dans leur fonctionnement – mêmes hésitations, mêmes tournures d'esprit – troublaient le candidat. Il avait oublié cet aspect de leur relation, l'esprit de compétition qui les conduisait inévitablement à s'affronter, tels des joueurs de basket ou de squash contraints de bousculer l'adversaire.

«On ne va pas revenir là-dessus, s'agaça Paul. L'appel est hors de question. Et par-dessus tout, Lands a raison.

— Moi, je suis convaincu qu'il a voulu nous entourlouper. Il attendait l'occasion. Tooley n'avait pas compris qu'une partie des preuves appartenait à Hal.

— Tu veux mon opinion ? Lands est un excellent magistrat. Meilleur que ce que je croyais, et je le tenais déjà en haute estime. » Apprécier la valeur d'un juge était une entreprise délicate car la fonction exigeait des talents inutiles à la plupart des avocats. Certes, l'intelligence était de mise dans les deux professions. Mais les plaideurs n'avaient que faire de la patience, de la diplomatie ou du sens de la mesure.

Cass posa sa fourchette en plastique sur l'un des plats à emporter. Paul avait découvert que son frère supportait mal l'alcool. Le nombre de choses qu'il ignorait à son propos était devenu conséquent, après cet éloignement d'un quart de siècle. Son jumeau était devenu plus caractériel et borné qu'il ne l'avait lui-même été dans sa jeunesse. Au bout d'un certain temps, le candidat s'était aperçu qu'il ne pouvait plus se contenter de laisser couler. Par le passé, Cass se serait finalement rangé à son avis. À présent, il était intransigeant.

« Une exécution après une affaire classée, s'obstina-t-il, c'est assez tangent pour qu'on conteste.

— Cass, je ne compte plus les électeurs persuadés que l'abandon des poursuites est suspect. Si on attaque Hal sur un point qu'il est sûr de gagner, on accrédite cette thèse.

— Clamons que j'ai purgé ma peine. Vingt-cinq ans. Cette histoire devrait être terminée. On est persécutés par un cinglé de richard.

— Tu penses vraiment que l'homme de la rue va nous soutenir si on refuse à un frère éploré les preuves du meurtre de sa sœur ? Je ne partage pas sa vision du devoir familial, mais les gens approuvent sa démarche. Il veut récupérer les indices plutôt que de laisser la police les jeter. »

Sofia s'était tenue en retrait pendant deux mois. Elle évitait d'intervenir entre les jumeaux, en particulier lorsqu'ils étaient confrontés à un enjeu. Aujourd'hui, toutefois, elle penchait en faveur de Cass. Comme lui, elle n'était pas satisfaite du jugement.

« On lui facilite les choses pour l'analyse génétique.
Voilà le problème.

— Certes, convint Paul. Mais il ne possède aucun échantillon exploitable.

— On s'est renseignés, ajouta Cass. Ils vont extraire l'ADN de mes empreintes.

— Ils vont essayer. La démarche est incertaine, Cass. Et ils n'ont rien me concernant.

— Une question de temps, tu le sais. Ils piqueront un mouchoir que tu as appliqué sur ton nez, un stylo mâché, ou bien ils pratiqueront un prélèvement sur la joue d'une femme que tu as embrassée à un meeting.

— Eh bien, ils ont au moins une chance sur deux de faire chou blanc, non ?

— Ils s'en moquent, mon pote. Ils effectueront le test. On doit les arrêter. »

Paul se prit la tête entre les mains. C'était un cercle vicieux. Depuis des mois, il était soumis à une tension croissante. Il devait à la fois empêcher l'identification génétique et gagner la course à la mairie.

« S'il existait un moyen de les arrêter, je serais d'accord. Mais il n'en existe pas. N'importe quel tribunal nous déboutera. Et la décision sera rapide. Il reste un mois avant le scrutin. On devra ramer contre un jugement défavorable et la mauvaise publicité qui va avec. Deux sanctions qui sous-entendent : Gianis n'est pas net. Donc on adopte profil bas. Si Hal tente un coup de pub avec une expertise déplaisante, on avisera. Tout dépend de ce qu'il raconte. On évitera quand même un scénario catastrophe. Aucun procureur n'acceptera de fourrer son nez dans un dossier pareil. Hal a embarqué les preuves. Il est enragé. Personne ne pourra certifier qu'il n'a pas détérioré les indices.

— Un pis-aller.

— Vrai. Alors, la meilleure solution, c'est que j'abandonne. » Paul persistait à cacher son visage dans ses mains. Il sentait les regards de Cass et Sofia posés sur lui. « Il ne se passe pas un jour sans que j'y songe », termina-t-il.

Cass paraissait prêt à bondir par-dessus la table.

« Tu n'es pas le seul à décider. »

Paul, piqué au vif, répliqua aussitôt :

« Foutaises ! Tu n'as pas ton mot à dire. »

Cass frappa la table du plat des mains. Le plateau bascula, percutant la poitrine du politicien. Il se dressa sous l'effet de la douleur fulgurante. Son jumeau l'imita, les poings serrés. La dernière fois qu'ils s'étaient battus, ils avaient dix-sept ans. Paul sentait encore l'emprise de l'affrontement physique sur leur relation, le violent désir de supprimer l'élément central et perturbant de sa vie : son frère. Les psychologues prétendaient que les liens gémellaires dépassaient tout ce que les gens normaux éprouvaient au cours de leur existence. Si le diagnostic était exact, ces liens passaient aussi par la colère. Même en cas de dispute, Paul n'avait jamais élevé la voix contre Sofia.

Celle-ci se précipita pour s'interposer. Elle prit Cass par les épaules.

« Ne soyez pas puérils ! » intima-t-elle.

L'espace d'un instant, les deux hommes se toisèrent dans une posture de fauve, les narines frémissantes, le souffle court. Sofia obligea Cass à se rasseoir, puis s'adressa à son mari :

« Paulie, on ne peut pas jeter l'éponge à cause de Hal. Tu t'es engagé auprès de Ray et de tous ceux qui travaillent pour toi. »

Le candidat était épuisé. Les campagnes électorales étaient enthousiasmantes lorsque la victoire était proche. Dans les périodes de doute, elles prenaient simplement des allures de sacrifice rituel.

« On va perdre de toute façon.

— Tu débloques, grogna Cass.

— Non, j'en suis sûr. Le *Tribune* va publier un sondage dimanche. On arrive en troisième position.

— On a déjà évoqué le sujet. Tu descends à trente, vingt-neuf, vingt-huit pour cent d'intentions de vote. Tu peux encore être premier compte tenu de la marge d'erreur. Les chiffres sont encore bons.

— On était crédités de vingt points d'avance il y a deux mois. La tendance n'échappe à personne. Et l'équipe est nerveuse depuis que tu as viré Crully.»

Cass parut affligé. «Tu étais d'accord. Mark était un boulet.

— Je ne te reproche rien, je me suis mal exprimé. Tu as bien fait.» Les jumeaux avaient depuis longtemps convenu qu'aucun d'eux ne contesterait les choix de l'autre lorsque la décision était inévitable. Ils avaient évoqué à de nombreuses reprises la possibilité que Lands concède le prélèvement ADN. Le retrait de plainte leur avait semblé préférable. Le départ de Crully en était la conséquence logique. C'était mieux pour lui. D'ici une semaine ou deux, il aurait de toute manière abandonné le navire au motif que Paul avait provoqué le naufrage. Mark n'était pas le genre de type à s'accrocher en dépit du bon sens. Hillary l'avait déjà contacté pour qu'il s'occupe de la Pennsylvanie, État dont il était originaire.

«Encore une fois, répéta Paul, je ne te reproche rien. Je dis juste que l'issue est évidente. Hal ne nous lâchera pas. Il n'obtiendra sans doute rien de plus que le témoignage de Georgia, mais elle va devenir un étendard médiatique pour sa croisade.»

Dès qu'il voyait son ex-petite amie à la télé, Paul éprouvait des sentiments contrastés, où dominaient l'effroi et la culpabilité. Elle aurait pu être si différente s'il avait fait d'autres choix. Sofia lui avait apporté autant, sinon plus, que ce qu'il avait volé à Georgia. Mais l'amour n'était pas un jeu à somme nulle.

«Les choses s'annoncent mal, Cass. Je n'en démords pas. Alors, pourquoi s'obstiner?

— L'abandon ne calmera pas Hal. Au contraire, il sera encore plus vindicatif. Il pratiquera le test même si tu t'exiles en Biélorussie. À présent que Camaner a repris le flambeau, il est plongé jusqu'au cou dans la campagne.

On a une chance de gagner si le débat s'oriente à nouveau sur l'essentiel.

— L'argent commence à manquer. Les dons s'amenuisent, tu le vois aussi bien que moi. On avait prévu dès le début qu'on ne s'endetterait pas.

— Moi, je crois qu'il est trop tôt pour juger. Camaner est en lice. La campagne est une partie de rodéo. »

Paul acquiesça. Il était temps d'aller dormir. Il se leva et enlaça son frère. « *Hron-yah poh-lah* », dit-il en grec. Longue vie et prospérité. Ce contact physique, l'assurance tangible de la présence de Cass, était encore la plus belle sensation qu'il connaisse.

Sofia et lui descendirent au garage, où les attendait la Lexus. Sofia lui prit les clefs de contact des mains.

« Tu m'as l'air crevé.

— Pas du tout, fit Paul.

— Si, tu es crevé », insista Sofia.

La rue s'imprégnait de neige fondue, la lumière des lampadaires miroitait sur l'asphalte. Le tableau ressemblait à un Noël tardif.

« Tu sais quel est le problème ? interrogea le politicien. Cass aimerait être moi plutôt que lui.

— Mon Dieu, Paul. Tu es dur !

— J'ai eu tort d'accepter cette comédie. Qu'il se fasse passer pour moi ne l'autorise pas à prendre ses désirs pour des réalités. J'aurais dû tracer une ligne claire. C'est de la folie pure.

— Tu oublies ces vingt-cinq dernières années ?

— Sûrement pas. Voilà pourquoi j'ai dit oui. Cette période était horrible et on l'a surmontée ensemble. Pas d'accusation, pas de remontrances. Si j'avais pu imaginer que ça se conclurait par un conflit ouvert. Tu veux la vérité ? J'ai été choqué qu'il refuse de reprendre sa vie d'avant.

— Un espoir naïf, non ? Tu es l'un des hommes les plus importants de cette ville, de cet État. Lui est un ancien détenu. Condamné pour meurtre, de surcroît.

— Tu sais, quand on était adultes, avant que tout ne s'écroule, il était tellement résolu à affirmer sa personnalité, fier de nos différences. Il était plus drôle, plus spontané que moi. Moins discipliné aussi. Son aventure avec Dita était représentative de cet état d'esprit. Il s'obstinait à nourrir des desseins stupides que je n'aurais pas eu le courage d'assumer. J'étais persuadé que le 31 janvier 2008, il serait ravi de reprendre le cours de son existence, de fonder une famille, ce genre de truc.

— Oui, tu te réjouissais à l'avance. Nous en avons discuté.

— Je croyais que ce serait la trêve. Mais, au lieu d'apaiser les choses, son retour les complique. On travaille comme si on était enchaînés l'un à l'autre.

— Tu t'es fort bien accommodé de la situation jusque-là, tu ne peux pas le nier. Il adore lever des fonds, brasser des billets à chaque poignée de main, alors que tu ne supportes plus cet exercice.

— Je ne supporte plus rien. J'ai atteint mes limites. Quand on perdra, tout sera terminé.»

Elle lui jeta un regard malicieux.

«Tu veux parier?

— Je ne pensais pas comme ça, avant. Hal a modifié mes priorités. La politique n'a plus le même goût. Je ne suis pas le premier à passer par là. J'ai l'impression de vivre le cauchemar de John Kerry, quand il s'est fait démolir par les vétérans des patrouilles fluviales au Vietnam. Un magnat à moitié cinglé me traite de meurtrier et tout ce à quoi je crois, le consensus, l'organisation, est réduit à néant. L'entreprise se résume à se tirer en vitesse des griffes d'un milliardaire pour contre-attaquer et lui rendre la monnaie de sa pièce. Quelle merde! Pour être franc, l'avenir me paraît plus excitant quand je songe au programme de réinsertion concocté par Cass. Un projet simple, maîtrisable. Une mission dont je peux m'acquitter avec la certitude de laisser l'endroit plus propre qu'à mon arrivée.

— Il faut juste gagner les élections, Paulie. C'était notre objectif de départ. Ensuite, tu seras moins fatigué. Vous trouverez une solution.

— Une solution à quoi ? L'explosion est inéluctable. Deux hommes, une seule vie. J'aime Cass, mais je ne tiendrai plus très longtemps. Ma mère a toujours accordé une grande importance aux frères dans la Bible : Jacob et Esaü, Abel et Caïn. Ce dernier incarnait le méchant de l'histoire, mais je commence à le trouver sympa, vu l'attitude de son frangin.

— Quelle attitude ? » demanda Sofia. Les lumières de la rue se reflétèrent un bref instant dans ses yeux quand elle regarda son mari.

« Tu sais de quoi je veux parler », répondit Paul dans un souffle. La vie au jour le jour, dans l'attente de la libération de Cass, l'avait aveuglé. Les liens fraternels n'étaient jamais rentrés en concurrence avec ceux du mariage. La nouvelle configuration à laquelle ils étaient confrontés les déstabilisait tous les trois. Un mois avant de louer l'appartement, lorsque Paul regagnait ses pénates en fin de soirée, il trouvait souvent son frère et sa femme en train de pantoufler à la maison, devant les restes d'un dîner ou côte à côte sur le canapé devant la télé. Leur rapprochement quasi physique était aussi inattendu qu'inquiétant. La rapidité avec laquelle Sofia posait ses mains sur Cass pour lui souhaiter bonne nuit, la façon dont son frère acceptait l'accolade, tout paraissait suspect. Comment avait-il pu ignorer le danger ?

Il était trop fatigué pour prolonger ces réflexions. Son esprit l'emportait dans des recoins trop sombres. Minuit passé. Il devait se lever à 5 h 30.

« Je suis crevé », admit-il.

22.

Les résultats – 6 mars 2008

La jeune assistante de Yavem, à qui Tim avait confié les preuves restituées par les autorités, laissa un message sur son portable. Les analyses étaient prêtes. Ils désiraient s'entretenir avec lui ou Evon à 14 heures. Le détective rejoignit la responsable dans les locaux de ZP. Ils prirent un taxi jusqu'à l'hôpital universitaire. Dix minutes plus tard, ils traversaient l'école de médecine à pied pour se rendre au labo. Réputé à la pointe des traitements anticancéreux, l'établissement s'était lui-même développé comme une tumeur. Ses métastases suivaient un parcours tortueux. Il fallait parfois arpenter la moitié d'une aile pour trouver un ascenseur. Leur randonnée pédestre jusqu'à l'antre de Yavem dura plus longtemps que le trajet en taxi.

Le docteur sortit pour les accueillir, puis les invita à entrer dans son petit bureau blanc. Une vitre tout en longueur donnait sur le laboratoire. Tim avait l'impression de contempler un décor de science-fiction. Les travaux effectués dans ces locaux dépassaient sa compréhension. L'identification génétique tenait encore de la spéculation à l'époque du meurtre de Dita, en 1982. Il en avait entendu parler pour la première fois à la publication des travaux de Watson et Crick sur la structure ADN. Un bref instant, il se rappela son grand-père : un homme amer et silencieux, né dans une ferme écossaise près d'Aberdeen. Il n'avait pas vu une seule voie ferrée avant de partir pour le continent. Plus vieux, il avait connu la télévision, qu'il refusait de regarder tant il était convaincu de son caractère démoniaque.

Dans le taxi, Evon avait qualifié Yavem de petit gars enjoué mais, à présent qu'ils étaient dans le bureau, Tim le trouvait plutôt sérieux, avec sa moustache fine. La pièce était exiguë. Curieusement, cette proximité forcée rendit le spécialiste encore plus sympathique aux yeux du détective. Le généticien avait sacrifié son espace de travail au profit du laboratoire. Il avait préféré la recherche à la satisfaction de son ego.

« J'ai pas mal de choses à vous dire, expliqua Yavem. Je vais vous donner les résultats dans l'ordre où j'ai pratiqué les tests, ce sera plus clair.

» Madame Miller, vous vous souvenez du protocole succinct que je vous ai donné. La première étape consiste à obtenir la confirmation que le sang trouvé chez les Kronon est bien celui d'un des jumeaux. En cas de réponse positive, on doit s'assurer qu'ils sont monozygotes. On utilise ensuite deux types d'analyse pour établir la variabilité du nombre de copies. Une fois que nous avons la CNV, nous étudions les échantillons sanguins prélevés sur la scène de crime pour déterminer les locus communs.

» Revenons à la première étape, la plus fiable du protocole. Vu l'ancienneté des échantillons et les probabilités de contamination, nous procédons à un séquençage des régions hypervariable du chromosome Y, ou STYR. » Manifestement habitué à enseigner, Yavem se tournait de temps à autre vers Tim. Le détective désigna finalement la responsable.

« Ne vous occupez pas de moi, docteur. Ma camarade me fera un résumé plus tard. Elle parlera très, très lentement. » Le généticien étouffa un rire avant de reprendre son sérieux.

« Les sources sont nombreuses. Le sang de Hal et de Zeus Kronon, le spécimen salivaire d'excellente qualité prélevé sur la bouteille de Paul Gianis, et les empreintes de Cass. J'ai commencé par analyser le sang des Kronon.

— Pourquoi eux ? interrogea Evon. Ils n'ont pas été innocentés par l'identification groupale ?

— Si, mais le risque d'altération est important. Voilà pourquoi nous avons examiné en priorité le chromosome Y. Les femmes présentes sur les lieux étaient peu susceptibles d'interférer. Hal et son père, en revanche, ont passé un bout de temps dans la chambre de la défunte avant l'arrivée de la police. J'ai donc privilégié l'étude des macromolécules masculines. Quand vous procédez à une analyse génétique, vous ne savez pas précisément à quel type de cellule vous avez affaire. Un élément épithélial peut par exemple se glisser dans une goutte de sang homogène à l'œil nu. Si l'échantillon est assez volumineux, on effectue plusieurs tests dans différentes régions. Cela nous permet de déterminer une contamination éventuelle et, par conséquent, d'expliquer certaines variations. Avec un père et un fils, vous vous attendez à trouver le même chromosome Y. On examine cependant les deux sujets par mesure de précaution. Dans l'affaire qui vous occupe, nous avons eu raison, car nous avons découvert que Hal et Zeus ont un profil différent. »

Une sensation de vertige s'empara d'Evon. Les veines pulsèrent sur ses tempes, sa vision s'obscurcit. Elle comprenait maintenant pourquoi Yavem ne souriait pas.

« Hal n'est pas le fils de Zeus ?

— Pas au sens génétique du terme. »

Tim agrippa le bras de sa partenaire. Lui aussi comprenait. Ses yeux gris et voilés par l'âge se posèrent sur elle. Il produisit un son étrange, la bouche arrondie.

« Je vous laisse le soin de lui annoncer la nouvelle, fit-elle.

— Oh non, hors de question. Je ne suis pas assez payé.

— Bon Dieu », soupira Evon. Elle prit une grande inspiration et s'adressa à Yavem.

« Continuez.

— Je suis donc passé aux jumeaux. Nous avons obtenu un excellent séquençage grâce à la bouteille. L'extraction de l'ADN sur les empreintes de Cass a également été couronnée de succès. Nous n'avons pas un tableau complet, mais suffisamment de bases identifiables.

— Et la variabilité du nombre de copies ?

— Nous n'en sommes pas encore là. Ce sont des tests différents. En revanche, nous sommes sûrs que Paul et Cass sont univitellins, c'est-à-dire issus du même œuf.

— Pas de surprise jusque-là.

— Eh bien... » Un léger sourire ourla les lèvres du spécialiste. Il baissa les yeux dans une tentative manifeste de se ressaisir. « Excusez-moi, mais le séquençage a produit un autre résultat inattendu. Je ne l'avais pas remarqué de prime abord. C'est Teresa qui a attiré mon attention sur ce détail. » Il montra une femme en blouse blanche de l'autre côté de la vitre. Tim reconnut la jeune assistante à qui il avait confié les pièces.

« J'espère que vous allez me donner une meilleure nouvelle que tout à l'heure.

— Je crains qu'elle ne soit de même nature. Zeus Kronon est le père des jumeaux. »

La mâchoire d'Evon se décrocha. « Merde ! » Elle prononçait ce juron une fois par an au grand maximum.

Tim, lui, éclata de rire. Certains plaisantins avinés, paroissiens de Saint-Démétrios, se demandaient parfois comment Mickey Gianis, qui pouvait à peine se lever, avait pu procréer. Le détective se souvint d'un dimanche soir où le révérend Nik avait pratiquement décapité un membre du club qui s'était hasardé à proférer une insinuation perfide. Il sentit le regard de la responsable posé sur lui.

« Vous étiez au courant ? demanda-t-elle.

— Bien sûr que non. »

Evon prit le temps de réfléchir.

« Zeus et les frères Gianis partagent le même chromosome Y ?

— Exact.

— Alors, le sang retrouvé sur la scène de crime peut être celui de Zeus ?

— Avec un simple examen macromoléculaire, oui. Cependant, nous savons que les patrimoines respectifs présentent d'autres particularités. Zeus est de groupe O. Paul et Cass ont hérité du groupe B de leur mère. Si l'identité groupale correspond au chromosome Y, la présence d'un des deux frères est établie. Mais nous sommes rapidement parvenus à la conclusion que ce n'est pas le cas. Le sang ne provient ni de Zeus ni des Gianis. »

Le cœur d'Evon s'emballa sous l'effet d'une intense frayeur.

« S'il vous plaît, dites-moi que ce n'est pas Hal.

— De toute évidence, non. Les résultats sont négatifs pour votre patron, comme pour Zeus et les jumeaux, ainsi que la mère de Dita.

— Hermione ?

— Oui. Car l'hémoglobine collectée sur les lieux ne comporte pas de chromosome Y. »

Evon marqua un temps d'arrêt avant de poursuivre :

« Comment est-ce possible ?

— Nous avons étudié des dizaines de traces pour en être certains, répondit Yavem. Toutes les analyses le confirment : le sang sur les murs et la vitre appartient à une femme. »

III.

23.

Lidia – 5 septembre 1982

Lidia Gianis fait prudemment le tour du jardin en pente de la propriété de Zeus. Elle a juré depuis vingt-cinq ans de ne plus se rendre à cette fête traditionnelle. Jusqu'à présent, elle a toujours respecté ses serments. Elle croit au pouvoir de la volonté et de l'esprit – thelesee en grec. Ce pouvoir ne change pas la neige en pluie, n'écarte pas les flots, mais permet d'échapper à son destin.

Elle s'appuie parfois sur Teri, car elle a opté pour des espadrilles à semelle compensées. Elle n'a pas l'habitude de marcher avec. Mickey est plus petit qu'elle de cinq centimètres. À côté d'elle, il craint de ressembler à un enfant qu'on tient par la main. Lidia a soigné sa présentation pour son retour. Un effort bien puéril. Sous la chaleur étouffante du Midwest, elle est rouge de transpiration. Quand elle s'est apprêtée ce matin, elle a profité de la séance de maquillage pour se livrer à un examen attentif de sa personne. Pas encore vieille, mais déjà trop fanée à son goût. Le corps robuste et généreux de sa jeunesse a abdiqué après trois grossesses, en particulier la dernière, où elle a donné naissance aux jumeaux. Elle a préféré dissimuler sa large silhouette sous une robe longue. Sa chevelue noire, ramenée en arrière par un chignon léonin, est à présent recouverte de mèches grises évoquant des touffes de mauvaise herbe. Elle s'est exercée, devant le miroir, à affirmer le regard ténébreux, intelligent et déterminé qui la caractérise.

Elle avance à petits pas dans le jardin, la tête haute, le cou élancé malgré l'appréhension nauséeuse qui la tenaille. Ce malaise lui rappelle un peu les lendemains d'accouchement, avec Hélène et Cléo. Pour les garçons, elle s'était sentie en pleine forme, si l'on exceptait les pensées suicidaires quotidiennes.

« Mon frère fait les choses bien, professe Teri. Il m'arrive néanmoins de penser, quand je le regarde se pavaner comme un cygne, que son orgueil le tuera. » Elle adore son frère, mais n'hésite pas à moquer ses excès. Il porte l'éternelle chemise blanche qu'il arbore tous les ans et accueille ses invités avec fierté. Lidia a parfois l'impression qu'elle et sa camarade discutent de Zeus depuis toujours : du baiser échangé à l'adolescence par les jeunes tourtereaux, à son mariage, ses enfants, son désaccord avec Mickey et son succès phénoménal. Chacune des deux femmes est persuadée que l'autre amène sans cesse le sujet sur le tapis.

Certaines amitiés durent en raison de leur ancienneté. En ce jour précis, Lidia se dispenserait de la compagnie d'une femme si irrespectueuse et excentrique, mais Teri joue un rôle central dans sa vie. La sœur de Zeus est un arbre vigoureux dont l'on observe la croissance à l'aide d'une toise, une mesure du temps qui passe. Depuis quelques années, les deux amies se voient rarement en tête à tête. Les Gianis ont déménagé à Nearing quand Mickey a ouvert sa seconde épicerie. Teri refuse d'aller chez Lidia. Elle ne supporte pas d'entendre Mickey s'emporter contre Zeus. Elles se téléphonent au moins une heure par jour. Dès qu'elles ont reposé le combiné, elles ne se souviennent plus de la conversation, sauf lorsque l'une d'elles a raccroché au nez de l'autre après une remarque jugée désobligeante. Il appartient à l'auteur de la maladresse de rappeler en premier, la plupart du temps le lendemain. Le point litigieux est alors totalement oublié. La rancune n'est pas de mise dans une relation comme la leur. Cela fait plusieurs années que Lidia a cessé de demander à Teri de modérer ses propos. Elle a toutefois expliqué à ses enfants que nul au monde n'est autorisé à s'exprimer de cette manière. De même, elle a abandonné l'idée de la persuader de s'installer avec l'un de ses nombreux prétendants. Teri estime qu'aucun mâle ne possède l'endurance nécessaire. « *Pas besoin d'un homme, décrète-t-elle encore aujourd'hui. Des pieds froids dans le lit et une bite molle quand il t'en faut une dure, non merci.* »

Soudain, il y a une bousculade. On entend le nom de Paul, suivi d'un rire. Lidia s'éloigne de Teri. Elle aperçoit son fils qui tente de se remettre debout. Il s'esclaffe avec une fille qui ressemble un peu à Sofia Michalis. La jeune femme tient Paul par le coude, elle lui tend une assiette en carton. Son fils, sub-jugué, a le regard qui tue, comme dit la chanson. À la vue de ce spectacle, Lidia est prise d'un fol espoir. Georgia Lazopou-los est une dinde indigne des projets grandioses qu'elle nour-rit pour son fils. Paul l'aurait sans doute déjà demandée en mariage si sa mère l'y avait encouragé. Même le révérend Nik, qui est aussi stupide que sa fille, commence à se douter des réticences de Lidia. Il est de plus en plus froid avec elle. Lidia n'en est pas affectée. Elle est convaincue que ses garçons sont promis aux plus hautes destinées, en récompense divine des souffrances causées par leur accouchement.

Elle se retourne vers Teri et sent son estomac se contrac-ter. Zeus se dirige vers elle.

Il ouvre grands les bras et l'appelle « *ma chère* » *en grec.* « *Lidia, agapetae mou.* » *Leur ancienne aventure resurgit le temps d'un large sourire. Elle n'accepte qu'un chaste bai-ser sur la joue, mais il la serre contre lui un bref instant. Sa puissance, sa vigueur sont intactes. Il esquisse un geste à l'intention d'Hermione. Sans surprise, celle-ci s'est déjà approchée pour s'interposer.* « *Regarde qui est là* », *s'ex-tasie-t-il. L'épouse de Zeus ne se donne pas la peine de sou-haiter la bienvenue à Lidia. C'est tout juste si elle lui tend la main, surmontée d'une Rolex en diamant plus coûteuse que la maison des Gianis.* « *Nous sommes ravis de voir Cassian parmi nous. Un gentil garçon. Ena kala paidee* », *précise-t-elle dans sa langue natale. On dirait qu'elle parle d'un camarade d'école venu jouer dans le jardin. Hermione est une belle créature un peu fade. Elle est mince. Pourquoi les femmes riches sont-elles toutes maigres comme des planches à clous ? Ses cheveux en choucroute se parent d'une teinture onéreuse, couleur d'infusion subtile. Elle affecte un sourire élégant qui ne trompe personne. Lidia sait qu'Hermione la méprise. Non seulement la mère des jumeaux est beaucoup plus intelligente qu'elle, mais elle a entretenu une relation aussi ambiguë qu'inquiétante avec son mari.*

« Tu nous as manqué, affirme le maître de cérémonie. J'ignore la raison de cette absence prolongée. »

C'en est trop. Elle lui adresse un sourire figé et s'en va. La sœur de Zeus la rattrape. Les deux amies s'éloignent. Teri la saisit par le bras au bout d'une dizaine de mètres.

« Une réaction pareille pour une histoire de bail ? Un peu de sérieux, Lidia. Ça date d'une vingtaine d'années.

— J'avais arrêté de venir bien avant », se justifie-t-elle *sans fournir plus de précisions. Parfois, lorsqu'elle est seule à la maison et que Zeus apparaît à la télévision, allumée en permanence pour assurer une présence, elle s'émerveille. Il est devenu tellement habile. Le jeune homme qu'elle a connu ne faisait pas mystère de ses ambitions. Celui d'aujourd'hui les dissimule à l'image d'une dague dans un fourreau luxueux. À l'époque, elle ne niait pas son attirance. Zeus était le meilleur ami de son frère aîné. Il était grand, beau gosse et plein de promesses irrésistibles. Il se croyait promis à un destin hors du commun. Cette prétention avait convaincu Lidia qu'elle avait trouvé l'homme idéal, celui qui lui permettrait de rayonner. Elle avait espéré en secret que ses fils hériteraient de ses qualités.*

À seize ans, leur fascination réciproque les avait conduits à vivre une soirée décisive. Il était de coutume à cette époque, pour les garçons et les filles de Saint-Démétrios, de se faufiler hors du club ado et d'aller flirter dans la salle de chant. Tous les jeunes s'adonnaient à cette activité. Les couples s'esquivaient presque sans y prêter attention. Zeus avait dix-neuf ans. Un peu vieux pour le club. Lidia en avait déduit que cette fréquentation tardive était motivée par sa seule présence. Chaque semaine, les escapades dans la salle de chant se prolongeaient davantage. Leurs amis commençaient à s'en amuser. Une nuit, enfin, il posa la main de Lidia sur son giron. « Tu sais ce que c'est ? » Elle retira sa main et le fixa avec un mélange d'effroi et d'excitation. « Touche-moi, insista-t-il. S'il te plaît. » Elle s'exécuta. Il lui rendit la pareille. Une vague de plaisir déferla en elle, si bien que son cœur faillit arrêter de battre. Cependant, elle ne l'autorisa pas à aller plus loin.

« Le mariage avant, expliqua-t-elle.

— Alors, qu'il en soit ainsi. » Tout cela ressemblait à une comédie. Elle pouffa de rire, mais Zeus persista : « Je ne plaisante pas, je te jure. Allons parler à ton père maintenant. »

Zeus l'entraîna vers la porte avec tant d'empressement qu'elle eut à peine le loisir de se rhabiller.

Son père était en gilet dans le salon, une bière à la main, l'oreille collée au gros poste de radio qui retransmettait un match de base-ball. Comme la plupart des immigrants, il avait développé une véritable passion pour ce jeu. Tandis qu'elle se tenait sur le seuil avec Zeus, leurs doigts entrelacés, elle sentait encore les ondes de bonheur parcourir son entrejambe humide.

« Je voudrais me marier avec votre fille », annonça le jeune homme.

Le chef de famille lui opposa un regard froid, renifla, puis retourna à son match.

« Aucune de mes filles n'épousera un voyou, Lidia. » Ils étaient issus d'une honnête lignée de paysans grecs et ne devaient leur intégration qu'au commerce. Les Kronon, en revanche, étaient des trafiquants de brebis, des maréchaux-ferrants, autant dire des voleurs. Nikos, le père de Zeus, faisait office de traducteur pour les mafiosi qui désiraient racketter les restaurateurs grecs. À l'image des Italiens, ils mettaient souvent leurs menaces à exécution : brisaient les vitres, sabotaient la plomberie.

Le lendemain soir, elle rencontra Zeus sous le lampadaire devant sa maison.

« *Marions-nous quand même* », *proposa le jeune homme.*
Il avait établi un plan pour fuir. Lidia, cependant, ne pou-
vait désobéir à son père. Elle avait passé la journée à pleurer,
mais savait déjà qui aurait le dernier mot.

Elle avait regagné le domicile parental et, depuis, n'avait
adressé la parole à son ancien amant qu'en de rares occa-
sions. Par refus de l'humilier, elle passa cette mésaventure
sous silence. Teri, bien entendu, ne fut pas mise dans la
confidence. Elle aurait été furieuse d'apprendre que le père
de Lidia avait insulté les Kronon devant son frère. Les sou-
venirs s'estompèrent. Ce fut comme si cet événement n'avait
jamais eu lieu. Zeus s'engagea dans l'armée une semaine
après Pearl Harbor. Il faillit mourir dans un hôpital mili-
taire et revint sur le sol américain marié à Hermione, son
fils Hal dans les bras. Lidia, de son côté, avait épousé Mickey
en 1942. Une semaine après les noces, le fils de la meilleure
amie de sa mère était parti comme conscrit. Il était sédui-
sant, travaillait dur, et projetait surtout d'être un bon mari.
Même à seize ans, Lidia avait compris que ce n'était pas le
cas de Zeus. Les capacités de Mickey étaient certes limitées,
mais la jeune fille s'en moquait. Cette nuit-là, quand elle
avait embrassé Zeus pour lui dire adieu sous le lampadaire,
elle avait déjà fait le deuil des sentiments incomparables qui
l'avaient liée au jeune homme.

Mickey était quelqu'un de simple. Il avait tenu ses pro-
messes, puis était tombé malade. Son cœur était resté
affaibli d'une fièvre rhumatismale contractée au cours de
l'enfance. Lidia imaginait le liquide pourpre suinter du
muscle cardiaque, pareil à un épanchement dans une digue.
Les docteurs refusaient de l'opérer. Son état empira malgré
les médicaments. À partir de 1955, il lui fut impossible de
se rendre au Marché d'intérêt national. Il demeura à la mai-
son et, bientôt, fut cloué au lit, suffoquant dans son propre
corps. Lidia tenta de se persuader qu'il ne mourrait pas.

Teri lui trouva un travail dans l'entreprise de son frère.
Zeus la connaissait bien, il savait à quel point elle était bril-
lante et ses affaires décollaient. Les centres commerciaux

essaimaient aux quatre coins des Tri-Cities, déferlaient sur le territoire comme une coulée de lave. Lidia avait besoin d'argent, leur aventure était de l'histoire ancienne. Elle n'envisagea pas un instant d'éprouver encore des sentiments pour Zeus. Elle avait mûri et il était devenu, selon sa sœur, une sorte de « chevalier Percevulve ». La nuit, il écumait les bars des quartiers huppés, à la recherche de quelque nymphette susceptible de le suivre dans un hôtel tapageur du coin.

Mais l'homme retomba amoureux de Lidia sitôt qu'il la vit. Dès qu'ils furent seuls, il lui déclara :

« Ton père a piétiné ta vie et la mienne. »

Il lui arrivait de surgir dans son dos, lorsque personne ne leur prêtait attention, et de susurrer cette vieille chanson populaire : S'agapo, je t'aime. S'il n'avait pas le temps de chanter le morceau entier, il se contentait d'un couplet :

Ta fenêtre est close,
Ta fenêtre est fermée,
Ouvre, ouvre un volet.

Elle le rabrouait. C'est le passé, nos vies sont ce qu'elles sont. Je suis mariée, Zeus. Elle évitait son bureau autant que possible. Et quand le tête-à-tête était inévitable, elle demandait à une consœur de l'appeler cinq minutes plus tard. Chaque fois, il avait essayé de l'enlacer malgré ses protestations.

Comme tous les employés, elle avait participé au premier pique-nique organisé pour la fête du travail, vingt-six ans auparavant. Zeus venait d'acheter sa maison. Lors de la réception, il leur proposa, à elle et à un autre couple, de faire le tour du propriétaire. À l'extérieur, Lidia fut brièvement éblouie par la lumière du soleil et, lorsqu'elle recouvra la vue, elle s'aperçut que le couple s'était arrêté en chemin. Le maître de maison avait peut-être donné des instructions en ce sens. Il avait bu. Elle aussi. Il profita de leur isolement pour l'entraîner dans une chambre de bonne attenante à la cuisine. Le

petit logis était pourvu d'une étroite lucarne d'allure carcé-
rale. Les lits jumelés s'ornaient d'une simple couverture. Elle
s'abstint de crier. Les conséquences sur sa vie, son travail,
auraient été désastreuses. Elle se débattit néanmoins avec
férocité, le repoussa : «Non, Zeus. C'est de la folie. Non!»
Il continua à fondre sur elle. «S'il te plaît, implora-t-elle. Je
t'en prie.» Elle avait l'impression que le flirt poussé dans la
salle de chant venait juste de s'interrompre, que la présence
physique de son amant n'avait jamais cessé de peser sur elle.
Son corps, peu habitué à ce type d'assaut, abdiqua malgré
elle. Les sanglots de désespoir et la honte se substituèrent
aux protestations et à la lutte sitôt qu'il la pénétra. Quand
ce fut fini, elle se rhabilla et quitta la chambre sans un mot.

Il la retrouva dans le jardin. «Je suis désolé, chuchota-t-il.
Je vais t'épouser. Je le veux toujours.» Son attitude suggé-
rait que leur union n'était entravée ni par deux décennies
de séparation ni par leurs mariages respectifs. Ce fut à ce
moment-là qu'elle comprit la nature profonde de Zeus. Elle
n'avait pas besoin d'en apprendre davantage. Même si elle
doutait qu'il consente à quitter sa maison, sa femme, ses
enfants, il ne mentait pas vraiment. Il croyait en ses propres
promesses. À l'instar de certains héros de Galaxy *magazine,*
il voulait vivre six ou sept vies parallèles. Elle savait à pré-
sent que Zeus ne l'aurait pas épousée quand elle avait seize
ans. Sa grandeur, pour ainsi dire, résidait dans son refus
d'accepter les limites de la réalité.

Elle s'éloigna, indécise. Elle ne pouvait parler à personne
de cette histoire. Son mari en mourrait sur-le-champ. Terisa,
quant à elle, soutiendrait son frère. Elle était trop loyale,
trop vieux jeux pour qu'il en soit autrement. Lidia imagi-
nait déjà les remontrances : à quoi t'attendais-tu, lorsque tu
l'as laissé t'emmener dans cette chambre? Tu connaissais
sa réputation de Don Juan.

Il ne s'est rien passé, décréta Lidia. Cette décision était la
seule manière de reprendre le cours de son existence.

Trois mois plus tard, elle accepta enfin sa grossesse. Elle
avait d'abord espéré une fausse couche. En tant que mère,

elle ne pouvait envisager une interruption volontaire. Lors-qu'elle comprit que son état allait bientôt se voir, elle s'al-longea à côté de Mickey, le prit dans les bras. « Nous allons avoir un bébé. Je vais devoir arrêter de travailler. » Elle igno-rait ce que son mari croyait. Dans chaque mariage, cer-tains sujets demeuraient tabous. En dépit de la maladie, il parvenait parfois à accomplir son devoir conjugal, tel un cétacé crevant la surface des flots pour respirer. Chaque fois, il regrettait de ne pas avoir saisi l'occasion pour partir en beauté. Cependant, lorsque Lidia lui annonça la nouvelle, elle eut le sentiment qu'il était trop faible pour y accorder de l'importance. Il savait qu'il allait mourir. Sa femme, la mère de ses enfants, était dévouée : elle l'accompagnerait jusqu'au bout. La naissance des garçons perpétuerait son nom. Cette perspective eut sans doute raison de ses interrogations.

En 1958, un an après la naissance des jumeaux, l'hôpital universitaire fit l'acquisition d'une des premières machines cœur-poumon disponibles sur le marché. Le docteur Sil-verberg affirma à Mickey qu'il allait être sauvé. C'était un miracle, bien sûr. Digne d'une résurrection.

Peu après, l'épicerie ouvrit ses portes. Les conditions du bail de sept ans étaient très avantageuses. Ils avaient sup-posé que le propriétaire, ce bon vieux Kariatis, désirait sim-plement louer les murs à quelqu'un de fiable. Mais le notaire de Mickey fit une découverte troublante : Kariatis était un homme de paille. En réalité, les locaux appartenaient depuis belle lurette à ZP. Le loyer dont ils s'acquittaient dépassait à peine la moitié de ce que Zeus demandait aux enseignes voisines. La générosité du magnat déclencha la fureur de Mickey. Lidia n'osa pas lui demander les raisons d'une telle rage. Elle avait déjà compris les déductions auxquelles s'était livré son époux.

Jusqu'à aujourd'hui, elle était persuadée que Zeus igno-rait sa paternité. Au sein de la paroisse, la naissance des jumeaux fut attribuée à un regain de vitalité du moribond. Le P-DG de ZP avait juste accordé un dédommagement symbolique à Lidia pour son incartade.

À *l'exception des crises de colère de Mickey sitôt qu'il entendait prononcer le nom de Zeus, leur vie demeura stable. Les événements passés, la maladie furent relégués au rang d'un océan lointain et inoffensif, contemplé depuis la falaise de la bonne santé.*

Puis elle entendit des rumeurs à propos de Cass et Dita. Elle attendit que leur amourette prenne fin, mais son fils était de toute évidence tombé sous le charme de la jeune fille. Selon Angelikos, le joaillier, Cass était passé à la bijouterie quinze jours auparavant pour choisir une bague. Lidia n'en dormit pas de la nuit. Comment un accident ponctuel pouvait-il se répercuter ainsi sur la génération suivante ?

Lidia se serait arraché la langue plutôt que de dévoiler la vérité à ses enfants ou à Zeus. La générosité du grand homme serait exemplaire, mais Mickey en souffrirait. Peut-être pouvait-elle confier son secret à Teri ? Celle-ci douterait probablement de son récit, surtout qu'elle savait à quel point son amie méprisait Dita. Pire, elle se sentirait obligée d'en parler à son frère. La meilleure solution consistait à s'adresser directement à Dita. Si elle refusait de rompre avec Cass, alors Lidia se résoudrait à aller voir Teri.

À 18 heures, tandis que le pique-nique se termine, les cieux se déchaînent. Les invités courent dans tous les sens. Beaucoup d'entre eux se réfugient à l'arrière de la maison, où plusieurs salles de bains sont disponibles. Lidia prévoit de les imiter. Elle explique à Cass que Teri la raccompagnera en voiture, et raconte l'inverse à son amie. Dans la villa, elle profite de la confusion ambiante pour franchir le cordon de velours, tendu entre deux étançons en laiton, qui interdit l'accès aux étages. Elle pénètre dans la chambre de Dita, située au premier. Des poupées de chiffon se dessinent sur la tapisserie. Étrange décoration, songe Lidia. Dita a tout de même vingt-quatre ans. Elle déniche un magazine, se rend à la salle de bains, s'assoit sur les toilettes, puis se relève pour s'examiner dans le miroir. Elle teste à nouveau le pouvoir de son regard ténébreux. Elle croit en sa force de persuasion.

24.

Arbre généalogique – 10 mars 2008

Zeus avait laissé beaucoup d'argent à sa sœur. Teri, en femme d'affaires avisée, avait investi dans le foncier avec son frère. Son appartement était trop grand pour une personne seule, en particulier pour quelqu'un qui avait du mal à voir et à se déplacer. Teri était en quelque sorte enfermée dans une prison dorée, entourée par les objets de valeur qu'elle avait accumulés au cours de son existence. Hal prétendait qu'elle ne s'en séparerait jamais. Il la comparait à ces pharaons, prêts à être enterrés avec l'ensemble de leurs possessions.

Elle résidait à proximité du centre-ville, dans l'un de ces vieux immeubles somptueux, style Art déco, érigés dans les années 1920 en bordure du fleuve. La façade s'ornait d'arches calcaires du plus bel effet. Les ornements extérieurs se coiffaient d'un toit en tuiles rouges. L'appartement évoquait un œuf de Fabergé. Les dorures étaient omniprésentes : des cadres de photos jusqu'aux pieds de table, en passant par la surface feuilletée des innombrables verres de collection. Les bibelots hétéroclites auxquels Teri accordait une grande importance s'entassaient dans plusieurs boîtes. Les bijoux africains côtoyaient les boutons en os de baleine et les anciens jouets d'enfants. Bien entendu, les ustensiles érotiques ne manquaient pas.

Elle avait consacré une immense malle à divers godemi-
chés. L'alibi de la tradition grecque n'avait pas empêché
son neveu de s'indigner. Sitôt qu'il avait aperçu le contenu
du coffre, il l'avait recouvert d'un grand foulard.

Teri avait accepté de rencontrer Evon sans poser de
question. Tim désirait assister à l'entretien, mais la responsable l'en avait dissuadé sous prétexte qu'elle avait
noué des relations privilégiées avec la vieille femme. Le
détective n'eut pas droit à d'autres explications.

« Alors, quoi de neuf ? » Teri savourait le whisky-soda
que son domestique, Germain, lui avait préparé d'office.
Installée sur le grand divan Chesterfield à fleurs, elle tenait
sa canne à la manière d'un sceptre. Bien qu'elle fût chez
elle, la vieille dame avait gardé son épais maquillage ainsi
que ses bijoux. Evon sentait son parfum même à trois ou
quatre mètres de distance. Sur la table basse parsemée
de feuilles d'or, Teri avait disposé ses accessoires dans un
ordre précis, de façon à pouvoir les trouver sans hésitation.
D'abord les télécommandes de la télévision et de la chaîne
stéréo, puis le téléphone sans fil, sa boisson, et enfin la clo-
chette dorée dont elle se servait pour appeler Germain.

« Les analyses ADN ont dévoilé des résultats inatten-
dus », annonça Evon.

Teri mordit ses lèvres écarlates. Elle ne cachait pas son
trouble.

« Merde. Juste ce que je craignais.

— Était-ce la raison pour laquelle vous souhaitiez la fin
des hostilités ? »

La vieille femme ne répondit pas. Elle secoua sa chevelure couleur paille.

« Quel gâchis. Bon, allez-y, dites-moi tout. »

Evon détailla le protocole d'identification génétique,
puis expliqua comment l'examen des preuves s'était trans-
formé par hasard en test de paternité. Teri l'interrompit.

« Cessez de tourner autour du pot, ma chère. »

La responsable avait l'intuition qu'elle n'était pas la
seule à tergiverser.

« Eh bien, Zeus n'est pas le père de Hal. Du moins pas son père biologique.

— Merde, répéta Teri. Vous n'avez pas l'intention de le lui dire, n'est-ce pas ?

— Je suis là justement pour en décider. Tim et moi pensons que c'est une mauvaise idée.

— Je suis sacrément d'accord. Il serait anéanti. Alors, silence.

— Si la situation s'aggrave, nous voulons être en mesure de nous justifier. De certifier que nous en avons discuté avec vous et que, d'un commun accord, nous avons jugé qu'il serait dans son intérêt d'ignorer l'information.

— Il vous faut un bouc émissaire, hein ?

— Je n'emploierais pas cette expression.

— Peu importe. Vous devez vous taire. Point. » Teri s'agita. Elle paraissait hermétique aux conséquences d'une telle omission. « Vous vous demandez sans doute de qui il s'agit, poursuivit-elle.

— Je ne suis pas sûre que mon rôle aille jusque-là.

— Eh bien, je vais quand même vous l'apprendre. Vous comprendrez ainsi comment tout a commencé et pourquoi Hal ne doit rien savoir. Vous connaissez probablement cette histoire à propos de mon frère, la légende selon laquelle ce grand héros a failli mourir dans un hôpital militaire pendant la Seconde Guerre mondiale.

— Hal en parle sans arrêt.

— D'une certaine façon, cette anecdote est vraie. Cependant, Zeus n'était pas à l'étranger. Il était ici, à l'entraînement. Et il a attrapé les oreillons.

— Comme les enfants ?

— Oui, sauf que la maladie est grave quand elle se déclare chez les adultes, en particulier chez les hommes. L'un de ses supérieurs, un compatriote, a contacté mon père. Nous avons pris le train pour Fort Barkley, au Texas. Zeus était au plus mal. Quarante de fièvre, le visage aussi gros qu'une pastèque, les testicules enflés comme des prunes de Damas. J'y ai jeté un coup d'œil quand mes parents n'étaient pas là. Une vision terrifiante. Quoi qu'il en soit, il s'en est sorti. Les docteurs nous ont toutefois affirmé qu'il avait de fortes chances d'être devenu stérile.

» Alors, quand il est revenu avec Hermione et Héraclès, je me suis doutée qu'un truc clochait. Il a distillé son histoire au fil du temps. Hermione est une Vasilikos, vous êtes au courant ?

— La mafia grecque, hein ?

— Tout à fait. Mon père, un abruti de première, rêvait d'appartenir à l'organisation. Il fréquentait les mauvaises personnes à Athènes et Zeus s'y est rendu pour leur présenter ses respects. Hal était âgé d'environ un mois. La Famille lui a raconté que le père du gosse était un résistant mort au combat. La vérité, c'est qu'Hermione avait couché avec un officier allemand. Celui-ci avait pris la poudre d'escampette lorsque les Américains avaient botté le cul des chemises brunes. Mon frère ne laissait échapper aucune occasion. Hermione était un sacré petit lot, à l'époque. Alors il est revenu avec une épouse, un héritier, et une valise pleine de billets. En fin de compte, il ne s'en est pas si mal tiré.

» Mon frère était très attaché à Hal. Il savait qu'il n'aurait pas d'autre enfant. Les examens pratiqués ultérieurement ont confirmé le diagnostic de l'armée : sa numération était proche de zéro. Il a toujours feint de ne pas en être affecté. Mais pour un Grec tel que lui, genre Sisyphe, l'idée que ses valseuses auraient été plus utiles dans une paire de maracas était insupportable.

— Il avait quelque chose à prouver.

— Exact. Alors il a bâti son empire. Il a érigé des centres commerciaux, modelé des paysages et, bien entendu, sauté sur tout ce qui bougeait. Il a baisé celles qui disaient oui et celles qui se contentaient simplement de fantasmer sur une liaison. »

Aujourd'hui encore, Evon éprouvait une certaine fascination pour la légende sulfureuse du personnage, ami des mafieux et coureur de jupons. Le Zeus mythique qu'elle connaissait était celui que Hal avait créé, sans doute influencé par son père. Hal ne projetait pas de lui ressembler, mais plutôt de lui succéder en éternel second. Ironie du sort, constatait Evon, son patron était, en dépit de son côté immature, probablement le meilleur des deux. Si l'argent n'avait pas exacerbé ses pires penchants, les gens auraient vu en lui un type bien.

« Et Dita ? s'enquit la responsable.

— Oh, elle est de Zeus. J'ignore comment ils se sont débrouillés. Je crois que les médecins ont prélevé sa semence avec une sorte d'aspirateur. Ensuite, ils ont mis Hermione la tête en bas avant de réinjecter le tout.

— Vraiment ?

— Non, je plaisante. » Teri regarda autour d'elle. Sa cécité ne l'empêchait pas d'apprécier le bon tour qu'elle venait de jouer à son interlocutrice. « Il a subi une sorte de traitement. On a diagnostiqué un cancer du poumon à notre père au début des années 1990. À l'époque, déjà, les docteurs un peu futés incriminaient la cigarette. Nous fumions tous comme des pompiers. Zeus, mes parents et moi. Zeus s'est mis en tête que, s'il arrêtait net, mon père le suivrait. Mais notre père était trop stupide pour l'imiter. En dépit des efforts de son fils, il a préféré claquer. Apparemment, le tabac a aussi des effets sur la stérilité. Qui sait ? Toujours est-il qu'en 1956 une petite cruche que mon frère a sautée vient lui demander de l'argent pour un avortement. Il est persuadé qu'elle ment, mais plutôt que d'entrer en conflit avec elle, il se soumet à d'autres tests. Et tenez-vous bien, son sperme grouille de gentils asticots. D'où la naissance de Dita.

— Eh bien, elle n'est pas fille unique. »

À travers ses grosses lunettes turquoise, Teri essaya de discerner Evon, dont les traits s'évanouissaient dans le brouillard.

« La rémission de Zeus n'y est sans doute pas étrangère, présuma la vieille femme.

— Comment est-ce arrivé ?

— J'imagine qu'il a mis Popaul où il ne fallait pas, gloussa Teri. Quand on regarde derrière soi, on se rend souvent compte du nombre de trucs qui nous ont échappé. J'ai toujours su que mon frère et Lidia s'étaient entichés l'un de l'autre, quand ils étaient jeunes. Une relation sans avenir. Le contentieux entre les deux familles était trop ancien, trop important. Les parents de Lidia n'étaient pas des saints, ce qui ne les empêchait pas de mépriser les Kronon. J'avais seize ans la première fois que j'ai posé le pied chez eux. Lidia et moi préférions nous rencontrer à la bibliothèque, précisa Teri en prononçant "bibiothèque". Père Demos, le prêtre en charge du club ado à l'église, était sympa, quoiqu'un peu à la masse. Il parlait tout seul et les gamins en profitaient pour s'éclipser dans la salle de chant. On l'a tous fait, moi y compris. C'était comme jouer à Action ou vérité. Je me suis aperçue de mes préférences à cette époque. Les garçons me laissaient indifférente.» Ce souvenir amusa Teri, mais il s'agissait d'une bravade. Evon n'ignorait pas que, pour une femme de son âge, une telle confession demandait un courage extraordinaire.

«J'ai bien vu que Zeus et Lidia s'esquivaient plus souvent que les autres, reprit-elle. Quand mon amie a eu besoin de travail, vingt ans plus tard, j'ai estimé qu'ils étaient passés à autre chose. Lidia avait un cruel besoin d'argent. Son mari n'était guère vaillant, avec ses problèmes cardiaques.

» Lidia m'avait raconté son aventure avec mon frère plusieurs années auparavant. Son récit suggérait qu'il avait abusé de la situation. Malgré mes questions, elle ne m'a jamais dit combien de fois cela s'était produit.» Teri émit un bruit crépitant. Elle aimait la façon dont le sexe rendait les gens idiots. Son obstination à prendre le parti de son frère reflétait un attachement désuet aux traditions. En réalité, Lidia n'avait pas le choix. Sa famille comptait sur elle. Zeus, lui, se conduisait en parfait salaud. «Elle est tombée enceinte de lui, conclut la vieille dame. Elle n'en a pas soufflé mot à l'intéressé, ne m'en a pas parlé non plus, sans doute pour éviter de me mettre dans une posture délicate.

— Et Mickey, son mari ? Il savait ?

— Eh bien, vu son état, la grossesse de Lidia a étonné tout le monde. Il paraissait néanmoins content. Quand j'ai appris la vérité, j'ai songé à quel point il était naïf. Les premiers mois, Lidia prétendait qu'il était encore capable, à l'occasion, de tenir une minute ou deux. Son attitude me semblait suspecte. Elle a dû trouver les arguments pour le convaincre. Comment savoir à quoi les gens se raccrochent ?

» L'opération chirurgicale de Mickey a été un succès. Il a donné une fête digne de celle organisée pour la naissance des jumeaux. L'alcool aidant, il a commencé à raconter qu'ils n'étaient pas de lui. Lidia, qui devenait pourtant enragée lorsqu'elle était en colère, s'est juste mise à pleurnicher. "Pourquoi tu dis des horreurs pareilles, Mickey ? Ce sont tes enfants, tu le sais bien. Inutile de répandre de tels mensonges." Ses sanglots se sont transformés en gémissements. Elle l'a supplié de lui pardonner. Quelques années plus tard, quand Mickey s'est disputé avec mon frère, il n'a pas évoqué la possibilité qu'ils aient couché ensemble. Raison supplémentaire pour garder le silence. Vous imaginez le bouleversement ? Non seulement mon neveu est né de père inconnu, mais les jumeaux sont les fils de Zeus. Ce sera un cataclysme. »

Evon partageait l'avis de Teri. À la douleur de Hal s'ajouteraient les complications juridiques liées à l'héritage. Le parton de ZP se lancerait dans l'une de ses croisades insensées dont il avait le secret. Ils se mirent d'accord pour mentionner uniquement l'absence de Cass et de Paul sur la scène de crime. Hal serait trop énervé pour demander plus de précisions. Il était en outre préoccupé par l'accord YourHouse. Les banquiers émettaient des doutes. Le P-DG et ses avocats auraient dû clore la transaction plus tôt.

« Si on est obligés de lui avouer que le sang est celui d'une femme, ajouta Evon, il ne s'en tiendra pas à cette révélation. Il exigera de connaître l'auteur du meurtre et le rôle de Lidia dans cette affaire. »

Teri s'agita sur ses coussins de soie. Une fois encore, elle tentait de distinguer son interlocutrice.

« Pourquoi Lidia ?

— Le sang lui appartient sûrement. Les jumeaux sont de groupe B et votre frère est innocent. Lidia portait une bague universitaire qui correspond à la marque circulaire détectée sur la joue de la victime. Et vous comprenez maintenant à quel point elle était désireuse d'interrompre la relation des jeunes amants. Tim et moi commençons à nous demander si Cass n'a pas plaidé coupable pour protéger sa mère. »

Teri plissa ses lèvres carmin. Elle secoua énergiquement la tête.

« Lidia n'a pas tué ma nièce.

— Qui, alors ? Cass ?

— Je ne suis pas plus avancée que vous, ma chère. Je n'étais pas sur les lieux. Mais Lidia et moi sommes amies depuis toujours. Je suis au courant de ses secrets les plus intimes. Elle n'a rien à voir avec cet assassinat. Je suis prête à la défendre devant Hal. Elle se disculperait en personne si elle le pouvait, la pauvre. Je vais encore la voir lorsque j'en ai le courage. Les aides-soignants l'habillent comme une poupée, la promènent. Son cerveau ressemble à de la pulpe de melon. J'en ai le cœur brisé. Elle arrive encore à parler, sauf qu'elle répète la même phrase cinq fois par minute. En tout cas, elle n'est pas impliquée. »

Evon marqua un temps d'hésitation. À l'évidence, la vieille femme éludait certains détails. Elle paraissait résolue à se taire et la responsable ne disposait pas de l'autorité nécessaire pour la faire parler.

Teri changea de sujet :

« Je croyais que vous me contactiez pour une autre raison. Hal était furieux après vous. Il m'a rapporté vos déboires sentimentaux. Selon lui, vous désiriez obtenir des conseils, de lesbienne à lesbienne. »

Evon éclata de rire. La franchise de la vieille femme était réjouissante. La responsable était néanmoins gênée.

L'esclandre de Heather s'était manifestement ébruité dans les locaux de ZP. Elle ne se serait jamais épanchée devant son patron.

« Mon amie est venue chez moi cette nuit. J'ai porté plainte.

— Oh, ma chère. Sale période.

— En effet. C'était peut-être ma dernière histoire d'amour. Vous avez bien survécu au célibat.

— Je ne sais pas. J'ai toujours douté des propos d'Aristote, quand il prétend que l'amour est une âme qui habite deux corps. Si vous pensez que je préfère le whisky-soda et la cigarette à un vieil enquiquineur, vous vous trompez. Et laissez-moi vous dire autre chose. » Elle prononça quelques mots en grec.

« Ce qui signifie ? interrogea Evon.

— C'est une citation de Socrate. "Une bonne épouse fera ton bonheur. À défaut, tu deviendras philosophe." »

Evon était encore en train de rire lorsque Germain entra dans la pièce. Les médecins avaient conseillé une sieste quotidienne à Teri. Celle-ci bougonna mais se prépara à congédier la responsable. Evon fit le tour de la table basse pour enlacer la vieille femme. Elle sentit son parfum entêtant. Teri approcha son visage de sa joue.

« Comme vous êtes gentille. »

Hal était occupé à crier au téléphone quand Evon et Tim entrèrent dans le bureau, le lendemain après-midi. L'échange suggérait qu'il s'adressait à l'un de ses banquiers. Le détective se posta à la fenêtre pour admirer le paysage depuis le quarantième étage. Il avait presque toujours vécu au ras du sol. Deux étages maximum, quatre si l'on comptait le temps passé au commissariat. Il se sentait dans la peau d'un jeune homme de la campagne découvrant avec excitation l'étendue des Tri-Cities *via* l'immense baie vitrée de ZP. Le fleuve Kindle, réduit à un ruban de satin dans la lumière du jour, serpentait dans la cité. Lovés dans les arborescences du cours d'eau, les immeubles de la ville se dressaient à ses pieds. De cette hauteur, ils ressemblaient à des jouets d'enfants où la vie grouillait néanmoins. Une pensée s'était insinuée en lui au fil des ans : tout bien considéré, les gens étaient amusants.

Evon le rejoignit. Elle désigna avec un rire sinistre une blatte qui avait réussi à se glisser entre les panneaux du double vitrage. L'insecte était sur le dos. Ses pattes s'agitaient dans le vide tandis qu'il essayait de se retourner.

« Défaut de construction, constata le détective.

— Ouais. À vous briser le cœur. »

Tim lui tapota l'épaule en un geste amical.

Hal raccrocha d'un coup sec.

« J'ai connu des plantes qui avaient plus de jugeote que les banquiers », décréta-t-il. Il les invita à s'installer sur le divan. Evon prit la parole en premier :

« Je sais que vous êtes occupés, alors je vais faire vite. Nous avons les résultats des analyses ADN. Le sang n'appartient pas à Paul. »

Hal soupira et jeta son stylo sur la table.

« Zut. » Il répéta le mot plusieurs fois, puis ajouta : « C'est donc celui de Cass ?

— Non plus. Aucun des deux. »

La responsable était penchée en avant, les coudes sur les genoux. Elle jouait gros, songea Tim.

Les traits du P-DG se figèrent. Il cligna des yeux, manifestement surpris par cette information inattendue.

« Ni l'un ni l'autre ? »

Evon confirma.

« Vous m'expliquez que Paul a abandonné une poursuite susceptible de les innocenter, lui et son frère ?

— Nous n'affirmons pas qu'ils sont innocents. C'est juste une éventualité. Il nous reste quand même les empreintes de Cass, les traces de chaussures, de pneus, l'échantillon de sperme. Difficile de conclure à son absence.

— À qui est le sang, alors ?

— Nous n'avons aucune certitude à l'heure actuelle. Nous possédons les profils des membres de votre famille et ceux des jumeaux : ils ne correspondent pas aux résultats.

— C'est tout ? Yavem n'a rien dit d'autre ? Pas moyen d'identifier plus précisément l'intrus ? »

Evon et Tim échangèrent un regard. La responsable se lança :

« Le sang appartient à une femme.

— Une femme ? » Hal s'adossa à son fauteuil, la bouche ouverte. « On peut savoir qui ?

— Vraisemblablement Lidia Gianis. » Elle exposa sa théorie, parla du sang, de la bague.

« Tatie Lidia a tué ma sœur ?

— Une hypothèse à prendre en compte.

— Non, impossible, répliqua Hal. Ma tante était une femme solide et intransigeante. Elle était bien capable d'infliger une correction à Dita si elle dépassait les bornes. Mais de là à lui fracasser le crâne sur une tête de lit... Je ne marche pas. Et en admettant que vous arriviez à me convaincre, elle n'aurait jamais laissé son fils aller en prison à sa place. La mère grecque dans toute sa splendeur. Elle mourrait pour ses enfants.

— Quoi qu'il en soit, les éléments dont nous disposons l'accusent. Cass et elle sont peut-être complices. Le fils a plaidé coupable pour limiter les dégâts.

— Pourquoi aurait-elle assassiné ma sœur ? D'accord, elle désapprouvait leur relation. Dans ce cas-là, elle aurait plutôt frappé Cass. Cette histoire est ridicule. Et on ne trouve rien sur Paul ? Aucune trace ?

— On ne sait pas, Hal. Paul est le seul que rien n'incrimine.

— Sauf le mensonge qu'il a raconté à la police pour couvrir son frère.

— Si Lidia a tué votre sœur, il n'a pas menti. »

Le P-DG fit pivoter son imposant fauteuil en cuir, s'empara du stylo et le jeta à l'autre bout de la pièce. Il se ressaisit. Une nouvelle idée venait de germer dans son esprit.

«Rien n'incrimine ma tante non plus. Enfin rien de sérieux. Les échantillons de sang ne prouvent pas grand-chose. Le groupe B est répandu. On peut avoir ses empreintes digitales?»

Evon adressa un bref coup d'œil à Tim. Celui-ci haussa les épaules. Le coup était jouable.

«Bon», conclut Hal. Il congédia ses employés d'un geste de la main.

Evon repassa au bureau de son patron une heure plus tard. Il avait laissé ouvert. Elle l'aperçut, incliné dans son fauteuil, les mains derrière la tête. Elle tapota la porte. Les yeux globuleux et rougis du P-DG se tournèrent vers elle. Il eut un petit sourire forcé et reporta son attention sur le mur en face de lui.

«Je repensais à quand nous étions gamins, fit-il. Teri m'emmenait chez Lidia et j'allais chercher les jumeaux. À vrai dire, je les enviais.»

Cette évocation, pourtant typique des moments de rêverie auxquels s'adonnait son employeur, provoqua un bref sentiment de panique chez Evon. Elle se rendit compte aussitôt qu'il n'avait aucun moyen de connaître la vérité et que, de toute manière, elle ne la lui révélerait pas.

«Ils avaient quinze ans de moins que moi, continua-t-il. Ils me suivaient partout comme des chiots. Malgré tout, quand je les voyais ensemble, j'éprouvais une certaine jalousie. Ils ne seront jamais seuls, songeais-je. Jamais. J'avais l'impression qu'ils possédaient un trésor inesti-mable. À leur âge, j'étais le grassouillet de l'école, le type bizarre que personne ne voulait fréquenter.»

Hal sourit. La responsable sentait que les blessures des jeunes années ne s'étaient pas refermées. «J'aurais voulu être à leur place, avoir moi aussi un frère jumeau. Quelqu'un qui ne m'aurait ni haï ni méprisé ou délaissé car il était à mon image. J'en souffre encore aujourd'hui. Dingue, non?»

L'avant-veille, Evon avait regagné son domicile en bus. Une averse inattendue s'était déclarée. Des gouttes de la taille de grains de raisin martyrisaient l'asphalte. Heather était blottie sous la marquise de l'entrée. Cet abri de fortune ne la protégeait guère des méchantes bourrasques. Ses cheveux pendaient en mèches détrempées sur son visage. Son couvre-chef et son manteau étaient tout éclaboussés. Il fallut un moment à la responsable, tandis qu'elle marchait d'un pas furieux vers son amie, pour se rendre compte du changement. L'ancienne amante avait assorti sa teinte de cheveux à celle d'Evon. Elle avait en outre revêtu un épais sweater de façon à paraître plus enrobée. Elle portait un chapeau mou identique au sien, ainsi que l'imperméable Burberry qu'elles avaient acheté ensemble. Pour peu que la jeune femme eût consenti à raccourcir ses jambes d'une dizaine de centimètres, la ressemblance aurait été parfaite. Une peur aussi soudaine qu'irrationnelle s'était emparée de la responsable. Son ex-compagne avait-elle subi quelque opération de chirurgie esthétique afin de parachever les similitudes ? Heather s'était avancée. Elle affectait la démarche de l'ancienne policière, les jambes légèrement arquées. Dans l'esprit d'Evon, la stupéfaction l'avait disputé à la colère. Ce mimétisme incarnait-il les élans du cœur selon la jeune femme, ou bien constituait-il l'ultime stade d'une dépendance abjecte ? Heather imaginait peut-être qu'en gommant sa personnalité d'une façon si radicale elle se conformait aux désirs de la responsable et accédait à l'essence de l'amour : deux égalent un.

Evon l'avait informée qu'elle comptait obtenir une ordonnance restrictive, puis était entrée dans son immeuble avant de changer d'avis.

« Je ne sais pas, dit-elle à Hal. Les jumeaux ont parfois du mal à se supporter.

— Oui, mais ils sont proches la plupart du temps. Une sensation merveilleuse. Moi, je n'ai même plus ma sœur. »

Il secoua la tête et ils se mirent au travail.

25.

Foyer Saint-Basile – 12 mars 2008

Le foyer pour personnes âgées était géré par l'archidiocèse orthodoxe. Il jouissait d'une réputation flatteuse. L'établissement ressemblait à une vieille école : un vaste bâtiment de deux étages en briques ocre entouré d'un parc entretenu à la perfection. Ironie du sort, Lidia avait accédé à ces services grâce à la générosité des Kronon et de deux ou trois autres familles aisées. Plusieurs anciens voisins de Tim y avaient été admis. Aucun résident n'avait jamais formulé la moindre réserve, à l'exception de la plus évidente : on ne ressortirait d'ici que les pieds devant.

Evon avait mis un certain temps à convaincre Tim. Pour une raison mystérieuse, les Gianis cachaient une partie de la vérité aux Kronon et aux enquêteurs. Il n'y avait rien d'inconvenant à chercher des réponses à des questions qui auraient dû être résolues depuis belle lurette. Les arguments de la responsable étaient bons, mais l'idée d'abuser de la faiblesse d'une vieille dame gênait Tim.

«Je viens rendre visite à Lidia Gianis», annonça le détective au bureau d'accueil.

La jeune réceptionniste était de toute évidence une étudiante bénévole. Plusieurs mèches violettes parsemaient sa frange. Elle parlait au téléphone. Le combiné contre son oreille, elle interrogea :

«Vous vous appelez ?
— Tim Brodie. Un ami des bancs d'église. »
Elle lui donna le numéro de la chambre et lui indiqua le chemin. Tim boitilla le long du couloir avec une pensée en tête : quand donc s'installerait-il à son tour dans un endroit semblable, imprégné, malgré l'aération des locaux, de l'odeur piquante de désinfectant et de celle, troublante, de la déchéance et de la mort ? Les lieux étaient cependant accueillants. Décoration de style colonial, pilastres en bois à l'entrée, chaises à dossiers en forme de cœur et divans confortables à la réception. Cet ameublement aux motifs précieux était digne de *Maisons et jardins*. Il passa devant la chapelle avec ses sièges immaculés et son retable en bois de noyer. Le bâtiment était d'une taille conséquente. Trois icônes, longues silhouettes médiévales sur des prés d'herbe fraîche, se dressaient de part et d'autre de l'autel, lui-même surmonté d'un crucifix et de vitraux.

Comme il continuait à progresser dans le couloir, il entendit les échos d'une musique classique. Il se laissa guider jusqu'à la salle commune. Les vieux pensionnaires, féminins pour la plupart, étaient tournés vers une jeune violoncelliste asiatique. L'instrument entre ses jambes, elle égrenait des notes aussi douces qu'une brise matinale. Brahms était un véritable cadeau. Il rappelait à l'assistance le pouvoir éternel et impartial de la beauté. Tim en fut profondément ému. Il écrasa une larme avant de reprendre sa route.

Lorsqu'il arriva devant la chambre de Lidia, il demanda à l'une des employées qui circulait en blouse d'appeler l'infirmière. Une Noire corpulente vint à sa rencontre. Elle avait les cheveux courts et son visage s'illuminait d'un large sourire. Une hanche abîmée l'obligeait à se dandiner. Tim se présenta. Elle lui serra chaleureusement la main. Une bonne âme.

«Je m'appelle Eloise. En général, c'est moi qui m'occupe de Lidia.
— Elle est visible ?

— Oh, oui. Elle s'apprête tous les jours. Elle adore les visites. »

Eloise l'invita à la suive. Elle marqua une pause, la main sur la poignée argentée de la porte. « Si elle s'énerve, ne faites pas attention. Les accès de démence rendent parfois les gens cruels. » Elle poussa la porte avec sa hanche en bon état.

La chambre de Lidia avait le standing d'un bon hôtel. Tapisserie pastel, moquette épaisse. Les rideaux s'ouvraient sur des voilages transparents. Un drap à fleurs recouvrait les lits jumeaux. Lidia était assise dans un fauteuil inclinable beige, un plaid sur les genoux. Une grande fenêtre dans son dos laissait pénétrer la douce lumière du jour. Elle avait les yeux fixés sur les nuances grisâtres d'un poste de télévision. Tim reconnut les dialogues de *New York, Police judiciaire.* Le regard jadis ténébreux de la vieille dame était désormais vitreux, hésitant. Il demeurait, pour ainsi dire, dénué de toute expression. Elle était beaucoup plus maigre que dans son souvenir. Ses joues se creusaient sous le maquillage. La détérioration de ses facultés mentales paraissait comprimer son crâne. Cette vision était un crève-cœur. Lui non plus n'échapperait pas à la déchéance. L'ascension et la chute. Le cycle de la vie. Sa petite-fille, Stefanie, l'avait appelé hier pour lui annoncer qu'elle était enceinte. Tim était encore sonné par la nouvelle.

« Bonjour Lidia, articula Eloise. M. Brodie est là. Il vient vous voir. Vous êtes très en beauté aujourd'hui. N'est-elle pas exquise, monsieur Brodie ? »

Tim ne put qu'acquiescer. Il était toujours réticent à complimenter une autre femme que son épouse.

« Vous portez le bracelet que vos fils vous ont offert pour la Saint-Valentin », poursuivit l'aide-soignante. Elle se tourna vers Tim. « Lidia ne quitte pas ses bijoux. »

La grabataire baissa ses yeux vides sur son poignet. Elle étudia l'ornement comme s'il venait d'apparaître. Enfin, elle toisa le détective.

« C'est mon mari ? demanda-t-elle à l'infirmière.

— Oh non, trésor. Juste un ami. »

Eloise redressa la pensionnaire sur son siège. « Je vous laisse. Je ne suis pas loin, si vous avez besoin de moi. »

Tim s'installa sur une chaise à accoudoirs en face de Lidia.

« Je vous ai déjà vu ? s'enquit-elle.

— C'est moi, Tim Brodie. Nous nous sommes connus il y a longtemps, à Saint-Démétrios.

— Aucun souvenir. J'ai eu une attaque. Ma mémoire n'est plus ce qu'elle était.

— Eh bien, la mienne non plus. »

Tim avait passé trente ans dans la police, vingt-cinq comme détective privé. Il avait participé à nombre d'interrogatoires délicats. Des gosses, des handicapés mentaux et, bien entendu, des parents endeuillés. Cette entrevue constituait toutefois une première. Il ignorait par où commencer.

La table de chevet comportait des clichés des deux filles de Lidia, des jumeaux et d'un tas d'enfants.

« Qui sont tous ces gamins ? demanda-t-il.

— Aucune idée. L'infirmière a posé les photos là. Ils sont mignons. »

L'enquêteur s'empara d'une des images. Une photo de groupe : les deux garçons de Paul et les filles des aînées.

« En effet, vos petits-enfants sont charmants. »

Tim était sincère. Les Gianis avaient toujours été beaux. Lidia fronça les sourcils. « Ce sont mes petits-enfants ?

— Charmants, répéta Tim. Tous.

— Ma fille est une vedette du cinéma.

— Je sais. » La vieille dame parlait d'Hélène, sans doute la femme la plus séduisante qu'il ait rencontrée. On racontait qu'elle avait un sacré tempérament. Elle n'avait effectué qu'une brève apparition dans un feuilleton. La rumeur prétendait qu'elle en était à son quatrième ou cinquième mariage, ce qui faisait d'elle une quasi-prostituée, d'après la vision étriquée des paroissiens de Saint-Démétrios.

« Ce sont des gens adorables. J'ai un fils, vous savez ?
— Deux, je crois. » Il tapota la photo des jumeaux. Le cliché était récent. On y distinguait Paul, avec son nez bosselé, et Cass à côté de lui, légèrement plus grand.

« De vrais sosies, constata Lidia. Impossible de les différencier. »

Tim approuva.

« Ils viennent souvent me voir, continua la pensionnaire. L'un d'eux est célèbre, comme ma fille. Il est acteur ? Tout le monde l'aime, ici. »

Tim précisa à son interlocutrice que lui aussi connaissait Paul, puis orienta la discussion sur Cass. Il espérait obtenir des informations utiles. Ce type ressemblait à un avion furtif. Il apparaissait et disparaissait à son gré.

« Oh, oui. Ils sont si gentils, tous les deux.
— Et Cass ? Il me semble qu'il a eu des problèmes, non ? »

Lidia hésita une seconde avant de secouer la tête. « J'ai eu une attaque. Ma mémoire n'est plus ce qu'elle était. » Elle leva la main, fixa son bracelet, puis reporta son attention sur Tim. « Qui êtes-vous ? On s'est déjà vus ?
— Tim Brodie, ma chère. Je pensais qu'on pourrait jouer à un petit jeu, vous et moi. Tenez, regardez. »

Il fouilla dans sa poche et en sortit un tampon céramique ainsi qu'un jeu d'étiquettes prétraitées. Il lui montra comment poser sa main sur le tampon pour faire apparaître, comme par magie, les empreintes palmaires. Elle expérimenta le procédé pendant plusieurs minutes avec un amusement juvénile. Elle ne protesta pas lorsqu'il fit rouler ses doigts sur les étiquettes.

La vieille dame lui rappelait Maria, à la fin de sa vie. Elle avait de nombreuses absences et ne parvenait à s'exprimer qu'au prix de mille difficultés. Son épouse était la femme la plus attentionnée du monde : elle avait empli leur foyer d'amour, avait illuminé son existence. Pourtant, au seuil de la mort, elle était devenue désagréable, acerbe. Elle n'hésitait pas à élever la voix, à lui adresser des reproches abusifs.

À l'époque, la douleur était insupportable. Sa disparition était d'autant plus cruelle que la maladie laissait pour ultime souvenir l'image de quelqu'un qu'elle n'était pas.

La vie était injuste, quand on y pensait. Les gens essayaient d'être honnêtes, établissaient des règles. Mais celles-ci s'avéraient inefficaces à l'épreuve de la réalité. Il se retrouvait à présent à jouer avec Lidia, de huit ans son aînée. Il avait encore toutes ses facultés alors que la vieille dame, elle, ne possédait plus qu'une infime fraction de sa personnalité, jadis fière et majestueuse. Il avait l'impression d'être un spectateur lointain de son déclin. Impossible d'ignorer que Lidia avait été une jeune femme remarquable. La vie pulsait en elle à un rythme hypnotique. La contempler revenait à se perdre dans une spirale de Fraser : un vertige sans fin.

« Vous êtes mon mari ? l'interrogea-t-elle tandis qu'il remettait le kit d'empreintes dans sa poche.

— Non, Lidia. Juste un ami.

— Je ne vois plus beaucoup mon époux. Je pense qu'il m'en veut encore. » Mickey était décédé depuis vingt ans. Tim se souvenait combien il avait été effrayé par l'opération à cœur ouvert. La technique était balbutiante, en 1959. Il s'en était sorti comme un chef. Trente ans plus tard, le remplacement des valves porcines était une intervention de routine. Cependant, Mickey avait fait un arrêt cardiaque sur le billard.

« Pour quelle raison vous en voudrait-il ?

— Il n'a pas fourni d'explication. Mais il était furieux contre Zeus.

— À propos de quoi ? »

Elle marqua une pause.

« Une idiotie. Je ne m'en souviens plus, excusez-moi. J'ai eu une attaque. Ma mémoire n'est plus ce qu'elle était. »

Tim faillit éclater de rire. Malgré son handicap, elle demeurait roublarde.

« Pourquoi Mickey était-il furieux contre Zeus ? insista-t-il.

— Mickey?»

Tim réfléchit un instant, puis reprit :

«Lidia, Zeus savait-il qu'il était le père de Paul et de Cass?

— Oh, non.» Elle porta la main à sa poitrine. Les pensées semblaient se bousculer dans sa tête avant de s'éloigner, comme prises dans les tourbillons d'une cascade. Elle étudia encore son poignet. Le détective se rendit compte qu'elle observait sa main droite.

«Quel joli bracelet! Verriez-vous un inconvénient à ce que je le regarde de plus près?»

Il prit la main de la vieille femme. Il avait remarqué la bague lors du relevé d'empreintes. Elle était trop grande à présent. La pierre enchâssée ainsi que les numéros gravés pendaient vers le bas. À l'époque où elle pesait vingt kilos de plus, cet anneau devait être bien ajusté. Suffisamment pour avoir laissé une marque sur le visage de Dita.

Il découvrit une cicatrice sous le bracelet, une bonne dizaine de centimètres au-dessus de l'articulation. La ligne claire courait sur la chair, tel un cours d'eau incertain sur une carte topographique. C'était cette lésion et non le bijou lui-même qu'elle regardait sans arrêt.

«Comment vous êtes-vous blessée, très chère?»

Lidia leva son avant-bras pour l'examiner.

«Ah, ça? Je me suis coupée.

— Dans quelles circonstances? Vous vous en souvenez?»

Elle invoqua de nouveau une perte de mémoire, sans cesser de fixer son membre.

«Qui a recousu la plaie?» interrogea Tim. On distinguait encore les pointillés de part et d'autre de la suture. Un travail de professionnel. Quand Zeus avait appelé Tim à la rescousse, l'enquête piétinait. Les policiers, focalisés sur leurs luttes intestines, n'avaient pas vérifié auprès des urgences l'admission de blessés éventuels. Le détective avait ratissé tous les services dans un rayon de cinquante kilomètres. Plusieurs patients souffrant de coupures avaient été accueillis dans la nuit de dimanche à lundi, mais aucun d'entre eux n'était lié à leur affaire.

Tim effleura la boursouflure.

« Vous avez été soignée par un médecin.

— Je crois que c'était cette fille.» Lidia gardait le bras en l'air. Tim le baissa en douceur.

« Quelle fille, très chère ?

— Vous la connaissez.» Elle eut un sourire espiègle. « Très intelligente. Et tellement gentille. Elle est devenue chirurgien.»

Le détective essaya de se rappeler à quel moment Sofia Michalis était revenue en ville après son internat. L'agacement de Georgia, lorsqu'elle avait mentionné l'intérêt de Paul pour la jeune femme au pique-nique, lui revint à l'esprit.

« Oui, admit-il. Elle a bien réussi. C'est donc elle qui vous a recousue ? Sofia ?»

Lidia tenta d'ordonner ses pensées, en vain.

« Son nom m'échappe.» Elle s'excusa. Elle avait eu une attaque.

« Sofia est l'épouse de votre fils, Paul.

— Oh, oui, Paul. Tout le monde l'aime, ici.

— Est-ce que, par hasard, vous vous seriez blessée chez Zeus ?»

Les yeux de la pensionnaire se posèrent sur l'ancienne blessure. Elle toucha l'épiderme meurtri.

« Chez Zeus ? Vraiment ?» L'événement lui paraissait familier. Tim voyait à ses pupilles sombres et contractées qu'elle cherchait dans ses souvenirs. « Ma mémoire n'est plus ce qu'elle était.

— Vous vous êtes fait mal avant ou après avoir frappé Dita ?» demanda-t-il enfin.

Un minuscule fragment de lucidité resurgit. Le temps, sans doute, de s'en effrayer. Elle s'adossa à son fauteuil et ballotta sa tête couronnée de fines mèches grises.

« Avez-vous frappé Dita ? persista Tim.

— Qui est Dita ?

— La fille de Zeus. La fiancée de Cass. Vous êtes-vous battue avec elle, Lidia ? »

Elle continua à secouer la tête dans un mouvement qui ressemblait davantage à un geste de désespoir que de négation.

« Je ne peux pas en parler.

— Pourquoi ?

— C'est si vieux. Est-ce que je connais cet homme ? »

Elle désigna l'acteur Sam Waterson sur l'écran de télévision. Tim refusait d'abandonner.

« Avez-vous frappé Dita ?

— Je l'ignore. Vous devriez poser la question à mes fils. Ils en savent plus que moi. »

Le détective n'avait pas envie de démêler la logique tordue de Lidia : comment ses enfants pouvaient-ils savoir mieux qu'elle ce qui lui était arrivé ? Il se focalisa sur sa manière de bouger la tête, sur sa détermination à chasser les mauvais souvenirs. Il s'était promis de ménager son interlocutrice, de la traiter avec respect, mais ses résolutions avaient des limites.

« Lidia, avez-vous tué Dita Kronon ? »

Elle le dévisagea d'un air hébété. « Je vous connais ? »

Tim se présenta de nouveau. Elle évoqua l'attaque dont elle avait été victime.

« Qui a assassiné Dita ? répéta le détective.

— Quelle vilaine affaire ! » L'espace d'un instant, l'inquiétude se lut sur ses traits usés. « Cette fille était méchante !

— Qui ? Dita ?

— Elle parlait d'une façon horrible.

— Et vous l'avez supprimée ?

— Oh, non », gloussa-t-elle. L'idée lui paraissait aussi farfelue que si on lui avait demandé la date de son dernier voyage pour Jupiter. Elle fit tourner son poignet, comme pour évaluer l'étrange flot de pensées qui déferlait dans son esprit.

« Vous en êtes certaine ? » s'obstina l'enquêteur.

Cette fois-ci, il perçut un changement notable dans l'expression de la vieille dame. Son front se plissa. Elle retrouva en un éclair l'attitude cassante, presque féroce, typique de sa nature impétueuse.

« Ils ne m'ont jamais crue. Jamais.

— Qui, très chère ?

— Allez-vous-en. Je suis fatiguée. Je ne vous connais pas et vous me posez toutes ces questions gênantes. Partez. Qui êtes-vous, au fait ? » Elle jeta un coup d'œil à la porte.

« Comment s'appelle mon infirmière ?

— Eloise. »

Elle cria le nom de l'aide-soignante. En l'absence de réponse immédiate, elle s'empara de la télécommande et la lança sur son visiteur. Tim esquiva, mais le projectile lui heurta le crâne. Lidia en profita pour envoyer un coup de poing, qui manqua sa cible de loin. Choqué, Tim se leva, recula. Lidia l'invectivait encore lorsque l'infirmière entra dans la chambre.

« Je n'aime pas cet homme ! J'ignore qui il est ! »

Tim sortit de la pièce et attendit dans le couloir pendant qu'Eloise prévenait une consœur. Le détective vit arriver une petite Philippine d'un mètre soixante les bras levés. Elle semblait avoir un bon contact avec la pensionnaire. Eloise laissa les deux femmes ensemble et raccompagna Tim.

« En général, elle est très douce, même si elle déraille parfois. Je suis étonnée. Sans doute un vestige de son ancien tempérament. Les médecins avouent leur impuissance. Ces accès d'humeur surgissent à l'occasion chez les patients atteints d'Alzheimer.

— Pas de problème, la rassura Tim. Elle n'arrêtait pas de regarder son poignet droit.

— Oui, c'est une habitude. Le tic se reproduit une centaine de fois par jour. Ses enfants lui offrent des bijoux pour la distraire. »

Tim acquiesça. Les jumeaux lui avaient plutôt offert le bracelet dans le but de faire diversion. Personne ne penserait que Lidia observait sa cicatrice.

« A-t-elle jamais expliqué d'où lui venait la blessure ?
— Elle a parlé d'une vitre, une fois. Mais bon, les patients se contredisent du jour au lendemain.
— Elle est droitière, n'est-ce pas ?
— Oh oui. Certains malades ne parviennent même plus à se souvenir de quelle main prendre une cuillère. Pas elle. Une vraie droitière.
— Vous vous occupez d'elle depuis quand ?
— Lidia ? Eh bien, je dirais trois ou quatre ans, au moins. Elle n'était pas si atteinte à l'époque de son admission. Elle se plaignait juste de confondre ses enfants. Parfois, quand Paul venait la voir, elle l'appelait Cass. Aujourd'hui, elle les reconnaît à peine. La plupart du temps, elle les prend pour quelqu'un d'autre une fois qu'ils sont partis.
— Quelqu'un d'autre ? »
Eloise réfléchit une seconde. « Comment s'appelle-t-il, déjà ? Elle prononce ce nom sans arrêt. » Eloise s'appuya à la rampe en bois qui courait le long du couloir, comme si ce simple geste pouvait l'aider à retrouver la mémoire. « Ce nom m'évoque quelque chose chaque fois qu'elle le mentionne. » Elle leva soudain la main. « J'y suis ! Un dessin animé que mes petits-enfants regardent. Un grand type qui empoigne des éclairs.
— Zeus ? » suggéra immédiatement Tim.
Le visage de l'infirmière s'illumina. Les mots se déversèrent de sa bouche telle une cascade de pièces d'or. « Zeus ! Voilà de qui elle parle. Dans son esprit, ses fils doivent entretenir une ressemblance quelconque avec le personnage. »
Dès qu'il fut chez lui, Tim compulsa ses dossiers jusqu'à trouver une série d'articles sur le meurtre de Dita. La photo de Zeus s'étalait sur tous les reportages. Tim consulta ensuite le site de Paul. La ressemblance était étonnante. Comment avait-elle pu passer inaperçue aux yeux de tous ? L'idée était hautement baroque, lorsqu'on y songeait. La forme du visage variait légèrement, mais les trois hommes avaient des traits identiques. Qu'en

avait donc déduit Mickey ? Sans doute rien. Les gens ne voyaient que ce qui les arrangeait. La perception objective constituait-elle la principale difficulté de la vie ? Ou bien incarnait-elle l'ultime étape avant le chaos ?

Le lendemain matin, le détective se rendit au commissariat central avec les empreintes de Lidia. Le bâtiment abritait le QG de la police depuis 1921. Cet assemblage de briques rouges, avec ses portes en chêne surmontées de voûtes de pierre et ses remparts crénelés, aurait pu passer pour une forteresse médiévale. Tim avait détesté cet endroit durant toute sa carrière. Il n'en sortait que lorsqu'un drame s'était produit. La dernière année, on l'avait promu responsable sans qu'il demande rien. Les ragots, les intrigues de couloir lui avaient donné l'impression d'être pris dans une tempête qui menaçait de l'engloutir. Il avait souvent rêvé de venir travailler incognito. Ce milieu avait constitué une des raisons principales de son départ à la retraite.

Le bureau de Dickerman était situé au sous-sol. Si les huiles avaient eu le choix, elles l'auraient muté en Chine. Mo n'était guère apprécié. Il utilisait souvent sa notoriété pour faire plier ses supérieurs, menaçait d'alerter l'opinion s'ils refusaient de lui acheter tel équipement ou tel logiciel. La hiérarchie était convaincue, à juste titre parfois, que les fonds seraient mieux employés dans d'autres secteurs. Cependant, l'administration était sujette à des polémiques récurrentes, voire à des scandales. Personne ne pouvait se passer d'une sommité de la stature de Mo.

« Comment c'était, Hollywood ? » demanda Tim quand il entra. Le vaste labo de Mo, installé plus loin dans le bâtiment, était à la pointe de la technologie. Par comparaison, son espace de travail était minuscule. À peine la place d'y mettre un bureau et quelques armoires de classement. Les lucarnes, à mi-hauteur, laissaient filtrer une lumière ténue.

«Comme d'hab'», soupira-t-il sans en dire plus. L'expert avait conservé les prélèvements originaux de la scène de crime. Tim n'avait pas pu les récupérer en son absence. Le détective lui donna les empreintes de Lidia. Mo avait insisté auprès de Tooley pour redéfinir les termes de leur arrangement. Ils n'examineraient aucune des empreintes dont le juge avait ordonné la restitution. Le spécialiste était habile. Nombreux étaient ceux qui saisiraient le moindre prétexte pour l'évincer, en particulier s'il commettait une bourde lors d'une consultation extérieure. Il promit à Tim d'effectuer la comparaison dans la nuit. Mo faisait partie de ces veufs qui passaient un minimum de temps chez eux.

«Tu sais, fit Tim, je n'ai pas eu l'occasion de te demander des nouvelles de la fiche décadactylaire de Hillcrest. La dernière fois que nous en avons parlé, tu devais étudier celle de Paul. Selon toi, les empreintes de Cass prélevées par l'administration pénitentiaire ne correspondaient pas aux indices collectés dans la chambre de Dita.»

Mo observa son interlocuteur à travers ses épaisses lunettes, puis se leva pour fermer la porte. Le battant en chêne était muni d'une vitre dépolie sur laquelle son nom se détachait en lettres capitales.

«Tu te rappelles le mois dernier, quand Lands m'a appelé à la barre afin que je résume mon rapport sur les empreintes de Paul?

— Bien sûr.

— J'ai failli mouiller mon slip. J'avais peur qu'il me pose la mauvaise question. J'aurais eu l'air d'un Pierrafeu. Tu sais, "Yabba-Dabba-Doo!".»

Tim gloussa. Son imitation de John Goodman était plutôt savoureuse.

«Tu pensais que les empreintes de Paul différaient de celles de la scène de crime.

— C'est le cas. Maintenant que j'ai procédé à un examen plus attentif, j'écarte même les empreintes partielles.

— Et pour Cass?

— Quelques jours après que Greenwood m'a transmis sa fiche, le juge m'a intimé de la rendre au comté. L'après-midi même, un des associés de Stern est passé pour rapporter le document au service concerné. Pourquoi un tel empressement ?

— Peut-être qu'ils craignaient certaines conclusions ? Tu aurais pu t'apercevoir, par exemple, qu'on ne retrouvait aucune trace de Cass sur les lieux du crime.

— Ils avaient peur, en effet. Vu le traitement chaotique de l'affaire, cette découverte n'aurait pas été une surprise. Mais dès que j'ai eu la fiche, je l'ai comparée. Les empreintes de Cass étaient partout dans la chambre de la victime, ce qui confirmait le diagnostic de Logan en 1983.

— Alors, où est le vice ? »

Mo détourna le regard. Il passa la langue à l'intérieur de sa joue.

« Je ne me suis plus levé la nuit pour réfléchir à un dossier depuis longtemps. J'étais sur le point d'engager une fanfare lorsque Lands a accepté le retrait de plainte. »

Avec l'âge, Tim était sujet à de brusques absences qui lui faisaient perdre le fil des conversations les plus anodines.

« Je ne comprends pas, Mo. On retrouve les empreintes de Cass, mais pas celles de Paul. Aucune anomalie. »

Dickerman s'essuya les lèvres d'un revers de main.

« Si. La fiche de Hillcrest.

— Comment ça ?

— Eh bien, dès que j'ai eu les relevés originaux de Greenwood, je me suis penché sur ceux de l'établissement carcéral. Les copies laser n'ont pas de valeur juridique, mais je suis formel : malgré les ressemblances, certaines minuties varient. Ce ne sont pas les empreintes de Cass.

— Tu insinues qu'elles appartiennent à Paul ? »

L'expert prit le temps de peser ses mots avant de répondre.

« D'après les éléments en ma possession, oui. »

L'esprit de Tim tournait à vide, telle une roue patinant sur la glace.

« Quel bordel ! s'exclama-t-il.

— Je ne te le fais pas dire. J'étais là, j'ai regardé Paul droit dans les yeux quand j'ai effectué le prélèvement au tribunal. Tu m'as vu. Et ses empreintes coïncident avec la fiche établie à Hillcrest.

— Bon Dieu.

— Je te le répète, insista le spécialiste. Pas un mot à quiconque. Si cette histoire s'ébruite, je vais avoir Horgan et Stern sur le dos. Ils vont me crucifier pour avoir examiné des documents qui étaient censés être restitués. Je n'ai pas besoin d'un scandale pareil. »

Tim assura son ami de sa discrétion. Il était persuadé que Mo se trompait, sans parvenir toutefois à situer l'erreur. De toute évidence, l'expert partageait son scepticisme.

26.

La proposition – 20 mars 2008

Marlinda Glynn était une jeune femme brillante. Étudiante à l'université d'Iowa, elle avait pris un semestre afin de travailler à la campagne électorale. Elle tendit le portable à Paul sitôt qu'il quitta la scène du centre d'action sociale des quartiers ouest pour pénétrer dans les coulisses. La réunion-débat matinale qu'ils avaient tenté d'organiser avait attiré tout au plus vingt-cinq personnes, en majorité des retraités venus tromper l'ennui. Le candidat espérait recevoir un appel de son vieil ami, Peter Neucriss, un des avocats de la défense les plus en vue dans cette partie du globe. Le politicien l'avait sollicité à hauteur de cent mille dollars. Peter avait déjà donné plusieurs chèques émanant de divers membres de sa famille ainsi que de son cabinet, pour une somme totale de deux cent cinquante mille dollars. Lorsqu'il avait refusé la rallonge escomptée, Paul avait eu un sinistre pressentiment.

«Hal Kronon au bout du fil, dit Marlinda.

— C'est une plaisanterie?

— Je ne crois pas. Sa voix me paraît authentique.» La jeune femme était présente lors de la première altercation, le jour de l'audience pour la libération conditionnelle de Cass. «J'ai d'abord eu sa secrétaire.»

Paul s'empara de l'appareil tandis qu'il se dirigeait vers sa voiture.

« C'est moi, Hal », fit le parton de ZP dans le récepteur. Sa décontraction suggérait que les années de querelles étaient une mise en scène destinée à faire oublier qu'ils étaient les meilleurs amis du monde.

« Je sais. Comment as-tu eu ce numéro ?

— Certaines personnes peuvent m'obtenir ce genre d'information en cinq minutes. Tu connais Internet ? »

Paul sourit malgré lui.

« J'aimerais parler avec toi, reprit Hal. En tête à tête.

— On va évaluer le montant de ta contribution à ma campagne ? »

Le P-DG éclata d'un rire inattendu.

« Pas exactement. Accepte, s'il te plaît. Je t'assure que tu ne perdras pas ton temps. »

Ils établirent un rendez-vous après déjeuner, à 14 h 30. Aucun d'eux ne désirait être vu en compagnie de l'autre, aussi convinrent-ils de se rencontrer dans les bureaux administratifs de West Bank, le premier centre commercial de Zeus. Ce complexe, deux kilomètres carrés de bâtiments en briques blanches reliés par un maillage d'allées ouvertes, était l'un des plus florissants du pays. Pour l'hiver, Hal avait disposé des torches chauffantes à l'extérieur. En été, les brumisateurs prenaient le relais. Il avait même engagé des étudiants pour accompagner les clients sous des parapluies en cas d'averse. Les affaires marchaient du tonnerre. On avait de la chance si on trouvait une place de parking à proximité.

Aujourd'hui encore, Paul était étonné de la rapidité avec laquelle les centres commerciaux s'étaient imposés comme la distraction préférée des Américains. Rentrer chez soi avec quatre sacs de courses équivalait dans l'esprit des gens à accomplir un safari inoubliable. Chaque fois qu'il pénétrait dans un de ces temples de la consommation, il se demandait où la Nation avait échoué et comment la pulsion d'achat avait pu se transformer en plaisir pour ses concitoyens. La résignation qui accompagnait ces activités était encore plus troublante. Il n'avait rien contre la société de loisirs. Elle symbolisait le temps libre et l'émancipation du travail. Mais pourquoi préférer les supermarchés aux jardins publics ou aux promenades à vélo ? Il aurait volontiers interrogé les clients, s'il avait envisagé qu'ils puissent répondre. Il avait choisi de porter des lunettes de soleil pour aller au rendez-vous. On le reconnaissait souvent. En général, les gens se contentaient de le dévisager. Ce jour-là, cependant, deux couples l'arrêtèrent. Le premier pour l'encourager, le second pour prendre une photo. Le candidat avait l'impression qu'ils n'auraient pas agi autrement s'il avait déambulé en costume de Donald.

Il localisa le bâtiment administratif, un peu à l'écart. Une jeune femme le conduisit à une salle de conférences meublée d'une table bon marché et de quelques chaises. Hal était déjà assis. Il se leva et tendit la main pour la première fois en vingt-cinq ans. Paul accepta son salut après une brève hésitation. Les deux hommes s'installèrent.

Le politicien posa un petit appareil enregistreur sur la table et l'alluma. Hal regarda alternativement le magnéto et le candidat.

« Je t'avais dit en tête à tête.

— Exact. Mais je n'ai pas envie de découvrir que cette pièce est sur écoute. J'effectue donc mon propre enregistrement, au cas où tu reviendrais sur tes propos. »

L'expression du P-DG s'assombrit. Paul n'était pas certain de pouvoir négocier avec un type aussi méfiant mais, après tout, c'était Hal qui avait proposé cette entrevue.

« Je vais aller à l'essentiel, décréta ce dernier. J'ai ordonné à l'agence d'interrompre les spots. Même ceux que nous avons déjà payés. »

Imperturbable, Paul acquiesça. Il sentait que son adversaire allait poser ses conditions. « Georgia sera contente, dit-il. Je l'ai rencontrée il y a quelques semaines, et elle trouve que sa coupe de cheveux ressemble à celle du tueur de *No Country for Old Men*.

— Personne ne l'a piégée.

— Bien entendu.

— Elle ne mentait pas, si?»

Paul fit un geste vague, manière de signifier que cette question ne méritait pas de réponse, puis décida d'entrer dans le vif du sujet :

«Que puis-je faire pour toi, Hal?»

Le patron de ZP avait une apparence lourde, douteuse. Il arrivait au seuil de la soixantaine. Son crâne se dégarnissait, les ans pesaient sur lui avec une obstination croissante. Au même âge, Zeus avait l'air d'une star de ciné. Les gènes récessifs étaient impitoyables.

«J'ai l'intention de faire une déclaration publique, expliqua le P-DG.

— Tu ne t'en es pas privé jusqu'à présent.

— J'affirmerai que tu n'as rien à voir avec le meurtre de ma sœur.»

Le cœur de Paul manqua un battement. Il s'appliqua à garder son calme. Pour peu que Hal tienne sa promesse, ils avaient peut-être une chance de victoire, même si le candidat n'aurait pas parié sa chemise là-dessus. Trop d'électeurs avaient gardé un goût amer à l'évocation de son nom. De plus, beaucoup d'entre eux exprimaient des réticences à l'idée que son frère jumeau, un individu qui possédait le même patrimoine génétique que lui, soit un assassin. Et pourtant... Le premier tour se déroulait dans deux semaines : ils pourraient changer d'avis d'ici là.

«Une volte-face plutôt radicale, constata le politicien.

— Eh bien, nous possédons de nouveaux éléments.

— Qui sont... ?

— On a détecté le sang de ta mère sur les lieux du crime. Pas le tien, ni celui de Cass. Les empreintes digitales de Lidia figurent aussi sur la scène. J'ai le rapport de Dickerman dans ma poche, si tu veux le consulter.»

Paul inspira profondément pour endiguer la peur et la colère qui déferlaient en lui.

« Comment diable as-tu obtenu les empreintes de ma mère ? »

Hal eut un haussement d'épaules. « Je te l'ai dit : Internet. On y déniche tout. »

Le candidat laissa passer une seconde de silence. Que Hal Kronon joue au malin était bien la dernière chose qu'il puisse tolérer.

« Qu'est-ce que tu veux ? demanda-t-il enfin. Il y a forcément une contrepartie.

— Oh, rien de bien compliqué. J'exige la vérité. Pendant vingt-cinq ans, j'ai été persuadé que toi et ton frère dissimuliez des informations capitales. Alors, j'aimerais connaître le fin mot de l'histoire. Raconte-moi tout avec franchise, et je fais ma déclaration.

— Qui va évaluer mon degré de sincérité ?

— Moi. »

Paul sourit.

« J'ignore ce qui est arrivé. Je n'étais pas là, Hal.

— Mais tu sais des choses. »

Le candidat réfléchit un instant. C'était la fable de la coquille d'escargot : un récit vieux d'un quart de siècle, dissimulé sous des spirales ajoutées aux spirales et impossible à partager. Jadis, Lidia affectionnait ce proverbe grec : « Celui qui révèle ses secrets devient esclave. » Hal Kronon était le dernier à qui Paul désirait prêter allégeance, en particulier après les sacrifices qu'il avait consentis depuis vingt-cinq ans.

« Je refuse d'évoquer cette affaire avec toi, Hal. Tu ne me croirais pas. Laisse-moi cependant te dire un truc en souvenir du bon vieux temps. Que ce soit aujourd'hui ou hier, j'ignore qui a tué Dita. Tout ce dont je suis sûr, c'est que je suis innocent.

— Insuffisant.

— Je n'ai rien à ajouter.

— Alors, tu perdras les élections.

— Grâce à toi.» Curieusement, la perspective d'une défaite rassérénait Paul. Il avait eu cinquante ans l'année dernière; l'âge idéal pour lever le pied, profiter de la vie et songer à ses priorités au lieu de chuter en pleine course, à l'image d'un gamin dévalant une pente abrupte sur une luge. Il en avait assez de ces entrevues à la sauvette avec des gens qui réclamaient, menaçaient ou marchandaient. Le pouvoir l'avait attiré pour de bonnes raisons, mais aussi parce qu'il symbolisait les désirs de Lidia. Après le plaider coupable de Cass, l'honneur de la famille avait reposé sur ses seules épaules. Confronté à l'ampleur de la tâche, il avait découvert combien le pouvoir était un leurre. La marge de manœuvre était infime, vous serviez de punching-ball, toujours sous le feu des projecteurs sauf au sein du foyer. Il pouvait encaisser l'échec. Cass, lui, en pâtirait. L'espace d'une minute, Paul se demanda si son frère aurait accepté le marché du P-DG. Sans doute pas. De toute façon, il n'était pas là.

Espérant contenir sa colère, le politicien croisa les doigts avant de s'exprimer.

«Je vais être honnête avec toi, Hal. Tu ne manques pas d'aplomb. Tu retires ces spots ridicules? D'accord. Tu penses que je n'ai pas compris que tes avocats t'ont conseillé d'abandonner afin d'éviter une nouvelle plainte pour diffamation? Tes annonces ont toujours été un ramassis de mensonges et tu les diffuses depuis des mois. Voilà où je veux en venir. N'importe qui dans ta position serait venu à ce rendez-vous avec un objectif : s'excuser, monter sur le toit de ZP et clamer son erreur. Mais toi, tu persistes à m'attaquer. Tu crois que je vais vendre ma famille pour le prix d'une vérité élémentaire que tu refuses d'accepter.»

Hal se pencha au-dessus de la table. Une dangereuse proximité. Lorsqu'il répondit, Paul sentit son haleine féroce et brûlante, à peine masquée par l'eau de Cologne.

«Tu oses parler de vérité? Les Gianis la cachent depuis des décennies. Mes parents ont vécu avec la disparition de leur fille jusqu'à leur dernier souffle. Durant tout ce temps, on n'a jamais su ce qui s'était passé. Tu estimes que le devoir ou l'honneur m'imposent une dette envers toi ? Pardonne-moi, mais quelqu'un, dans ta famille, a tué ma sœur.

— Quelqu'un, dans ma famille, a purgé une peine de vingt-cinq ans. Je te le répète : j'ignore tout du drame. Peut-être que Dita a été tuée par un parfait étranger.

— Alors, pourquoi Cass a-t-il plaidé coupable ?

— Cette discussion est terminée. » Paul s'empara de son magnétophone, se leva. « Tes manœuvres politiques ont toujours été foireuses, Hal. Tu donnes trop de coups bas. J'étais pourtant convaincu que tu savais où t'arrêter, qu'à ta manière tordue tu étais un type correct. »

Par bien des côtés, le P-DG était resté un enfant. Il parut sur le point d'éclater en sanglots, puis se ressaisit, l'air résolu.

« C'est fini, Paul. Tu ne seras pas maire.

— Et alors ? » répliqua celui-ci, debout sur le seuil.

IV.

27.

Dita – 5 septembre 1982

Dita Kronon se débarrasse de ses vêtements trempés à même le sol. Tula, la bonne, les ramassera demain matin. Elle choisit une robe de chambre dans la penderie, puis s'écroule sur le lit, la télécommande à la main. Elle a prévenu Greta qu'elle ressortirait peut-être prendre un verre aux alentours de 22 h 30. C'était sans compter la descente provoquée par les Quaaludes. Elle se sent vannée, et puis Cass doit passer la voir à minuit.

La journée a été longue. Elle a failli trépigner de joie quand l'averse a renvoyé ces infernaux pique-assiettes chez eux. Ses parents tiennent à ce qu'elle assume son héritage. Dita, de son côté, s'escrime depuis l'âge de douze ans à leur expliquer qu'elle est américaine. Point barre. Son véritable prénom est Aphrodite, mais, à deux ans, elle ne pouvait prononcer que Dita. Elle s'est attachée là ce diminutif, qu'elle préfère largement au nom d'une déesse étrangère et bizarre.

Hal, bien sûr, adore les traditions. Mais il est né au pays et parle la langue. Il affectionne particulièrement les simagrées religieuses : les icônes sur les murs, l'encens, les chants. Pour sa part, Dita a l'impression d'assister à une fête d'Halloween ratée quand elle voit tous ces gens s'abreuver au calice du Divin. Malgré la stupidité de son frère, qui atteint de tels sommets que ses parents paraissent gênés par sa simple présence, Dita l'aime. Lorsqu'elle se mariera, elle épousera sans doute quelqu'un qui lui ressemble. Un homme dévoué et gentil.

Les noces ne sont cependant pas à l'ordre du jour. C'est ce qu'elle s'évertue à expliquer à Cass depuis des semaines. Elle s'est mise dans un sacré pétrin, avec lui. Ils se sont rencontrés à la piscine du club lors du week-end de la fête nationale. Il occupait un poste de surveillant de baignade, histoire de se faire un peu d'argent avant d'entrer à l'école de police.

« Regarde un peu ça », avait-elle dit à Greta sitôt qu'elle avait appris qui il était. Le jeu consistait à observer l'expression du maître-nageur lorsqu'elle lui révélerait son nom. Elle était sortie avec nombre de prétendants, et avait même couché avec certains d'entre eux à la suite d'un pari ou simplement pour avoir une histoire à raconter. Elle portait un maillot deux-pièces que ses parents lui avaient formellement interdit d'exhiber dans l'enceinte du club. Elle se dirigea là où Cass, installé sur sa chaise, pourrait la voir, puis lui sourit en plissant les yeux face à l'éclat du soleil. Bien entendu, dès qu'il descendit de son poste d'observation, il l'aborda. Elle devait concéder qu'il était beau mec. Sa superbe chevelure grecque le rendait plus séduisant encore. Voilà ce qu'elle aimait, chez les gens du pays. Les cheveux. Et la nourriture aussi.

Cass est quelqu'un de bien. Plus sympa, plus futé, plus amusant que prévu. Et elle prend toujours son pied quand un type est aussi mordu que lui. Pourtant, ce sentiment fige quelque chose en elle. Cass a beaucoup de considération pour la jeune femme. Il comprend son travail à Jessup, la manière dont elle traite ces gamins esquintés par la vie. Tout le monde attend que ces gosses aient une attitude normale, alors que rien, dans leur parcours, n'est normal. Son amant semble relever un défi en assumant leur relation. Il veut sans doute aider Dita à s'accepter, mais ses bonnes résolutions ont fait de lui un véritable boulet.

Perdue dans ses songes, elle n'entend pas Mme Gianis se glisser tel un spectre hors de la salle de bains. Quand elle l'aperçoit, son cœur fait un bond dans sa poitrine. Elle met une seconde à s'assurer qu'elle ne rêve pas, puis referme son peignoir, se redresse sur le coude.

« Bon sang !

— Je suis venue me sécher à cause de la pluie. Les salles de bains du rez-de-chaussée sont occupées.

— C'était il y a quatre heures !

— Puisque j'étais là, j'ai décidé de t'attendre pour parler, Dita. »

La jeune femme est la seule de la maison autorisée à verrouiller sa porte. Sa mère lui a offert une de ces fines clefs en cuivre terni pour ses treize ans, lui enjoignant de se calfeutrer toutes les nuits. Une sale période que personne n'ose évoquer et dont Dita préfère ne pas se rappeler. Parfois, les cauchemars la réveillent encore. Les souvenirs, vagues formes dans l'obscurité, resurgissent. Elle sent ce poids sur elle, les effluves suffocants de l'eau de Cologne de son père. Elle revoit le regard sévère de sa stupide mère lorsqu'elle lui tend la clef, comme si Dita était responsable de la situation. De fait, sa chambre s'est transformée en refuge. Dès qu'elle tourne le verrou, ses parents peuvent tout au plus frapper timidement au battant. Voilà pourquoi elle aime coucher avec Cass, et d'autres avant lui, en ces lieux. Et voilà aussi pourquoi l'irruption de sa belle-mère est si déplacée.

« Vous vouliez parler ? J'étais dehors toute la journée, merde.

— En privé. Et entre adultes. Je ne t'ai pas demandé avant car je craignais que tu ne refuses. »

La vieille a bien raison. Dita se moque des jérémiades de Mme Gianis comme de sa dernière chemise.

« Vous avez donc estimé que vous pouviez entrer par effraction dans ma chambre. Allez-vous-en.

— Je dois discuter de Cassian avec toi. » La mère des jumeaux s'est approchée du lit. Elle porte une robe en *popeline ridicule et joint ses mains fines sur sa poitrine dans une posture de prière.*

« *Désolée, Lidia, rétorque la jeune femme. Je n'ai pas envie de me mêler de vos histoires.* » *Les Gianis sont plutôt vieux jeu et Dita sait qu'elle prend un risque en appelant l'intruse par son prénom.*

« *Vous devez cesser de vous voir, Dita.*

— *Parlez pour vous. Et puis mêlez-vous de vos oignons.*

— *Dita...*

— *Écoutez, Lidia. Pour l'instant, on se contente de baiser, alors pas d'inquiétude.* »

Mme Gianis gifle l'impudente. Une claque sèche. La joue de Dita palpite de douleur. Elle a l'impression d'avoir été écorchée. Lidia s'est avancée si rapidement que la jeune femme a tout juste eu le temps de réagir. Dans une tentative d'esquive ou bien par simple contrecoup, son crâne a heurté la tête de lit en acajou. Lidia s'est déjà reculée de deux ou trois mètres. Elle paraît choquée par son propre geste. Les larmes coulent. Elle ressemble à une statue de marbre en pleurs.

« *Oh, mon Dieu* », *bredouille-t-elle. La panique succède à l'impulsivité. Elle met une main sur son front, comme pour contenir ses pensées.*

« *Je te supplie de te comporter en adulte, Dita. Tu dois m'obéir.* »

Dita se touche doucement la joue et envoie la vieille se faire voir.

« *Tu ne peux pas te marier avec Cass, insiste Lidia. Plaise au ciel que tu n'aies pas d'enfant avec lui.*

— *Plaise au ciel ? Encore ces stupides querelles ? Les Gianis contre les Kronon ? Vous et vos disputes. Mon père a bien raison de vous traiter de ploucs.*

— *Il ne ferait jamais une chose pareille.*

— *Demandons-lui tout de suite.*

— *Il ne tiendrait pas de tels propos sur moi ou ma famille.*

— *"Rien qu'une bande de ploucs qui fourrent des chèvres", ce sont ses mots exacts.*

— *Cassian est ton demi-frère.*

— *Foutaises !* »

La réaction de Lidia est aussi soudaine et imprévisible que la première fois. Elle frappe la baie vitrée du plat de la main, pousse un cri. Un claquement sec, pareil à la détonation étouffée d'un coup de fusil, précède le déluge cristallin des éclats de verre sur le balcon extérieur. La femme observe avec stupéfaction la naissance des bulles pourpres sur son poignet. Cet horrible spectacle, ajouté aux révélations de Lidia, achève d'étourdir Dita. Son père, M. Queutard, n'a pas pu s'empêcher de sauter la mère des jumeaux. Les attaches qui avaient permis à la jeune femme de tenir jusque-là semblent brusquement se dénouer. Elle a envie de hurler et ne s'en prive pas.

« *Sortez !* » *La douleur de la joue s'étend à son crâne.* « *Sortez d'ici ou j'appelle la police !* »

Affolée et désorientée, Lidia effectue un pas de côté, puis change d'avis et se précipite à la salle de bains. Elle en ressort le poignet enveloppé dans une serviette. Elle recommence à parler mais Dita empoigne le combiné.

Mme Gianis lutte pour ouvrir la porte. Elle ne peut réprimer des sanglots rageurs. Une tache ensanglantée en forme d'étoile apparaît sur les strates de tissu éponge enroulé autour de son avant-bras. Dita lui dit de tourner la clef.

Dès qu'elle entend la porte d'entrée claquer, elle téléphone à Cass. L'appareil sonne dans le vide, puis elle tombe sur le répondeur. Elle laisse un message.

« *Tu ferais mieux de rappliquer. Ta connasse de mère vient de me frapper. Je vais appeler les flics.* » *Dita constate avec étonnement qu'elle pleure. Peut-être est-ce d'humiliation. Mais elle est certaine d'une chose : c'en est fini de Cass et de sa famille de cinglés. Elle se palpe l'arrière du crâne. Une vilaine bosse enfle sous sa chevelure.*

28.

Changement de partenaire –
14 mai 2008

Kindle County Tribune
Mercredi 14 mai 2008

Au plus mauvais moment, les Gianis se séparent

Le bureau du leader de la majorité au Sénat, Paul Gianis, cinquante ans, né à Grayson, a déclaré mardi que le sénateur et sa femme, le docteur Sofia Michalis, avaient entamé une procédure de divorce par consentement mutuel. Le couple était marié depuis vingt-cinq ans. On se souvient que Paul Gianis a échoué à se qualifier pour le second tour des élections municipales le mois dernier. Le docteur Michalis, responsable du département de chirurgie réparatrice à hôpital universitaire, quarante-neuf ans, envisage quant à elle d'épouser en secondes noces le frère jumeau de l'ex-candidat, Cass Gianis. Celui-ci a été relâché de prison le 30 janvier après avoir purgé une peine de vingt-cinq ans pour le meurtre de sa petite amie, Dita Kronon, en 1982.

Les temps sont durs pour le sénateur Gianis. Alors qu'il était favori dans la course à la mairie, et que certains sondages le gratifiaient de vingt points d'avance sur ses concurrents, il a dû faire face à une intense campagne de dénigrement menée par Hal Kronon, magnat de l'immobilier et P-DG de ZP, qui a son siège dans le centre-ville. Selon Kronon, le sénateur Gianis aurait participé au meurtre de sa sœur, Dita Kronon. Des accusations contestées avec la dernière énergie par le politicien. Quelques jours avant le premier tour d'avril, Kronon a interrompu la diffusion des spots accusateurs sans fournir d'explication. Un bol d'air frais, pour Gianis, qui n'a malgré tout pu rattraper son retard et a échoué d'à peine trois mille voix. Il s'est désormais rangé derrière Willie Dixon, le conseiller des quartiers Nord.

La divulgation de la séparation semble avoir été calculée de manière à passer inaperçue dans le tumulte électoral, mais la nouvelle d'un divorce imminent, aggravée par les attaques médiatiques de Hal Kronon, est devenue source de nombreux commentaires ironiques. Seth Weisman, spécialiste des arcanes politiques du comté de Kindle dans les colonnes du Tribune, écrit ainsi sur son blog : «Au moins Paul a-t-il maintenant une chance d'arrêter les frais d'une campagne onéreuse. Qui refuserait de telles économies en période de Thanksgiving?»

Installé sous la véranda, Tim relisait l'article du *Tribune* pour la troisième fois. Ses pensées allaient à Sofia qui, il le savait, devait être horrifiée de se retrouver prise dans un scandale pareil. Il regarda le bulletin d'informations matinal, supporta autant que possible le compte rendu sordide de la séparation. À 9 heures, il appela Evon.

«J'étais sur le point de vous téléphoner, fit celle-ci. Hal est déjà dans les starting-blocks. Il veut savoir si ce divorce est lié au meurtre de sa sœur.

— J'ai du mal à voir le rapport. Et vous?» Le détective n'avait pas révélé à Evon qu'il suspectait Sofia d'avoir soigné les blessures de Lidia la nuit du drame. D'abord, il n'avait aucune preuve, et ensuite, il demeurait réticent à l'idée que la chirurgienne ne tombe entre les griffes de son employeur.

«Vous pouvez vous renseigner un peu? interrogea la responsable. Juste au cas où. Comme ça, Hal me lâchera les basques.

— Oui, pas de problème. J'avoue que cette histoire me tracasse aussi.»

Cette affirmation le surprit. Sa vie était émaillée d'affaires non résolues, de dossiers en suspens. Pourquoi s'intéresser autant à Dita et aux zones d'ombre qui subsistaient ? Il avait été convaincu de la culpabilité de Cass pendant un quart de siècle. Une affaire classée, d'après lui. Aujourd'hui, à quatre-vingt-un ans, ses certitudes vacillaient. Il craignait que ses doutes n'en appellent d'autres au fil du temps.

« Hal est toujours furieux que Paul ne lui ait rien dit, indiqua Evon.

— Ce type est en campagne depuis deux ans. Et il refuse l'occasion de se dédouaner ? La vérité doit être pire que ce qu'on imagine. Ou alors aussi moche. »

Tim avait tout de même voté pour Paul. Dans son discours final, le candidat avait affirmé que Sofia et lui allaient prendre du temps pour eux. Tim comprenait seulement maintenant qu'il parlait sans doute de leur séparation. Le vieil homme croyait en l'adage selon lequel il était impossible de juger de l'état d'un mariage de l'extérieur. Et parfois, de l'intérieur aussi. Quoi qu'il en soit, les Gianis paraissaient confrontés à de sacrées difficultés.

Il rassura Evon. Il allait creuser la question. Peut-être que les événements récents allaient mettre au jour de nouvelles informations. Evon lui demanda de la tenir au courant des frais engagés.

Tim ne s'attendait certes pas à obtenir des confidences de la part des Gianis, mais ça ne coûtait rien d'essayer. Il nourrissait l'espoir que l'un d'eux craque tôt ou tard. Il composa le numéro professionnel de Sofia et tomba sur la messagerie. Le docteur Michalis était actuellement absente. Évidemment. Les gratte-papiers convergeaient des quatre coins du pays pour solliciter des interviews. Tim choisit de la jouer à l'ancienne : il rédigea une lettre. Il pensait très fort à elle et désirait lui parler quelques minutes.

Aux alentours de 11 heures, il se rendit au domicile des Gianis, à Grayson. Il distingua au moins six camionnettes de télévision, surmontées de leurs antennes paraboliques en forme de presse-purée. Un flic municipal, chargé d'éviter les débordements journalistiques, était en faction dans l'allée. Tim repéra un caméraman qu'il avait vaguement côtoyé avant la retraite. Mitch Rosin fumait une cigarette à l'arrière de son van. Le temps s'adoucissait. Les arbustes étaient en fleurs et, du jour au lendemain, la végétation avait explosé de mille nuances verdoyantes. Vu son âge, Tim chérissait plus que jamais l'arrivée du printemps.

Rosin plissa les yeux à travers la fumée de cigarette lorsque le détective boitilla vers lui.

« Brodie ?

— Oui, c'est moi.

— Comment va ? » Rosin était pigiste et réalisait parfois des documentaires pour les chaînes du câble. Il expliqua à son vieux camarade qu'il ne s'en sortait pas mal. Le travail de voyeur professionnel lui plaisait, malgré son épaule réduite en charpie au bout de quarante ans de bons et loyaux services. Les portières coulissantes du van était grandes ouvertes. Tim en profita pour s'asseoir à côté du reporter sur la plage arrière poussiéreuse. Ils discutèrent pendant une bonne vingtaine de minutes, se remémorèrent de vieilles anecdotes. Comme beaucoup de gens, Rosin se rappelait Tim à cause de l'affaire Delbert Rooker. Delbert avait tué six maîtresses d'écoles et tenté d'en kidnapper au moins quatre autres. Il avait loué une chambre froide réservée aux chasseurs de daims. C'était là qu'on avait découvert les corps, emballés et suspendus. En dehors du fait d'être un serial killer, Delbert avait l'apparence d'un parfait binoclard, avec son étui stylo glissé dans sa poche de chemise. Il travaillait au service des immatriculations de l'État, à l'enregistrement des poids lourds.

« À mon avis, Rooker avait gardé un mauvais souvenir de la maternelle, plaisanta Rosin.

— De toute évidence. Mais le type ne s'est jamais étendu sur les raisons de ses actes. On s'est rendus à son appartement avec une équipe d'intervention. Il logeait dans une maison à deux étages. Il attrapait ces pauvres femmes, les balançait dans le coffre de sa voiture, puis les emmenait au deuxième en pleine nuit, enveloppées dans une couverture. Personne n'a jamais rien vu ni entendu. Lui, bien sûr, il était enfermé dans son propre monde tordu. Non seulement il prenait des photos, mais il effectuait des enregistrements sonores afin de revivre chaque meurtre à sa guise. Il ne nettoyait rien. On a retrouvé des cheveux et du sang partout sur le tapis du salon. Quand on l'a fait asseoir dans la cuisine, menotté au radiateur, et qu'on a commencé la perquisition, j'ai dit: "Delbert, tu sais que tu devrais t'abstenir d'agir de la sorte?" J'essayais juste de briser ses défenses. Il a haussé les épaules. "Elles l'avaient mérité." "Toutes?" j'ai demandé. "Toutes." D'accord. Eh bien, c'était sa vision des choses.»

Tim s'enquit ensuite des Gianis. Rosin lui apprit que, selon l'hôpital et le cabinet, Paul et Sofia étaient tous les deux en vacances. Aucune trace de Cass. Son dernier point de chute demeurait inconnu. Nul ne savait quand ils réapparaîtraient. Les émissions à sensations se battaient pour obtenir les premiers plans du couple nouvellement formé. Rosin faisait donc le pied de grue devant leur domicile.

Tandis que le journaliste parlait, la factrice arriva au volant de son estafette et s'engagea dans l'allée des voisins. La petite brune, vêtue d'une casquette et d'un uniforme réglementaires, était manifestement incommodée par les caméras. Elle distribua son courrier à toute vitesse.

Tim tenta de rester imperturbable. Il se redressa, s'étira en maudissant ses vieilles articulations, et regagna sa voiture. Il fit le tour du pâté de maisons et entreprit de suivre l'estafette pendant une heure. La fonctionnaire s'arrêta pour déjeuner dans un petit restau asiatique. Elle discutait en coréen avec les propriétaires lorsque Tim s'installa auprès d'elle, sur l'un des tabourets en skaï noir disposés le long du comptoir. Le détective lui donnait la cinquantaine. Son joli teint cuivré accentuait la luminosité de son visage. Ses mollets musclés ressortaient sous l'ourlet de son bermuda, orné du traditionnel liseré bordeaux. Tim distingua une grosse croix en bois accrochée à son cou. Mauvais signe.

Il s'empara d'un exemplaire du *Tribune* abandonné sur le zinc, puis glissa cent dollars en coupures de vingt à côté du coude de la fonctionnaire.

Elle regarda les billets, puis droit devant elle.

« N'y pensez même pas.

— Juste une petite conversation. Vous gardez le courrier des Gianis jusqu'à quand ? »

Elle continua à manger avec les baguettes, penchée au-dessus de son bol. Sans baisser les yeux, elle empalma les billets et les fourra dans la poche de son uniforme.

« Lundi.

— Vous avez reçu des plis pour un dénommé Cass ou Cassian ?

— Un ou deux.

— Un ordre de réexpédition pour Paul ?

— La semaine dernière.

— Quelle adresse ? »

Elle gloussa de rire. « Je suis pas l'annuaire. » Elle ferma néanmoins les paupières et ajouta : « Centre-ville. 300, Morgan Street.

— 300, Mogan Street », répéta doucement Tim.

La postière hocha la tête. Il n'avait pas d'autre question.

Jeudi matin, Tim décida de retrouver la trace de Cass. Il connaissait un type, Dave Ng, qui avait accès aux fichiers de la Sécurité sociale. Le détective n'avait pas essayé d'en savoir plus, mais il subodorait que Dave avait une taupe – ou bien quelqu'un qui possédait un contact – au centre de Baltimore. La démarche était risquée et Tim n'activait ce réseau qu'en dernier recours. Ng lui demanda cinq cents dollars. L'enquêteur piocha dans la somme allouée par Evon pour ses frais de déplacement. L'informateur rappela une heure plus tard.

« Chou blanc », dit-il. Tim n'avait jamais rencontré son interlocuteur de visu. D'après ses informations, Ng était en réalité un Noir appelé Marcellus. Le détective enverrait deux chèques sans ordre à une boîte postale en Iowa. « La dernière fois qu'il a travaillé, ajouta Dave, c'était au centre pénitentiaire de Hillcrest. Depuis, plus rien. »

Si Georgia et Eloise, l'infirmière de Saint-Basile, n'avaient pas certifié avoir croisé l'ex-détenu, Tim aurait été persuadé de chasser un fantôme.

Sur le chemin du retour, il s'arrêta au foyer de l'amicale. Deux mois qu'il songeait au bol d'œufs au vinaigre qui trônait sur le bar. Sa vie avait changé depuis qu'il en avait goûté un. Il retrouva la même bande d'habitués qu'à sa dernière visite : Stash, Gilles et trois autres retraités en train de jouer à la belote. Une pile de jetons s'élevait au centre de la table.

« Sacré vingt dieux ! s'exclama Stash dès qu'il le vit. Voilà le mort sur pattes.

— En direct de Zombieland », renchérit Tim. Il prit une chaise derrière Stash. « Bon sang, vous avez tout ce pognon à miser ? »

Stash se tourna vers Tim avec un rire franc.

« Je ne connais même pas les règles du jeu. Pour autant que je sache, on gagne avec les trèfles.

— Tu bosses encore pour Kronon ? intervint Gilles. Je pensais qu'il avait lâché l'affaire. Il a bien baisé Paul.

— J'essaie juste de régler certains détails, histoire d'avoir bonne conscience. »

Il se dirigea vers le bar, laissa deux dollars sur le comptoir et mangea deux œufs avant de retourner à la table de jeu. Il demanda au type qui connaissait les voisins des Gianis s'il avait des nouvelles de Cass.

« J'ai parlé à Bruce, après ton départ. Je lui ai expliqué que tu enquêtais sur Cass. »

Tim lui adressa un signe de tête. Personne n'était dupe. À la façon dont l'homme regardait ses cartes, il paraissait convaincu d'avoir toute l'attention du détective. Le joueur était plutôt massif. Il avait laissé pousser une couronne de cheveux autour de son crâne par ailleurs dégarni. Pour autant que Tim puisse en juger, il avait l'air honnête, mais on devinait qu'il n'avait jamais été flic. Plutôt un ancien postulant, toléré en ces lieux parce qu'il y claquait du fric. « Aucun signe de Cass, confirma l'homme. La femme de Bruce a vu Sofia devant chez elle il y a deux mois. Elle lui a demandé comment ça se passait et Sofia a juste répondu : "Nous sommes heureux qu'il soit à la maison."

— Ouais, se gaussa un autre joueur. Elle devait être vraiment *très* heureuse. » Un concert de rires fit écho à sa saillie.

« Leur couple était voué à l'échec, affirma Stash. Paulie est un coureur de jupons. »

Tim avait appris depuis longtemps à ne pas dire fontaine. Il n'ignorait pas que certaines pulsions pouvaient conduire les hommes aux pires folies. Il était pourtant dubitatif.

« C'est quoi, ces conneries ? » s'insurgea Gilles. Le détective se souvenait avec quelle vigueur il avait soutenu le politicien la dernière fois.

« La vérité. Tu connais Beata Wisniewski ?

— Une parente d'Archie ?

— Sa fille. » Le capitaine Archibald avait dirigé le dix-huitième district du North End. À l'époque, certaines rumeurs mentionnaient la disparition d'argent ou de marchandise chez les dealers. Plusieurs avocats insinuaient que leurs clients se retrouvaient inculpés pour deux cents grammes au lieu d'un kilo. Malgré la lourdeur des peines, aucun trafiquant n'avait formellement accusé les flics de piocher dans les stocks pour revendre la coke eux-mêmes. Si les racontars étaient exacts – ce dont le département de police était presque sûr –, le capitaine n'avait pu manquer de prélever son écot. Dans le cas contraire, il aurait fait le ménage. Mais tout cela était de l'histoire ancienne.

« Elle est devenue flic, elle aussi ? interrogea Tim.

— Elle a intégré l'école dès la fin de ses études, déclara Stash. Un peu par défaut, longtemps après les

détournements de saisies. Une belle fille. Grande et athlé-
tique. J'ai patrouillé avec elle quand elle a débuté. Lorsque
Cass a plaidé coupable, environ six mois après sa prise de
service, elle a accusé le coup. Elle et lui étaient proches.»
De l'autre côté de la table, un type au teint sombre fit
coulisser son doigt entre le pouce et l'index. De toute évidence, il avait un avis précis sur la question. Stash, hésitant, secoua la tête.

«Elle a interrompu sa carrière quelques années plus
tard, lorsqu'elle est tombée enceinte. Mariée à un instruc-
teur, Olly Quelque-chose. Un mec avec un sérieux problème d'alcool. Dès qu'il avait bu, il essayait d'en venir aux
mains. Beata avait non seulement l'esprit clair, mais elle
était balaise et bien entraînée. Elle l'a envoyé deux fois à
l'hosto avant de décider que la vie était trop courte pour
s'enferrer dans ce genre de situation. À l'époque où la carrière de Paul décollait, elle s'est installée dans l'immeuble
où vivait le fils de Roddy Winkler. Le gamin est avocat. Il
prétend avoir vu, à de nombreuses reprises, Paul quitter le
domicile de Beata au petit matin.

— Bon Dieu, murmura le basané en bout de table.
J'aime de moins en moins ça. Paul ne se contente pas de
découcher, mais il se tape l'ancienne petite amie de son
frère.

— Cass a dû lui donner le feu vert, supposa le premier
joueur, celui qui connaissait les voisins.

— Un truc de tordu», estima l'homme à côté de Tim.
Les joueurs se mirent à disserter sur le double effet Kiss
Cool des jumeaux.

Tim tenta de renouer avec le fil de la conversation :

«Au petit matin ? Tu ne crois pas que Sofia aurait remarqué l'absence de son mari en pleine nuit ?

— J'en sais foutre rien, grinça Stash. Madame était
peut-être en déplacement.

— Avec deux gosses à la maison ?

— Je te répète juste ce que m'a raconté le fils Winkler.
Je l'ai croisé chez Roddy et il m'a fait : "J'ai un tuyau

croustillant sur ton ancien partenaire." D'après lui, Paul se pointait régulièrement dans l'immeuble. Et puis Beata a déménagé il y a deux ou trois ans.

— Ils se sont vus pendant dix ans ?» s'étonna le détective. Pour les flics, les on-dit de seconde main étaient vrais jusqu'à preuve du contraire.

«Paul est sénateur, et les journalistes n'ont pas bronché ? ajouta Gilles.

— Tout le monde l'aime. Les médias n'attaquent que les gens à terre. Pour autant que je sache, ils n'ont jamais trouvé quoi que ce soit de publiable.

— Et maintenant, elle travaille où, cette Beata ? demanda Tim. Elle est retournée au commissariat ?

— Trop maligne. Elle s'est reconvertie dans l'immobilier, je crois. Les locaux commerciaux.»

La partie était terminée. Stash regarda Tim et haussa ses grosses épaules, l'air désolé.

Tim se rendit aux toilettes. Il piocha un autre œuf en chemin. Au diable les brûlures d'estomac. Il fallait bien profiter un peu de la vie.

L'aventure extraconjugale du politicien était surprenante. Elle pouvait cependant expliquer la faillite de son mariage. Mais d'une part cette information n'avait rien à voir avec son enquête, et d'autre part elle était impossible à vérifier.

Il fit un crochet par la bibliothèque municipale de Grayson. De tels établissements fermaient partout en ville. Malgré cette hécatombe, celui-ci tenait bon grâce au soutien de retraités ou de mères de familles dont les enfants étaient trop jeunes pour aller à l'école. Le bâtiment avait l'allure austère de beaucoup de constructions érigées dans les années 1960. Fonctionnel et moderne sans ostentation. Tim dénicha l'adresse professionnelle de Beata Wisniewsky sur Internet, de même qu'un cliché sur un site de courtage immobilier. La photo décrivait une jolie blonde souriante manifestement gâtée par la nature. Tim n'avait jamais rencontré aucune femme, Démétra y compris, qui n'eût considéré la blondeur de ses seize ans comme un cadeau du ciel à préserver coûte que coûte. Il appela la boîte de courtage. La secrétaire affirma que Beata était en visite jusqu'à 15 heures. Tim passa donc au bureau de la société, à l'est du centre-ville. Jadis, ce quartier, situé près de l'hôpital universitaire, était de ceux où les flics évitaient de pénétrer sans arme. À présent, il était peuplé de jeunes bobos. L'agence immobilière, édifice de deux étages muni d'un parking sécurisé, était de toute évidence installée là depuis un bon moment. Ng aurait pu lui donner la marque de la voiture qu'elle possédait, mais l'enquêteur estimait qu'il pouvait s'en dispenser. De fait, il localisa sans peine l'Audi noire et volumineuse, dont la plaque personnalisée indiquait BEATA, au moment où elle se garait dans l'aire de stationnement. Il était 15 h 45. Le détective s'extirpa de son véhicule et claudiqua en direction de l'ancienne policière. Le vent se levait en cette journée printanière.

L'agent immobilier incarnait la Walkyrie par excellence. Tout était grand, chez elle, mais sans lourdeur excessive. Elle était fort bien conservée. Sa coiffure harmonieuse soulignait l'aspect professionnel de sa mise. Avec ses hauts talons, elle dépassait les deux mètres. Tim s'aperçut qu'elle portait son manteau léger et sa serviette sous le bras. Elle affecta un bref sourire lorsqu'elle le vit rappliquer. Il tendit la main.

« Madame Wisniewsky ? Tim Brodie. Je connaissais un peu votre père. »

Elle se figea. Son regard bleuté atteignit le zéro absolu, sa mâchoire se crispa comme celle d'un demi de mêlée.

« Vous êtes sur une propriété privée. Remettez les pieds ici, et j'appelle les flics. Vous leur raconterez vos joyeux souvenirs avec mon père. »

Tim reprit sa voiture. Tandis qu'il conduisait, il essayait de deviner pourquoi Beata s'était énervée. Était-ce parce qu'il avait parlé d'Archie ? Il était presque certain que l'accueil glacial dont elle l'avait gratifié résultait de l'évocation de son propre nom. Elle savait donc qui il était. Sa réaction constituait un aveu tacite de sa relation avec Paul.

Il décida sur un coup de tête d'aller planquer devant chez elle. Après un tel accès d'humeur, elle aurait sans doute besoin d'un réconfort.

Il s'arrêta à la bibliothèque, entra le portable de l'agence dans l'annuaire inversé. Le numéro indiqué correspondait. Les pages blanches des Tri-Cities ne mentionnaient qu'un T. Wisniewsky, domicilié sur Clyde Street, soit à trois pâtés de maisons des locaux. Il utilisa la carte du site de l'administration patrimoniale pour obtenir l'identification cadastrale, puis vérifia sur un autre listing que Beata s'acquittait de l'impôt foncier.

Il arriva sur les lieux à 17 h 30. Une rangée d'immeubles à deux étages se détachait sur le jour déclinant. Les jeunes résidents se baladaient dans la douceur du crépuscule. La moitié d'entre eux promenaient leurs chiens.

Il tourna dans le quartier. À 18 h 30, il repéra l'Audi qui roulait dans une contre-allée. Il émergea de la ruelle juste à temps pour voir le véhicule entrer dans un garage. Il passa lentement, distingua du coin de l'œil la silhouette de Beata derrière la barrière. Le détective attendit qu'une place discrète se libère, puis établit sa surveillance. Il ignorait où s'était réfugié Paul. La plupart des types qui se faisaient jeter par leur femme n'allaient pas bien loin. Non qu'ils fussent animés d'un esprit de contradiction ; ils désiraient simplement prendre la mesure de ce qu'ils avaient perdu. Une heure et demie après le coucher de soleil, vers 20 h 30, une lumière s'alluma dans l'appartement. Selon Tim, il s'agissait du salon. Les secondes défilèrent. Une Acura grise, semblable à celle qu'il avait aperçue chez les Gianis en février, se rangea un peu plus loin. Le conducteur se dirigea vers l'immeuble au pas de course. Tim pensa reconnaître l'individu au moment où il passait sous les lampadaires, mais sa précipitation, ajoutée à la pénombre environnante, empêcha toute identification formelle. Il prit quelques photos à l'instant où l'homme se faufilait sous la lueur ténue du porche. Celui-ci disparut à l'intérieur, puis ressortit presque aussitôt, équipé d'une grosse valise. Beata le suivait. Ils montèrent dans l'Acura avant de s'éloigner.

Le détective tenta de les prendre en filature, mais il y voyait si mal que l'échec était assuré. Il perdit leur trace dans la circulation à proximité de Nearing Bridge.

Il se gara afin d'examiner les clichés. En dépit du grain de l'image accentué par le zoom, ses derniers doutes furent vite dissipés.

Il avait retrouvé Cass Gianis.

29.

Un homme – 18 mai 2008

Tim retourna à Grayson dimanche soir. Il se gara dans un endroit discret, à proximité de la maison en briques ocre des Gianis. Flics et journalistes étaient partis. Leurs employeurs respectifs n'avaient sans doute pas envie de payer des heures sup. D'après les informations de la postière, Sofia devait être revenue. D'ailleurs, la maison était éclairée. Il l'observa dans ses jumelles jusqu'à apercevoir la femme passer dans la cuisine. Il se dirigea à pied vers l'habitation et sonna à la porte. Quelques instants plus tard, il entendit qu'on s'activait derrière l'épais panneau de bois verni. Un visage se dessina à travers la petite lucarne. Le chien qu'il avait entendu la dernière fois jappait avec indignation.

Sofia ouvrit. Elle était vêtue d'un simple jean. Sa peau, dépourvue de maquillage, paraissait cendreuse. Elle avait mauvaise mine. Elle fixa Tim, les yeux écarquillés, la bouche tremblante. Le cabot sautait derrière elle.

« Monsieur Brodie, je vous en prie, respectez notre intimité. S'il vous plaît. »

Le chien, un jeune labrador, semblait juste assez grand pour tenir debout. Il se dressait sur ses pattes arrière, s'attaquait à la moustiquaire. Le détective l'apaisa d'un geste de la main, puis s'adressa à Sofia.

« Appelle-moi Tim. Tu es assez vieille pour ça.

— Nous avons vécu l'enfer pendant vingt-cinq ans. On s'en remet à peine. Vous ne pouvez pas nous laisser tranquilles ? Hal Kronon est fou.

— Je te comprends, ma puce. Vraiment. Mais pour être franc, à ce stade-là, la vérité est plus importante pour moi que pour mon patron. Je m'aperçois que je n'ai pas fait du si bon boulot.

— Vous vous trompez, monsieur Brodie.

— On a retrouvé les empreintes de Lidia sur la scène de crime. Son sang aussi. »

Sofia ne répondit pas. Elle baissa les yeux au sol.

« Ma puce, reprit l'enquêteur, je crois que tu as recousu le bras de Lidia après le meurtre de Dita. »

Ses traits se crispèrent, comme animés par des fils de marionnettiste invisibles.

« Qui vous a raconté une chose pareille ? Vous nous avez placés sur écoute ? Vous iriez jusque-là ?

— Bien sûr que non, Sofia. »

Tim distingua alors un homme sur le palier de l'escalier central. Cass. Le détective ne s'était plus trouvé face à lui depuis un quart de siècle. Avec son nez intact, il paraissait plus séduisant, plus dynamique que Paul à la fin de sa campagne. Il descendit les marches quatre à quatre, mit son bras autour de Sofia pour l'écarter de l'entrée.

« Bonne nuit, Tim. » Il referma la porte.

Lundi matin, Cass et Sofia faisaient les gros titres. Un conseiller en relations publiques les avait convaincus d'apparaître devant une nuée d'objectifs. Tous les bulletins d'informations de Kindle relayaient l'événement. Tim assista au spectacle depuis chez lui. Le couple sortit timidement sur le perron, un sourire hésitant aux lèvres, les mains bien en vue. Les caméras virevoltaient autour d'eux, les reporters criaient des questions auxquelles les amants ne répondaient pas. Le chien profita du tumulte pour s'échapper de la maison. Cass dut aller le chercher. Il siffla, claqua des mains. Le chiot excité courut un instant dans le jardin avant de revenir se coucher aux pieds de son maître en remuant la queue. Cass conduisit l'animal à l'intérieur, puis, après avoir échangé un chaste baiser avec sa dulcinée, ouvrit la porte du garage à l'aide de la télécommande. Les tourtereaux s'éclipsèrent dans leurs voitures respectives. Où diable Cass se rendait-il ? s'interrogea le détective.

Paul, quant à lui, était de retour au cabinet. Les caméras l'épinglèrent tandis qu'il poussait la porte tambour de l'immeuble LeSueur, aux alentours de 9 heures. Il ne se départit pas de son sourire, mais s'abstint de tout commentaire malgré les demandes pressantes des journalistes. Il se fraya un chemin dans le hall d'accueil. L'entrée, style Art déco, s'agrémentait d'ingénieux ornements en laiton. Les vigiles firent rempart à la meute tandis qu'il gagnait les ascenseurs.

Ce mercredi-là, à 5 h 30, Tim alla traîner ses guêtres du côté de Grayson. La tactique médiatique de Cass et Sofia semblait avoir porté ses fruits. Plus aucune camionnette de journalistes. Sofia sortit du garage dans sa vieille Lexus à 6 heures. Elle allait sans doute à l'hôpital.

Tim continua à surveiller la propriété. À 8 heures, Cass émergea au volant de son Acura. Au bout de cinq minutes de filature, l'enquêteur comprit que l'homme était sur ses gardes. Il parcourait deux ou trois pâtés de maisons, empruntait la nationale, puis revenait en sens inverse. Le détective réussit à déjouer la première manœuvre, mais au moment où il tournait au coin d'une rue, l'Acura l'attendait le long du trottoir. Le véhicule était rangé face à lui, sous les grands arbres du boulevard. Tout sourire, Cass lui adressa un signe de main.

Tim appela Evon.

« Je vais être obligé de louer une voiture différente chaque jour. Je dois absolument savoir où va Cass.

— C'est important ?

— Je n'ai rien de mieux à faire. J'ai épluché les informations à son sujet. Vous avez une idée de ses activités ?

— Il compte ouvrir un centre de formation, non? J'ai lu qu'il cherchait à obtenir une dérogation du rectorat à cause de son casier.

— Où est son école? Quand débutent les cours? Et quel genre de prof craindrait d'être suivi?

— Je l'ignore. Il en a peut-être assez des journalistes. Hal ne m'a plus rien demandé depuis une semaine. Il négocie dur avec les banquiers.» À quelques jours de la clôture de la transaction, les organismes prêteurs avaient décidé de déduire des comptes de ZP les pavillons non vendus. Les avocats des deux parties ne lâchaient rien. Ils jouaient la montre.

«J'avancerai l'argent de la location si vous voulez, proposa Tim.

— Inutile. Il veut toujours la peau des Gianis. Des éditorialistes et des blogueurs ont inventé le mot "krononer". Manière de se référer à l'acharnement d'un fou furieux blindé de thunes, résolu à détruire son adversaire politique à l'aide de fausses accusations. Hal sera ravi d'avoir des infos compromettantes sur Paul. Et la Walkyrie? Des nouvelles?»

Tim passait tous les jours devant l'appartement de Beata. La boîte aux lettres débordait et la contre-porte demeurait ouverte.

Jeudi matin, il loua une Ford Escape, avec laquelle il planqua à deux pâtés de maisons de la villa des Gianis. Cass prit la direction du centre-ville et Tim perdit de nouveau sa trace dans la circulation. Faute de mieux, le détective se rendit à Morgan Street, où le courrier de Paul était réexpédié selon la factrice. Peut-être dénicherait-il un élément intéressant.

Deux nouveaux gratte-ciel s'élevaient à la lisière du centre-ville. Lorsque Tim était à l'orphelinat, le quartier était industriel, peuplé d'immenses entrepôts aux façades de briques anonymes, d'usines surplombées de cheminées. C'était toute une aventure, à cette époque, de partir en excursion pour DuSable. Une fois par an, chaque classe prenait l'express de Rock Island. Tim se souvenait de l'excitation qu'il éprouvait alors, de la nausée qui s'emparait de lui tandis qu'ils étaient ballottés dans les wagons, et de la grandeur, de la splendeur terrifiante de la ville. La vision la plus marquante se situait en bout de ligne, là où les locomotives repartaient en marche arrière dans la lumière du jour.

On avait déployé de grandes bannières sur les vitres des immeubles flambant neufs. Des lettres rouges, hautes d'un mètre, vantaient les offres de location ou d'accession à la propriété des différents lots. Il voulut pénétrer dans les bâtiments, histoire de vérifier le nom des résidents, mais les gardiens en faction derrière leur comptoir l'en dissuadèrent. Il décida d'attendre avant d'entreprendre des recherches plus poussées. Tôt ou tard, les Gianis l'accuseraient de harcèlement et demanderaient une injonction restrictive. Il passa donc la journée à épier les entrées et les parkings. Il en profita pour écouter une version audio, empruntée à la bibliothèque, du livre sur la mythologie grecque en cours de lecture.

Vendredi matin, à l'aube, il était de retour à son poste. Le détective espérait bien apercevoir Paul quand celui-ci se rendrait à son travail. Aux alentours de 8 h 45, il repéra l'Acura de Cass. Le véhicule s'engagea dans la rampe d'accès au parking souterrain du 345. Tim activa les breaks de sa Colorado et traversa la rue. Il était temps de jeter un coup d'œil aux interphones. Il venait juste d'ouvrir la porte vitrée de l'entrée lorsqu'une décapotable Chrysler sortit du parking. Le conducteur ralentit au sommet de la rampe, s'assura que la voie était libre et prit à droite sur Morgan Street. Tim le reconnut immédiatement. Paul.

Il claudiqua jusqu'à sa voiture de location. Coup de chance, l'ancien candidat fut bloqué à un feu rouge et le détective put le suivre jusqu'au parc de stationnement à sept niveaux de l'immeuble LeSueur. Peu après, il vit Paul marcher jusqu'à son bureau, sa serviette à la main.

Tim repartit en direction du 345. La veille, il avait remarqué que les visiteurs utilisaient un écran tactile muni d'un récepteur à l'entrée. Le gardien s'était absenté. Le détective sauta sur l'occasion. Il se conforma aux instructions sur l'écran et regarda défiler la liste des occupants. Aucun Gianis recensé, mais il trouva un T. Wisniewski au numéro 442. Il actionna le bouton d'appel plusieurs fois, en vain.

Il réfléchit un instant. Beata possédait un appartement, donc elle avait loué cet endroit pour Paul. Le fait qu'elle indique son nom de famille sur l'interphone signifiait qu'elle avait entrepris les démarches avant la séparation du couple. La célébrité de Paul n'aurait pas manqué d'attirer l'attention. Dans le jargon, on appelait ça une garçonnière. Tim estimait cependant que le candidat aurait couru beaucoup moins de risques en se faufilant par l'issue de secours de chez Beata. Et Cass, que fabriquait-il donc ici ? La relation entre les jumeaux était réputée tendue.

« Je peux vous aider ? » Une quadragénaire corpulente venait de surgir par une porte de service. Elle s'installa d'autorité sur le siège pivotant derrière le comptoir en bois de rose. Tim déchiffra un badge orné du logo 345 sur sa veste de sport. Il devina à son expression qu'on l'avait mise en garde contre les visiteurs importuns.

L'immeuble du 345, comme sa réplique voisine, était conçu pour répondre aux exigences d'une clientèle urbaine et surmenée. Le rez-de-chaussée était équipé d'une salle de sport, d'une épicerie bio aux tarifs prohibitifs, ainsi que de plusieurs enseignes de tailles modestes.

« Je cherche le teinturier », répondit Tim. Il espérait qu'elle allait lui indiquer la boutique qu'il avait vue dans la rue. Il s'avéra que le bâtiment comportait lui aussi un pressing.

L'employée désigna l'allée commerçante.

« Là-bas, tout au bout. » Le détective sentit son regard dans son dos tandis qu'il parcourait la galerie. Il fut contraint d'entrer dans le magasin. Odeur d'amidon et de vapeur. Une Asiatique lui demanda avec un accent à couper au couteau ce qu'il désirait. Il dut lui faire répéter deux fois. Le vacarme de la machine à repasser n'arrangeait rien. Une idée lui traversa l'esprit. Il avait trouvé un moyen de s'assurer de la présence de Paul dans l'immeuble. Sous le regard de la responsable, il retourna toutes les poches de sa veste.

« J'étais censé récupérer les vêtements de mon patron, mais j'ai perdu le ticket.

— À quel nom ? »

Il épela Gianis. Elle vérifia ses bonds de commande et fit défiler les tenues suspendues dans leur sac plastique. Paul habitait bien ici. Tim était sur le point de lui avouer qu'il avait oublié son portefeuille lorsqu'elle accrocha deux complets à la penderie au-dessus du comptoir.

« Vous en avez oublié un depuis trois semaines.

— Ah bon ? » Les ensembles légers en laine bleue à chevrons paraissaient en tous points semblables. Le détective fit mine de les comparer, regarda à l'intérieur des fourreaux plastifiés pour voir le nom du tailleur. Danilo. Si c'était le type auquel il pensait, l'artisan s'occupait des sportifs et des mafieux, ce dont il ne se vantait pas.

Il maintint les costumes à bout de bras, les passa d'une main à l'autre plusieurs fois, puis les remit à leur place. Lorsque les complets furent alignés sur le rail, un détail le frappa. Le premier était une demi-taille plus large au niveau des épaules. Le fourreau dépassait aussi de quelques millimètres.

« Trois semaines, hein ? songea-t-il à voix haute.

— Oui. » Elle lui montra le bon de commande où s'affichait le numéro 442, griffonné au marqueur. Cette histoire commençait indéniablement à la fatiguer. « Payable comptant », ajouta-t-elle.

Tim ouvrit son portefeuille, se maudit et lui demanda où était le distributeur le plus proche.

La fête nationale tombait un lundi. Tim irait chez sa petite-fille, pique-niquer avec sa belle-famille en fin de

matinée. Stefanie était enceinte. Durant tout le week-
end, il s'était réjoui par avance de partager l'excitation
générale à la perspective d'une nouvelle naissance. Nul
doute qu'on le féliciterait d'avoir tenu assez longtemps
pour voir une partie de son ADN transmis à la génération
suivante. Pour l'instant, il n'avait rien de spécial à faire,
aussi résolut-il d'aller stationner quelques heures devant
le 345. L'Acura de Cass s'engouffra dans le parking à
10 heures. Comme vendredi, la Chrysler de Paul émergea
du sous-sol cinq minutes plus tard. Tim le suivit jusqu'à
son bureau de sénateur, puis à une commémoration de
quartier.

Mardi, le détective arriva au 345 à 7 h 30. Il portait sa
vieille tenue de chauffagiste, endossée vingt-cinq ans plus
tôt lorsqu'il travaillait pour son beau-frère. La veste et le
pantalon en serge bleu marine portaient encore le logo
de l'entreprise. Bob avait revendu son commerce dix ans
auparavant. Aujourd'hui, les vêtements étaient un peu
justes, mais il avait résolu le problème à l'aide d'une ceinture et d'une épingle à nourrice.

Il se posta sur le terre-plein séparant l'entrée et la sortie
du garage. Dès qu'une voiture monta la rampe, il se glissa
sous le volet roulant et descendit au garage. Une Cadil-
lac qui remontait en sens inverse le klaxonna. Tim leva la
main en un geste vindicatif, manière d'affirmer qu'il avait
parfaitement le droit de se trouver là.

Le parking comportait deux niveaux. L'odeur d'essence et de pots d'échappement était étouffante. Arrivé
en bas de la rampe, il patienta, plaqué contre le mur
en parpaings. L'Acura se rendit directement au second
niveau. Tim emprunta l'escalier. Il attendit le passage
de la Chrysler, puis étudia les places de stationnement.
Il localisa l'Acura en quelques minutes. Le moteur était
encore chaud.

Le mercredi, il pénétra dans le sous-sol en voiture,
direction le second niveau. Le détective n'ignorait pas
qu'il risquait de se faire botter les fesses pour violation de

propriété. Cependant, la curiosité était plus forte. Il avait tout de même emporté cinq cents dollars en liquide avec lui, au cas où, et avait pris soin d'avertir Evon.

Cass apparut aux alentours de 8 h 55. Il gara l'Acura à la place de la Chrysler, puis monta dans la décapotable avec sa serviette. Tim ne voyait pas ce qu'il fabriquait. Il s'approcha à une distance raisonnable de vingt mètres et jeta un bref coup d'œil. Il crut d'abord que Cass était occupé à taper sur l'ordinateur. Il était assis de dos, ses épaules bougeaient légèrement. Tim feignit de tripoter un compteur sur le mur, puis rebroussa chemin du pas tranquille de celui qui était payé à l'heure. Cette fois-ci, il vit clairement sa cible. Cass avait la tête dans les mains. Il se pinçait le nez, comme en proie à une migraine. Tim ne voulait pas être trop insistant. Il remonta à l'entrée. Il distinguerait mieux Cass lorsque le véhicule émergerait à la lumière du jour. Et lorsque cela se produisit, Paul était au volant.

«Un seul homme, expliqua-t-il en s'asseyant dans le bureau d'Evon, le lendemain après-midi.

— Arrêtez vos bêtises.

— Cass part de la maison. Paul va au travail. J'ai été trois fois au parking. Cass habite avec Sofia, mais dès qu'il quitte le domicile, il devient Paul grâce à une prothèse nasale qu'il met tous les jours.»

Evon laissa échapper un rire.

«Allez. Un faux nez? Il a aussi une moustache à la Groucho Marx?

— Plus c'est gros, plus ça passe.

— Vous m'en direz tant.

— Non, écoutez.» Tim agita les mains avec excitation. Il était plutôt satisfait de lui-même. «Quel est le boulot de Sofia? La reconstitution faciale. Elle est habituée aux prothèses. Si vous visitez le site de l'hôpital universitaire, à la rubrique "chirurgie réparatrice", vous verrez toutes sortes de nez, d'oreilles, de mâchoires factices. Les organes entiers ou certains morceaux, pour ceux qui ont perdu par exemple un nez à la suite d'une maladie ou d'un accident, ceux qui se sont fait tirer dessus, qui ont été victimes d'une explosion. Elle travaille dans cette branche depuis vingt-cinq ans. Une orthésiste fabrique les pièces sur mesure pour elle, j'ai lu un article là-dessus. Les prothèses sont en silicone. On les peint à la main de façon qu'elles correspondent à l'épiderme du patient. Veines, taches de rousseur. Les bords sont tellement fins qu'ils s'ajustent parfaitement. Les lunettes de Paul contribuent au réalisme. Ils utilisent des caméras 3D et des ordinateurs spéciaux pour modéliser les pièces. Vérifiez sur Internet. Elles sont si précises que vous pourriez embrasser la personne sans voir la différence. Un truc de dingue.

— Vous me charriez.

— Je l'ai vu faire hier. Il devait être en retard, il a opéré dans la voiture. À mon avis, il était en train de maquiller l'adhésif chirurgical, parce que le dispositif doit sécher un peu à l'air libre avant d'être efficace. Aujourd'hui, il était moins pressé alors il est allé aux toilettes du premier étage. J'avais mis une perruque et une robe. J'ai pu aller avec lui dans l'ascenseur lorsqu'il est descendu à son véhicule. Il avait coiffé sa raie de l'autre côté, il portait des lunettes à verres teintés comme Paul, et son nez avait une bosse. J'étais à deux pas de lui. Je suis formel, la ressemblance est saisissante.

— Une robe? Je peux avoir une photo?

— Ce n'est pas dans vos moyens.»

Evon baissa les yeux sur son bureau.

«Expliquez-moi comment une telle prouesse est possible, Tim. Vous l'avez filé au tribunal hier.

— En effet.

— Au bout de vingt-cinq ans de prison, il donne le change dans un prétoire?

— Facile. Il suffit d'avoir du bon sens.

— La pratique est un peu plus subtile, non? Bon, admettons. Où est Paul?

— Paul n'existe pas. Cass est Paul.

— Alors il n'y a pas de jumeaux ? Je les ai pourtant vus côte à côte à l'audience.

— Eh bien oui, ils étaient deux. Je n'ai pas encore de réponse à cette question.

— Le vrai Paul a disparu ?

— J'essaie de comprendre. J'ai entendu parler de jumelles en Californie. L'une d'elles était mauvaise, l'autre bonne. La première s'est mis en tête de remplacer sa sœur. Elle a engagé un tueur pour l'éliminer, mais le type a tout balancé. Condamnation à perpétuité. Elle finit ses jours à San Quentin.

— Cass convoite l'épouse de son frère. Il le supprime. La femme reste avec lui. C'est ça ?

— Il a déjà purgé une peine pour meurtre.

— Et il a récidivé avec le consentement de Sofia ? La Sofia que vous connaissez depuis sa naissance ?

— Je me contente d'énumérer les différentes possibilités.

— Pourquoi annoncer un divorce ? Cass pourrait se contenter de continuer à paraître avec son faux nez, sous l'identité de son frère.

— Le divorce prouve la présence de Paul.

— Autant prétendre que Cass s'est évaporé en Irak ou en Alaska.

— Je ne sais pas. Il a besoin d'ôter sa prothèse de temps en temps pour aérer la peau et, par conséquent, d'alterner les rôles.

— Et la Walkyrie ?

— Beata ? On peut imaginer qu'elle se cache avec Paul.

— Vous avez pourtant affirmé qu'elle était partie en compagnie de Cass. Vous avez pris des photos. Pour quelle raison un type qui a passé les dix dernières années sous le feu des projecteurs voudrait-il s'éclipser ? »

Rien n'avait jamais collé, dans cette affaire. Cass avait été condamné. Paul lui avait rendu visite en prison. Vingt-cinq ans plus tard, il le soutenait au palais de justice. Lidia était avec Dita la nuit du drame. Elle avait laissé du sang partout et, pourtant, son fils plaidait coupable.

« Hal se moque de payer des frais supplémentaires, dit Evon. Mais je ne vois pas en quoi ces extrapolations nous aident à résoudre le meurtre de sa sœur. »

Tim fit la moue.

« Un pressentiment. Je ne peux pas l'exprimer. Pas encore. Mais si on éclaircit ce point, on découvrira peut-être l'identité de l'assassin.

— D'accord. Alors comment procède-t-on ? On ne va pas se jeter sur Cass pour lui arracher le nez. Et si vous le suiviez aux toilettes pour le confondre ?

— Une manœuvre hasardeuse. Il va m'accuser de harcèlement, me traiter de cinglé et descendre Hal en flammes. » Le détective s'adossa à sa chaise, en pleine réflexion. « Il y a peut-être un autre moyen de l'obliger à sortir du bois. Vous vous rappelez toujours comment on suit quelqu'un ? »

Evon se redressa, piquée au vif. Les bases du métier, lorsque votre vie était en jeu, restaient gravées au fer rouge dans votre esprit. Ses réflexes étaient intacts.

« Je pourrais m'infiltrer dans votre caleçon sans que vous le sachiez. Avec un petit coup de main, c'est encore mieux.

— Nous verrons bien. »

30.

Filature – 30 mai 2008

Tim entra dans le hall d'accueil de l'hôpital universitaire vendredi matin. Il demanda où se trouvait le bureau du docteur Michalis. La présence de Sofia dans l'établissement lui avait été confirmée par la messagerie. Le médecin prenait les rendez-vous le lundi après-midi et le vendredi. L'unité de chirurgie réparatrice possédait ses propres locaux au sein du département. Tim s'installa dans une salle d'attente ensoleillée. Tôt ou tard, Sofia sortirait. Il espérait que ce serait avant le déjeuner.

Il la vit passer deux heures plus tard. Elle était vêtue d'une longue blouse blanche et se dirigeait vers les toilettes du couloir. Quand elle revint, il l'attendait. Elle s'arrêta net, le souffle coupé, la main sur la poitrine. Sans le regarder, elle articula :

« Monsieur Brodie, je veux dire Tim. Je vous ai toujours apprécié mais, si vous ne cessez pas, je vais suivre les conseils de mon mari et demander une injonction.

— Votre mari ? interrogea le détective. Lequel ? Celui dont vous divorcez ou celui que vous allez épouser ? Pour autant que je sache, c'est le même. »

Sofia, Dieu la bénisse, était une piètre menteuse. Elle braqua les yeux sur lui, comme lorsqu'il avait suggéré qu'elle avait recousu le bras de Lidia. Cette fois-ci, pourtant, une lueur de colère brillait dans son regard. Il devinait une dureté qu'il n'avait jamais vue. Rien d'étonnant à cela. Amputer des membres broyés réclamait une certaine dose d'inflexibilité.

«Personne ne te veut de mal, ma puce. Ni à toi ni à ta famille. Hal désire simplement savoir qui a tué sa sœur, et moi aussi. Toute cette mascarade... Je me moque des raisons pour lesquelles Cass s'affuble d'une prothèse chaque matin, je t'assure. Hal n'est pas au courant et il n'a pas besoin de l'être. Assieds-toi. Raconte-moi les événements de la nuit du meurtre. J'ai confiance en toi.»

Elle sembla peser le pour et le contre. Son menton délicat se mit à trembler.

«Excusez-moi», bredouilla-t-elle avant de décamper.

Le message apparut sur l'écran du portable d'Evon un peu avant 11 heures. «Il va bouger d'une minute à l'autre.»

Cass, grimé en Paul, était sorti du 345 au volant de sa Chrysler bleue. Elle l'avait suivi jusqu'au parking de LeSueur, puis s'était garée au niveau supérieur avant de le pister jusqu'à l'immeuble. Elle s'était ensuite attablée dans un café situé à proximité et s'était mise au travail. Dès qu'elle vit le texto de Tim, elle regagna l'aire de stationnement. Elle était en train de payer au guichet automatique lorsque Cass franchit le tourniquet de LeSueur. Les grilles du dispositif étaient ornées de fleurs de lis en laiton. L'homme affichait une mine soucieuse, l'oreille collée à son mobile.

Tim avait correctement décrit l'individu. Celui-ci portait, comme prévu, le complet bleu que les jumeaux privilégiaient pour les rendez-vous professionnels. Plus important encore, le détective avait anticipé la tentative de fuite de Cass après son entrevue avec Sofia. Le faux avocat n'attendrait pas que la police arrive pour prendre ses empreintes. L'usurpation de titre était un crime sévèrement puni par la loi.

Evon grimpa dans sa BMW et attendit que le fugitif se précipite à sa voiture. Elle laissa un véhicule s'insérer entre eux, emprunta la rampe, puis contacta Tim pour l'informer. Le vieil enquêteur planquait à six pâtés de maisons de là.

La Chrysler prit au nord sur Marshall Avenue. La circulation en direction du centre-ville était dense. Les bus, les camions de livraison stationnés en double file et les piétons distraits constituaient autant d'obstacles à éviter. Evon considérait en toute modestie qu'elle avait toujours été douée pour les filatures. Même à soixante kilomètres à l'heure, elle savait profiter du plus petit espace pour s'insérer entre deux voitures et accélérer au bon moment. Les courses de stock-cars figuraient au rang des nombreuses choses qu'elle aurait voulu expérimenter.

Étant donné les propos échangés entre Tim et Sofia, le fuyard se doutait sûrement qu'il était surveillé. Il agissait d'ailleurs en conséquence. Cinq ou six rues plus loin, il se rangea devant l'hôtel Gresham. Quand Evon passa, elle le vit discuter avec le voiturier, l'œil rivé à son portable. Elle regarda dans le rétroviseur et s'aperçut qu'il photographiait la rue. Elle s'abstint donc de faire demi-tour et laissa Tim se positionner le long de la chaussée. Dix minutes plus tard, il l'appelait pour lui dire que Cass repartait.

Elle reprit sa traque. Cass effectua de nombreux détours. Tim et elle se relayèrent, jusqu'à ce qu'il se gare au parking de l'opéra. Tim continua sa route tandis qu'Evon s'arrêtait sur une zone de livraison. Après avoir mis ses warnings, elle revint à pied au théâtre lyrique. Elle prit l'ascenseur jusqu'au premier étage, puis redescendit par l'escalier. La Chrysler patientait sur une place réservée aux handicapés, juste après le distributeur de tickets. Cass vérifiait son téléphone. Evon supposa qu'il comparait les véhicules entrants avec les clichés pris devant l'hôtel.

Au bout d'une dizaine de minutes, un jeune homme sortit de l'ascenseur. Il se dirigea vers Cass. Les deux individus échangèrent quelques mots. La responsable reconnut le fils aîné de Paul et Sofia, Michael. Le garçon apparaissait sur plusieurs photos de campagne, images d'une famille parfaite. Ils se gratifièrent d'une brève accolade. À la façon dont chacun mit la main dans sa poche, Evon devina qu'ils avaient procédé à un échange. Nouvelle accolade, puis Cass s'éloigna. Michael ouvrit la portière de la Chrysler. Le faux Paul avait donné les clefs de la décapotable à son neveu. Lorsque le suspect disparut derrière un van, Evon paniqua. Sa plus grande peur était que Cass s'en aille à pied. Elle se préparait à piquer un sprint vers l'ascenseur quand elle vit l'homme, de dos, qui gravissait la rampe d'une démarche nonchalante. Il monta dans une Hyundai stationnée au second niveau.

Evon téléphona à Tim sans le quitter des yeux. Cass sortait du parking.

« Ils ont interverti les voitures. Notre homme conduit une Hyundai trois portes rouge, immatriculée dans le comté d'Orange. »

Le temps qu'elle retourne à son propre véhicule, Tim avait repéré le coupé. La filature se prolongea. La responsable prit de nouveau le relais. Peu après, Cass appuya sur le champignon et fila droit sur Grand Avenue.

« Il ne se méfie plus », indiqua-t-elle à son complice.

Cass bifurqua au nord sur la 843 à proximité de Nearing Bridge. Au grand étonnement d'Evon, il s'éloigna de l'aéroport. Elle demeura sur la même voie que lui, à vitesse constante. En conservant un écart d'environ cent cinquante mètres, elle éviterait de se faire repérer dans le rétroviseur.

Au bout d'une dizaine de kilomètres, Cass emprunta la 83 ouest. Il conduisait vite, bien au-dessus de cent. Tim appela. Il se faisait distancer. Vu son âge, il ne pouvait guère rouler au-dessus de quatre-vingt-dix. Une heure plus tard, il était au moins à vingt kilomètres derrière eux et redoutait de ne plus être très utile.

« Alors, tenez-moi compagnie, suggéra la responsable.

— Je crois qu'il se dirige vers Skageon », répondit Tim. On trouvait de charmantes destinations dans les parages des Tri-Cities, mais Skageon était de loin la plus populaire. Rien à voir avec les prairies du Sud et de l'Ouest. Là-bas, le paysage offrait un vaste panorama des lacs de la région. Tim se souvenait que la famille de Paul, selon la légende, aimait s'y ressourcer. Maintenant que le détective en parlait, Evon se rappelait elle aussi cette histoire. Peut-être que Cass avait choisi le même itinéraire.

La Hyundai prit la 141, une route à deux voies.

«Je parie qu'il va aux écluses de Berryton», fit Tim. Aujourd'hui, la plupart des gens rejoignaient Skageon *via* l'autoroute 831, située au nord des Tri-Cities. Il était néanmoins possible d'atteindre le rivage oriental du comté en prenant le ferry à Berryton, au confluent de la Wabash et de la Kindle. Les flots avaient été maîtrisés grâce à une série d'écluses bâties dans les années 1930, dans le cadre des programmes d'insertion du New Deal.

L'embarcation, blanche et massive, était déjà à quai lorsque Evon arriva sur les lieux. Les passagers n'étaient pas très nombreux. Cela changerait à l'approche des vacances scolaires. Durant l'été, la file de voitures s'étirait parfois sur un kilomètre. Le ferry bondé mettait souvent plus d'une heure à effectuer un aller-retour. En ce vendredi de la fin mai, à dix minutes du départ prévu pour 16 h 45, les places libres étaient encore nombreuses. Six voitures entre Evon et Cass. La responsable s'acquitta de son ticket, puis s'enfonça dans les entrailles métalliques du bateau à la suite de la Hyundai. Elle avait l'impression de pénétrer dans le ventre de Moby Dick. Un employé guidait les véhicules selon le marquage au sol. Lorsque la rangée voisine de celle de Cass fut pleine, elle l'aperçut qui montait à la cafétéria, à l'instar de la plupart des gens. Il avait toujours l'apparence de Paul. Les portables ne fonctionnaient pas dans la soute. Même la cafétéria n'échappait pas à cette malédiction. Le réseau devenait inexistant sitôt qu'on atteignait le milieu du cours d'eau.

Dès que Cass fut hors de vue, Evon sortit, s'étira les jambes et se renseigna auprès de l'employé. On larguerait les amarres dans trois minutes.

Evon s'accouda au bastingage. Le signal était encore suffisant pour contacter Tim. Le détective arrivait à peine sur la 141. Il ne serait jamais là à temps.

«Je prendrai la prochaine navette» se désola-t-il. Le plan d'origine consistait à poser un ultimatum. Soit Cass disait la vérité, soit il révélait son tour de passe-passe aux autorités. Tim avait été désigné pour négocier. Evon restait persuadée que c'était la meilleure solution.

« Il va croire que j'ai vendu mon âme à Hal, expliqua-t-elle. Vous avez plus de chances que moi de réussir à le convaincre de passer un marché. » Ils étaient certains que Cass n'irait nulle part durant la prochaine demi-heure. La Hyundai était prisonnière des flancs du bateau.

Elle sentit le ferry s'éloigner du rivage. Il faudrait encore dix bonnes minutes pour que l'écluse se remplisse au niveau de la Kindle. Ensuite, la traversée débuterait.

Elle profita du soleil sur le pont inférieur. Ce début de printemps était délicieux. Plus de quinze degrés, quelques nuages d'altitude aussi blancs que des colombes. La brise qui soufflait par intermittence apportait un peu de fraîcheur marine. Elle s'éclipsa une minute aux toilettes, puis retourna à sa voiture et consulta ses mails pendant le reste du trajet.

Quand la berge opposée se dessina, elle aperçut les masures de bois et les échoppes qui constituaient la marina. Les passagers regagnèrent leurs véhicules. Les moteurs se mirent à chauffer au moment où le bateau accosta. La gueule métallique de l'embarcation s'ouvrit en douceur, illuminant le donjon obscur.

De part et d'autre d'Evon, les voitures commencèrent à avancer. La file où elle se trouvait demeurait désespérément immobile. Un instant plus tard, des coups de Klaxon retentirent. Les haut-parleurs diffusèrent une annonce : le propriétaire d'une Hyundai rouge immatriculée à Orange était prié de bouger son véhicule. Evon avait déjà compris que Cass avait disparu. Un employé vêtu d'un gilet orange monta finalement dans le coupé. Le conducteur avait laissé les clefs sur le contact. La Hyundai fut évacuée de la soute.

La responsable ne réussit à obtenir un signal qu'une fois à terre.

« Il nous a semés », dit-elle à Tim.

31.

Il parle

Tim était toujours sur la 141, à cinq minutes de l'embarcadère de Berryton, lorsqu'il croisa la Lexus de Sofia. Il reconnut le modèle milieu de gamme, vieux de dix ans, bien avant de pouvoir lire la plaque d'immatriculation qui indiquait : REP.TRICE. Il distingua deux silhouettes dans l'habitacle : Sofia, avec un foulard et des lunettes de soleil, et un passager habillé en noir. Tim se gara sur l'accotement, attendit qu'une brèche se forme dans la circulation opposée, puis fit demi-tour. Quelque chose clochait. Il essaya d'appeler Evon, sans succès. Elle devait être injoignable sur le ferry.

Sur cette route à deux voies, il parvenait à maintenir l'allure. Le paysage était à présent vallonné et, chaque fois qu'il arrivait au sommet d'une côte, il apercevait la Lexus au loin. Au niveau de Decca, un semi-remorque s'inséra devant lui. Il dut ralentir à cinquante. À son âge, il avait des palpitations dès qu'il était contraint de doubler, mais pas question de se laisser distancer.

Il se rabattit à deux voitures de la Lexus.

Quand Evon appela, il expliqua immédiatement :

«Je l'ai en visuel. Je crois qu'aucun agent du FBI n'a jamais réussi une filature.» Cette dernière remarque était une plaisanterie, et Evon rit de bon cœur. En effet, les fédéraux étaient plus doués pour résoudre les énigmes que pour le travail de terrain. Ils décidèrent qu'Evon prendrait la nationale de l'autre côté du fleuve. Le prochain gué était le pont d'Indian Falls. L'édifice traversait le fleuve quatre-vingts kilomètres plus au nord. Ils s'y donnèrent rendez-vous.

À l'approche de Bailey, les deux véhicules qui faisaient tampon entre le détective et Sofia bifurquèrent. Encore quelques kilomètres, et ils entrèrent dans Harrington, où la vitesse était limitée à cinquante. Tim se rendit compte que le passager en noir n'était autre que le chien de Sofia.

« Ils avaient peut-être une autre voiture, suggéra Evon.

— D'accord, mais Sofia s'est enfuie. Elle a déserté une pièce bondée de patients. Il y a gros à parier qu'elle aille le rejoindre. »

Dans cette région, le glacier s'était retiré pour laisser derrière lui une terre ondulée, digne d'un cliché du *Saturday Evening Post*. Les granges rouges, les fermes blanches aux toits de chaume s'inclinaient sur le sol noir défoncé. Ce paysage austère était interrompu de temps à autre par des étendues sylvestres composées de noyers d'Amérique et de chênes centenaires. Les Indiens en avaient brûlé la majeure partie plusieurs siècles auparavant afin de mieux chasser et de voir leurs ennemis de loin. Les colons blancs avaient accentué la déforestation en prélevant le bois pour leurs bâtisses.

Ainsi que Tim l'avait escompté, Sofia reprit la 83 au croisement de la 141 avec l'autoroute. Elle accéléra à cent dix en direction du nord. Le détective aurait préféré qu'elle continue à rouler doucement. Il espérait identifier le passager avant qu'elle ne disparaisse. Peut-être que Cass s'était allongé pour dormir ou se cacher.

« Si elle ne prend pas le pont d'Indian Falls, on va la perdre », pronostiqua Tim dans son portable.

Quels que soient les projets de Sofia, il n'y pouvait rien. Il enclencha de nouveau son livre audio dans le lecteur. Le narrateur possédait une voix guindée, accentuée par un accent anglais. Il lut plusieurs versions des Dioscures, expliqua comment Léda, abusée par Zeus incarné en cygne, avait donné naissance aux jumeaux Castor et Pollux. Le détective laissa ses pensées vagabonder. Il passa en revue les détails du meurtre de Dita. Une idée illumina soudain son esprit. Les pièces s'emboîtèrent avec une telle brusquerie qu'il faillit verser dans le fossé. «Quel idiot! s'exclama-t-il dès qu'il réussit à joindre Evon. La solution était juste sous notre nez.» Il lui rappela la fois où le révérend Nik avait prétendument reconnu Cass à la télévision, et aussi celle où Dickerman avait identifié les empreintes de Paul comme appartenant à l'homme incarcéré à Hillcrest. Eloise, l'infirmière de Saint-Basile, avait prétendu que Lidia appelait son fils tantôt Paul, tantôt Cass. «Qui nous dit que leur petit manège ne dure pas depuis vingt-cinq ans?»

Tim ne repéra la Lexus garée sur l'aire de repos, en léger surplomb de l'autoroute, qu'après la bretelle d'accès. Il s'arrêta sur la bande d'arrêt d'urgence, regarda par-dessus son épaule. Sofia se précipitait dans le bâtiment, bloc de brique rectangulaire sans étage, qui abritait les commodités. La fumée s'échappant des pots d'échappement indiquait qu'elle était trop pressée pour couper le moteur.

Il roula au pas sur le bas-côté gravillonné jusqu'à la sortie du parking, laissa passer deux camping-cars, puis s'engagea à contresens. Une famille entassée dans un break pila à la vue de cette manœuvre périlleuse. Le conducteur passa la tête par la vitre quand Tim fut à sa hauteur. «Si vous êtes trop vieux pour lire les panneaux, évitez de prendre le volant.»

Le détective hocha la tête d'un air contrit et poursuivit sa route. Il aperçut alors Cass. Celui-ci venait de s'extraire de l'habitacle par la portière passager et se dirigeait du côté conducteur. Il avait abandonné son déguisement. Plus de prothèse, ni de raie. Il avait aussi changé de lunettes. Sofia émergea du bâtiment. Cass l'appela, un pied dans le véhicule.

Sans doute la prévenait-il qu'il allait la relayer. Le labrador décida d'exploiter ce moment d'inattention. Il sortit en trombe de la Lexus et courut s'amuser avec ses congénères dans le jardin. L'un des chiens en laisse aboya avec férocité. Cass et Sofia entreprirent de récupérer le fugitif. Tim profita de leur absence pour se ranger près de la Lexus. La voiture ronronnait toujours. Il se glissa par la portière ouverte, éteignit le moteur et prit la clef de contact, qu'il balança sous le tapis du coffre de son Impala bleue de location. Un bref coup de fil à Evon : « Je les ai immobilisés. » Il raccrocha aussitôt car le couple revenait avec le cabot. Sofia l'aperçut en premier. Elle se figea à une dizaine de mètres de lui.

« Tim, je vous en prie.

— Asseyons-nous à l'une de ces tables de pique-nique, et parlons, proposa l'enquêteur. Ce ne sera pas long.

— Nous n'avons rien à dire, répliqua Cass. Du moins pas à un employé de Hal.

— Eh bien, je ne suis pas de votre avis. J'ai l'impression que vous avez plaidé coupable pour un meurtre dont vous êtes innocent. »

Cass encaissa la remarque, puis fit signe à Sofia d'avancer.

« Vous n'irez pas loin, insista le détective. J'ai embarqué votre clef de contact. »

Cass se rua vers la portière passager, jeta un coup d'œil à l'intérieur du véhicule. Il se retourna avec une expression courroucée.

« Vous ne frapperiez pas un vieil homme avec tous ces gens autour, dit Tim.

— Je songeais plutôt à appeler la police.

— Vous auriez tort. Je serais obligé de leur raconter toute l'histoire. Enfin la partie que je connais. Ils prendraient vos empreintes, puis se rendraient au cabinet de Paul et à son bureau sénatorial. Vous seriez inculpé d'usage de faux, d'usurpation d'identité, d'exercice illégal et Dieu sait quoi encore. Discutons d'abord, vous voulez bien ? »

Sofia prit la main de Cass. Une certaine résignation se peignit sur les traits de l'imposteur. Le trio se dirigea vers l'une des tables disposées à proximité du bâtiment en briques abritant les toilettes et les distributeurs. Le mobilier en plastique moucheté était sans doute à l'épreuve des graffitis, mais pas à celle des signatures de gang gravées à la mini-scie Dremel sans fil. La surface de la table s'ornait en outre de souillures de guano séché à côté desquelles les gosses avaient dessiné des cœurs paraphés d'initiales. La jeunesse.

Le labrador, désormais attaché en laisse au pied de la table, continuait à bondir. Tim joua avec lui une seconde. Maria et lui avaient toujours eu des chiens à la maison. Des corniauds qui n'en demeuraient pas moins les meilleurs amis de l'homme. L'argument massue de ses filles pour le convaincre de déménager à Seattle consistait à vanter l'aide dont il bénéficierait, qui lui permettrait d'adopter un compagnon canin. Ici, tout seul, il hésitait. Il n'était pas sûr que sa jambe amochée supporte les longues promenades sous les intempéries.

« Bel animal. Quel âge ?

— Un an et demi, répondit Sofia. Il n'a pas encore lu les manuels de bonne conduite.

— Comment s'appelle-t-il ?

— Cerbère. C'est Paul qui a trouvé ce nom.

— Féroce gardien, en effet, ironisa Cass en secouant la tête.

— Cerbère gardait la porte des Enfers, n'est-ce pas ? Un molosse à trois têtes ?

— J'attends toujours que la première fonctionne, répondit Cass. Mais pour ce qui est d'empêcher les gens de quitter l'enfer, il a déjà compris le truc.

— Il se calmera avec l'âge. Comme les enfants. Chacun son rythme. »

Ils se turent un moment, à l'écoute de la rumeur monumentale de l'autoroute : rugissements gutturaux des moteurs, grondement de la gomme sur l'asphalte, ressac des voitures lancées à pleine vitesse. Le chien s'était assis aux pieds de Tim. Il se gratta l'oreille.

« Et si vous me racontiez ce qui s'est passé la nuit du drame, Cass ?

— Pourquoi pensez-vous que je suis innocent ?

— Eh bien, d'abord, Dita portait une trace de coup au visage. L'œuvre d'un droitier, alors que vous êtes gaucher.

— Ce détail ne vous a pas tracassé pendant vingt-cinq ans.

— Je ne possédais pas l'information, à l'époque. Ce qui est déjà assez bizarre en soi. Comme si vous et Sandy Stern essayiez de protéger quelqu'un. » Tim lui parla du faisceau de présomptions qui pesait sur la vieille dame.

« Et mes empreintes ? Et le sperme ? interrogea Cass.

— Les amis de Dita étaient unanimes : vous vous introduisiez chez elle presque toutes les nuits pour faire des galipettes. »

Sofia poussa son amant du bras. « Dis-le-lui. »

Cass ferma les yeux. « Je n'arrive pas à y croire. Et si je vous avoue la vérité, à qui la répéterez-vous ? »

Tim proposa le marché dont lui et Evon avaient déjà convenu. Hal méritait de connaître les circonstances du décès de sa sœur. Le reste – la prothèse, l'usurpation – n'était pas essentiel. Les mots échangés sur cette aire d'autoroute resteraient entre eux.

« À une condition, ajouta le détective.

— Laquelle ?

— Que personne d'autre n'ait été tué. »

Cass fixa son interlocuteur, réprima un mouvement de protestation, puis inspecta le parking. Il portait son pantalon de costume bleu, ainsi qu'une chemise blanche aux manches retroussées. Il avait sans doute laissé sa cravate rayée de l'université d'Easton avec la veste dans la voiture.

« Je ne peux vous révéler que ce dont je suis certain à cent pour cent. »

Tim approuva. C'était un bon début. Cass enfouit son visage dans ses mains pour trouver le courage de se lancer.

« Après la réception chez Zeus, commença-t-il, Paul et moi sommes partis au promontoire. Nous avons bu quelques bières et évoqué nos vies sentimentales, assis sur le capot de ma voiture. Nous nous amusions à nous taquiner jusqu'à ce que je parle de me marier avec Dita. Pour rester poli, mon projet ne déclencha pas l'enthousiasme. Aux alentours de 10 heures, la discussion était close. Pour ne pas envenimer la dispute, nous sommes retournés chez nous. Notre père était dans tous ses états. Ma mère nous avait certifié qu'elle rentrerait avec Teri et elle n'était pas reparue. Tante Teri l'avait quittée à 18 heures. Lorsque je consultai notre répondeur, je découvris un message hystérique de Dita, qui prétendait que Lidia l'avait molestée.

— D'où le coup de fil passé depuis chez elle la nuit du meurtre.

— Oui. » Cass eut un geste las. La lourdeur de son mouvement mobilisa toute la partie supérieure de son corps. Mensonge numéro un, songea le détective. Cass avait dit aux enquêteurs que la jeune femme lui avait simplement demandé de la rappeler et qu'il avait aussitôt effacé la bande. « Paul a sauté dans la voiture de notre père pour aller chercher Lidia. Moi, je me suis précipité chez Dita. J'ai escaladé le balcon, je me suis introduit dans la chambre par la baie vitrée. C'est là que j'ai remarqué la vitre brisée. Et puis j'ai vu le sang. Il y en avait partout. Sur le mur, sur la fenêtre. Sur le lit aussi. Dita gisait, inconsciente. L'hémoglobine imprégnait l'oreiller, le chevet. J'ai vérifié son pouls : elle était morte. Sa peau était déjà froide.

— Vous en avez donc conclu que votre mère était responsable ? »

Cass grimaça. Ses épaules oscillèrent. Il remonta davantage ses manches de chemise.

« En effet, je n'aimais pas la manière dont les choses se présentaient.

— Alors, vous vous êtes gardé d'appeler les urgences ou de réveiller les Kronon.

— Exact. J'ai sauté du balcon...

— Les empreintes de chaussures.

— En effet. Je me suis rué à la voiture. Comme ma mère n'avait pas de moyen de locomotion, j'en ai déduit qu'elle avait tenté de rejoindre Greenwood Village à pied pour appeler mon père. J'ai suivi mon intuition et je l'ai trouvée. Elle était assise derrière un talus, à mi-chemin. Nul doute qu'elle avait croisé au moins une centaine de véhicules. D'une façon ou d'une autre, elle s'était débrouillée pour passer de l'autre côté du canal longeant la route. La serviette était encore enroulée autour de son poignet, son visage était ensanglanté. Elle était en état de choc. Je l'ai ramenée chez nous en vingt minutes.

— Voilà d'où provenaient les échantillons de groupe B qu'on a collecté dans votre voiture.

— De ma mère, oui. Mon père était bien entendu furieux. Paul et moi savions qu'aller à l'hôpital revenait à la dénoncer aux autorités. Alors, nous avons sollicité Sofia. »

Tim regarda cette dernière. Jusqu'à présent, la chirurgienne s'était contentée d'écouter l'histoire, agrippée au bras de Cass. Maintenant, elle fronçait les sourcils. Le détective devinait que, même au bout de vingt-cinq ans, elle était encore gênée d'avoir participé à cette mascarade. Elle assuma néanmoins son implication :

« Lidia s'était coupé la veine radiale. Personne n'était en mesure de m'expliquer les circonstances de l'accident, mais je voyais bien qu'on craignait de l'emmener aux urgences. Les garçons prétendaient que, depuis la maladie de Mickey, Lidia avait développé une véritable phobie des hôpitaux. Soigner ce type de blessure n'était pas un problème, sauf que Lidia avait perdu beaucoup de sang. Une hypovolémie aiguë pouvait déclencher un arrêt cardiaque. Sa pression sanguine était toutefois correcte. En cas de forte fièvre ou d'un autre symptôme caractéristique, je leur ai conseillé de la faire transfuser. Je suis repassée le lendemain. Elle allait mieux, même si son état demeurait préoccupant.

— Elle a avoué le meurtre de Dita ? »

Cass secoua énergiquement la tête.

« Non. Jamais. Pendant plusieurs jours, elle a été trop bouleversée pour parler. Elle a admis avoir "giflé" Dita (il dessina des guillemets avec ses doigts) et aussi que la jeune femme s'était "cogné" la tête. Selon ma mère, Dita était encore en train de lui crier après lorsqu'elle a quitté les lieux. Quand nous avons appris son décès par hémorragie intracrânienne, nous avons compris. Cependant, ma mère a toujours nié avoir empoigné la mâchoire de la victime ou lui avoir assené des coups répétés. Rien. Pas de raclée.

— Vous en avez pensé quoi ?

— Paul et moi avons estimé qu'elle tentait de se convaincre elle-même. La perte de sang avait pu affecter sa mémoire.

— Vous croyez qu'elle a assassiné Dita ? insista Tim.

— Notre mère avait un sacré tempérament. *"Tha sae deero !"* », chantonna-t-il. Il leva le doigt en signe d'avertissement. Sa voix haut perchée, pareille à celle de la méchante sorcière de l'Ouest du *Magicien d'Oz*, singeait Lidia lorsqu'elle menaçait de leur donner une fessée. « Ces mots nous terrifiaient, mon frère et moi. Elle se servait d'une raquette de ping-pong et on ne pouvait plus s'asseoir pendant des jours. Elle était plutôt brutale quand elle s'énervait. Mais Dita était jeune et forte. Je ne vois pas ma mère la maîtriser. Pour être honnête, je n'ai jamais cru à sa culpabilité.

» Bien entendu, aucun procureur n'aurait abondé dans ce sens. Une centaine de témoins étaient prêts à confirmer combien la présence de Lidia à ce pique-nique était suspecte. Sans compter son intrusion dans la chambre de Dita. Ma mère craignait que mon mariage avec la fille de Zeus n'entraîne une rupture définitive avec mon père, c'était de notoriété publique. De plus, elle avait abandonné toute idée de m'obliger à renoncer à cette union. Les conditions étaient donc réunies pour que la situation devienne explosive.

» Lidia aurait écopé, au mieux, d'une condamnation pour "violences ayant entraîné la mort sans intention de la donner". Dita était la fille d'un futur gouverneur. Paul et moi redoutions une peine exemplaire et ma mère prétendait qu'elle préférait se supprimer que de mettre un pied derrière les barreaux. Ce genre de choses arrive souvent, n'est-ce pas ?

— Le chantage au suicide ? Souvent, oui. Le passage à l'acte, beaucoup moins. » Tim avait quand même vu quelques types se tuer à la veille d'entrer en prison. Des jeunes gars tourmentés ou des toxicos incapables de supporter le sevrage.

« Mais ce n'était pas ce qui rendait l'affaire si compliquée, ajouta Cass.

— Je n'ai pas l'impression que ce soit si simple jusqu'à présent. »

Cass, visiblement désolé pour Brodie, eut un bref sourire.

« Supposez que ma mère se soit rendue, qu'elle se soit confessée. Elle vous aurait donné la même version qu'à nous et vous auriez pris ses dires pour argent comptant. D'où viennent les autres blessures de Dita ? Je suis le seul à avoir pénétré dans la chambre avant Zeus. Mes empreintes sont sur la scène de crime, j'ai laissé des traces de chaussures à l'extérieur. Dita indiquait dans son message qu'elle allait appeler les flics. Mon frère et mon père seraient contraints d'avouer ma visite chez les Kronon. Le ministère public en déduirait que j'ai essayé d'empêcher la jeune femme de compromettre ma mère. Ou bien que j'ai perdu les pédales parce qu'elle voulait me larguer.

— Vous aviez peur d'être tous les deux accusés ?

— Pourquoi pas ? Vous inculpez ma mère d'homicide involontaire, vous l'obligez à m'enfoncer en échange de l'immunité. Mieux encore, vous montez deux instructions distinctes. Vous me forcez à témoigner contre ma mère et vice-versa. Joli coup, hein ? La mère opposée au fils, le fils opposé à la mère. Une manœuvre possible. Nos dépositions respectives nous incriminent. Le procureur pourrait dénicher un expert qui démontrerait notre responsabilité conjointe. Ma mère frappe Dita, j'achève la besogne. Ils n'auraient d'ailleurs pas besoin de ça. Nous nous chargerions mutuellement lors des deux procès.» Tim passa mentalement en revue les différentes possibilités. Il aurait aimé pouvoir affirmer que la justice n'était pas si retorse, mais Cass avait raison. L'enquête s'était déroulée dans une ambiance hystérique, les médias étaient sur les dents. De nombreux substituts se seraient laissé tenter par un double procès.

«Ma mère m'aurait protégé. Elle aurait menti pour endosser la responsabilité des faits. Lidia Gianis traitée de meurtrière en première page des journaux? Elle avait le goût des effets dramatiques : elle prévoyait d'avaler de la ciguë, et l'obliger à avouer le meurtre revenait à lui tendre la coupe.» Un sourire triste apparut sur son visage. Des voix s'élevèrent au loin sur le parking. Un couple se querellait pour savoir qui allait payer l'hôtel. Cass ajouta : «Nous n'étions même pas sûrs qu'elle surmonte l'épreuve d'un interrogatoire.»

Tim fit la moue. Les arguments se bousculaient dans sa tête. En 1982, les autorités n'avaient pas songé à effectuer de caryotype des échantillons de sang. La démarche était peu répandue et ils privilégiaient la piste d'un tueur masculin. Cependant, on connaissait déjà l'importance des chromosomes. Les projections d'hémoglobine dans la chambre auraient confirmé les allégations de Lidia, mais les empreintes de Cass et les traces de chaussures auraient convaincu n'importe quel enquêteur qu'elle essayait de couvrir son fils.

«Nous courions au désastre, quoi que nous fassions, dit Cass.

— Alors vous avez plaidé coupable.

— Oui.»

Tim fixa son interlocuteur. «Et Lidia a laissé son enfant bousiller sa vie pour s'en sortir?

— C'est ce qui s'est passé.

— Non, je ne vous crois pas.» Le détective se pencha pour flatter le chien. L'animal était encore assez jeune pour mordiller ses doigts sans lâcher prise. «Je vous suis depuis plus d'une semaine. Je vous regarde mettre une prothèse chaque matin, remplacer votre frère au cabinet ou dans les bureaux du Sénat. Ce manège ne date pas d'hier. Il faut des années de pratique pour jouer le rôle d'un avocat ou d'un sénateur avec une telle précision. Je pense que vous avez échangé vos places en prison. Je comprends mieux votre insistance à bénéficier d'un régime en surveillance restreinte. Vous n'auriez pas pu vous livrer à ce type d'imposture dans un autre établissement. À Hillcrest, il vous suffisait d'aller vous promener à l'écart, puis d'intervertir vos habits. Vous étiez tantôt Paul, tantôt Cass.

— Une théorie intéressante.

— Les empreintes prélevées lors de la mise sous écrou ne correspondent pas à celles de l'homme qui était dans la chambre de Dita. Elles appartiennent à Paul. Je dirais qu'il s'est laissé incarcérer en premier au cas où votre combine n'aurait pas fonctionné. On ne peut pas garder le mauvais détenu en prison, n'est-ce pas?

» La beauté du projet résidait dans votre capacité à recueillir l'approbation de votre mère. Paul et Vous demeuriez tour à tour en liberté. Vous pouviez continuer à mener votre existence, du moins en partie.» Tim jeta un coup d'œil à Sofia. Elle n'aurait jamais pu postuler au championnat du monde de poker. Son regard exorbité, ses traits figés exprimaient une terreur ostensible. Tim comprit qu'il avait tapé dans le mille. Il s'adressa à elle : «La vie conjugale devenait sans doute un peu plus délicate quand vous dormiez avec Cass. J'imagine que la situation s'est dégradée à partir de ce moment-là.»

Sofia détourna le regard. Elle annonça dans un souffle qu'elle allait promener Cerbère.

«Joli raisonnement, convint Cass après son départ.

— Je suis presque certain d'avoir raison. Une dernière zone d'ombre subsiste : vous m'avez certifié que Dita était morte à votre arrivée. Reste la version de votre mère. Étant donné la force des coups, l'agresseur était vraisemblablement un homme. Difficile d'envisager qu'une femme de l'âge de Lidia ait rossé sa victime avec une telle violence.

— Je suis bien de votre avis.

— Alors vous l'avez peut-être tuée, après tout. »

Cass se fendit d'un sourire malicieux. « Vous voyez ? Cinq minutes auparavant, vous considériez que j'étais innocent et maintenant, à la lumière des faits, vous me jugez coupable. »

Tim adopta un air de conspirateur et se pencha au-dessus de la table. Il lança un regard en biais vers Sofia, qui s'amusait avec le chien à une vingtaine de mètres de là.

« Entre nous, murmura-t-il, vous l'avez fait ?

— La solution de facilité consisterait à répondre oui. J'ai déjà purgé ma peine. »

Il voyait juste. Même si certains coupables se muraient dans le silence, Cass avait toutes les raisons du monde d'endosser le crime.

« Je vous crois, conclut Tim.

— Merci », fit Cass. Il n'en pensait pas un mot. « Pour votre édification personnelle, cette histoire de faux nez et de détention alternée est une foutaise. Je suis resté en prison parce que c'était inévitable. J'ai sauvé ma mère de l'incarcération et du suicide.

— Eh bien, des aveux vous rendraient, vous et votre frère, coupables de multiples délits.

— Balivernes.

— Une fois de plus, je désire simplement découvrir l'identité de l'assassin.

— Et je vous ai dit ce que je savais. »

Tim hocha lourdement la tête. Cass manœuvrait en finesse.

« Encore un détail, fit le détective. Qu'est devenu votre frère ?

— Il va bien.

— Vraiment ? Alors pourquoi jouez-vous les deux rôles depuis des semaines ? »

Cass baissa les yeux.

« Vous avez fichu une trouille bleue à Beata. Ils veulent passer du temps ensemble. Elle est enceinte. À quarante-cinq ans, l'occasion d'avoir un enfant ne se représentera pas. Ils ont choisi de s'éclipser.

— Vous avez accepté de le remplacer partout ? »

Cass eut un léger sourire. « Je lui dois un ou deux services. »

Tim sourit à son tour. « Je ne voudrais pas me mêler de votre vie privée, mais je serais curieux d'en savoir plus. »

Cass redevint sérieux. Il expliqua au détective qu'il avait raison : il ne fallait pas se mêler de la vie privée d'autrui.

« Et si nous allions voir Paul tous les trois ? proposa Tim. Je ne vous demanderai plus rien après. Le vieil enquêteur que je suis ne peut pas négliger l'éventualité d'un meurtre. J'ai besoin d'être sûr. »

Sofia revint avec le chien.

« Tim veut voir Paul, l'informa Cass. Il pense que je l'ai tué. »

Michalis s'immobilisa une seconde. Son air grave s'envola en un instant. Elle éclata de rire.

Cass se leva. « Suivez-nous.

— Non. Je vous ai assez couru après. Prenons plutôt ma voiture. Dès que j'aurai vu Paul, je vous rendrai vos clefs et vous pourrez continuer votre petite mise en scène.

— Nous allons perdre une heure. »

Tim trouva la réponse de Cass encourageante. Non seulement Paul était vivant, mais il était proche d'ici.

Sofia intervint :

« Finissons-en, Cass. »

32.

Le nouveau Paul

Tim laissa Cass conduire la voiture de location. La Chevrolet flambant neuve avait une odeur âcre, comme si un client avait enfreint le règlement en fumant dans l'habitacle. Sofia et le chien étaient assis à l'arrière.

« Je dois prévenir Paul de notre arrivée, fit Cass.

— Pour qu'il ait le temps de mettre son faux nez ? questionna le détective.

— Il n'a pas de prothèse. Vous le verrez par vous-même. J'admets cependant que c'était bien pratique pour le remplacer pendant la campagne.

— Je vais vous expliquer ce que je pense : vous portiez tous les deux un nez factice. Si celui de Paul était vraiment abîmé, il n'aurait jamais pu se faire passer pour vous à Hillcrest.

— Voilà pourquoi vos suppositions ne tiennent pas debout. » Cass sortit son portable. « Je ne peux pas débarquer comme ça. Il y aurait une dispute. Nous ne nous parlons plus beaucoup. Je vous le répète : Beata a besoin de calme.

— Moi, je crois que vous alliez chez votre frère pour discuter de ce que j'avais découvert. »

Cass leva les yeux au ciel et prétendit que Sofia et lui avaient simplement loué une maison de campagne dans les parages. Il composa le numéro de Paul sans attendre l'assentiment de Tim. Il l'avisa d'une voix neutre que Sofia et lui étaient en route avec le détective. Quand il raccrocha, Tim contacta Evon. Celle-ci avait laissé plusieurs messages. L'enquêteur lui donna rendez-vous sur le pont dans une heure.

« Vous ne lui dites rien d'autre ? interrogea Sofia.

— Rien d'autre, en effet.

— Vous allez bien ?

— Je ne me suis jamais senti mieux. »

Le reste du trajet s'effectua sans encombre. Ils évoquèrent les fils de Sofia. Michael et Steve étaient soulagés que la campagne s'achève enfin et que le spot de Hal ne soit plus diffusé. Michael, l'aîné, aurait son diplôme le mois prochain. Il projetait d'enseigner deux ans dans le secteur public avant d'intégrer la fac de droit. Steve, lui, était en fin de deuxième année. Il s'orientait vers des études de médecine. Tim se demanda comment les garçons supportaient l'alternance entre leur oncle et leur père. Un tel secret était écrasant, mais les gosses géraient ce type de fardeau bien mieux que les adultes. Tim avait pu le constater en traitant plusieurs dossiers de familles en cavale.

Ainsi qu'il l'avait escompté, ils se dirigèrent vers le pont d'Indian Falls. À un moment donné, il aperçut le véhicule d'Evon garé en bordure de route. Le détective jugea préférable de ne pas suggérer qu'elle les accompagne.

Le paysage était de toute beauté. Les pins et les peupliers ponctuaient les affleurements rocheux, les ruisseaux serpentaient pour rejoindre la Kindle. Ils longeaient des petits lacs à intervalles réguliers. Les gens étaient dehors, occupés à rafraîchir leur maison en prévision de la saison estivale. L'arrivée du printemps était source de joie. À cette période de l'année, tout le Midwest cédait à une euphorie partagée.

Cass bifurqua sur une voie communale à gauche. Un kilomètre plus loin, la route commençait à monter. Paul avait bâti son nid luxueux au sommet d'une colline. La vaste maison de pierre, surmontée d'un toit en bardeaux de bois, dominait le terrain. Des rondins en pin verni soutenaient les dalles de pierres du porche. Ils garèrent la voiture de location dans l'allée gravillonnée. Le chien bondit hors du véhicule et entama une course folle dans le jardin avant de revenir avec une balle de tennis dans la gueule. Il déposa son butin au pied de Cass. Tandis que ce dernier lançait le jouet en tir pointé, Paul sortit de la maison. Il portait une chemise à carreaux et un jean. Dès qu'il vit Tim, il croisa les bras.

Beata émergea à son tour, vêtue d'une chemise en chambray usé. Tim vit tout de suite que Cass ne lui avait pas menti : son ventre s'arrondissait. Paul lui prit la main.

«Vous êtes content?» grinça Cass.

Paul ressemblait à Paul. La grosse bosse sur sa cloison nasale demeurait bien visible. Pour un homme marié à une chirurgienne plastique, il était étrange qu'il n'ait jamais songé à faire corriger ce défaut. Sofia elle-même n'avait pas cédé à l'appel du bistouri. Bien entendu, le politicien ne s'était jamais cassé le nez. Cette imperfection était un déguisement.

«Je peux vous voir de plus près? s'enquit Tim.

— Pourquoi? répondit Paul, agacé.

— Il a une théorie, expliqua son frère. Toi et moi avons échangé nos places en prison pendant vingt-cinq ans grâce à la prothèse.»

Paul plissa les yeux. Il descendit les trois marches de la véranda, puis ôta ses lunettes afin de permettre à Tim de l'examiner plus attentivement.

«Faites vite», ordonna-t-il.

Le détective s'approcha. Il fouilla dans ses poches, à la recherche de ses propres lunettes. Il était assez près de son interlocuteur pour danser un slow avec lui. Il le dévisagea d'un côté, de l'autre. Son nez paraissait authentique, pas de doute. Mais la prothèse était très réaliste. Il resta immobile un instant, comme pétrifié par une idée, un défi qu'il se serait lancé à lui-même. Il fit mine de s'éloigner, puis se retourna brusquement, empoigna le nez de Paul et tira de toutes ses forces. L'homme poussa un cri de douleur, se débattit. Un choc lourd déséquilibra Tim. Il chuta à terre. Beata le surplombait.

Cass se précipita pour l'écarter. Il n'aida pas le détective. Celui-ci se releva péniblement. Une douleur cuisante irradiait sa joue, là où son visage avait heurté le sol. Sofia prit le visage de son ex-mari entre ses mains, lui tourna la tête pour estimer les dégâts.

« Vous devez partir, maintenant, conseilla Cass. Rendez-moi ma clef de voiture. Paul nous reconduira à l'aire de repos. »

Beata avait rejoint Sofia et Paul. La chirurgienne fusilla le détective du regard.

« Vous avez perdu l'esprit, monsieur Brodie. Vous auriez pu lui casser le nez.

— Je suis désolé, plaida l'enquêteur. J'étais persuadé d'avoir raison. Mille excuses. » Il avait senti l'arête et le cartilage sous ses doigts. Aucun artifice.

« La clef », insista Cass.

Tim s'épousseta. Son épaule lui faisait mal. Sa jambe esquintée avait elle aussi souffert de la collision.

Il ouvrit le coffre de la Chevrolet, souleva le tapis pour prendre la clef. Quand il exhiba la pièce métallique à la lumière du jour, il remarqua qu'un résidu rosâtre s'était déposé sur la pulpe de son pouce. Il songea d'abord à du pollen. Cependant, après avoir frotté son index dessus, il se rendit compte qu'il s'agissait d'une substance grasse. Du maquillage. Le produit n'avait pas été appliqué sur le nez, mais plutôt sous les yeux, à l'endroit où se formaient les hématomes consécutifs à un choc orbitaire.

« La clef ! » martela Cass.

Tim les lança à gauche et, comme prévu, Cass les attrapa au vol.

« Belle réception, Paul, constata le détective.

— Je m'appelle Cass. »

Le détective désigna l'autre jumeau, qui avait regagné l'abri du porche. « Non. Cass, c'est lui. Il s'est réfugié ici pour attendre que son nez guérisse. Sofia l'a opéré afin que la bosse soit définitive. Vous comptiez permuter une bonne fois pour toutes. Vous, vous êtes Paul. Vous jouiez sûrement le rôle de votre frère à la perfection dans l'enceinte de la prison, mais ce n'est pas le cas à l'extérieur. Le chien a dix-huit mois et il vous colle aux basques. C'est vous qui l'avez élevé. Ah oui, au fait, j'ai admiré la façon dont vous lui avez envoyé la balle. Une belle cuillère de débutant. Vous et Cass avez appris à manger, à signer les documents du même paraphe illisible des deux mains. Par contre, effectuer un tir tendu en ambidextre est une autre paire de manches. Allez-y, prouvez-moi que j'ai tort. Renvoyez-moi les clefs. »

L'homme lui jeta un regard noir. Le regard de Zeus.

« Pouvez-vous aller à côté de votre frère ? poursuivit Tim. Je suis sûr que Paul est devenu plus grand que vous. À partir d'aujourd'hui, il endosse votre identité, et vous la sienne. Mais vous continuez à mener votre vie, ce qui est toujours confortable. Beata est la petite amie de Cass depuis des années. Ils se voyaient quand celui-ci vous remplaçait en dehors de la prison. Je comprends qu'elle ait voulu s'éclipser en sa compagnie dans ce coin retiré. Son état le justifie. Je constate néanmoins qu'elle tient encore la forme. » Tim se massa l'épaule. « En vérité, elle me fuit. C'est son droit le plus strict et je vous souhaite beaucoup de bonheur, je vous assure. Je n'ai pas tout à fait saisi la finalité de l'opération. Pour être honnête, je m'en moque. »

Sofia descendit du porche, prit la clef dans la main de son ex-époux, puis s'approcha de Tim et lui caressa la joue.

« Vous allez avoir un bleu, j'en ai peur. Je vais vous chercher de la glace. D'autres douleurs ?

— Pas plus que d'habitude », mentit Tim. Sa jambe le torturait.

Sofia se dirigea vers la maison. Elle invita tout le monde à la suivre dans un murmure confus. Le chien sortit du bois à ce moment-là et vint se poster près de la porte avec la balle. Il remua la queue et adressa un regard suppliant à Tim.

« Ne me demande rien, Cerbère, fit le détective. Je suis aussi perdu que toi. »

Sofia fut de retour en quelques minutes. Elle portait une pochette de glace, une bouteille d'eau et un vaporisateur. Après avoir nettoyé la blessure de Tim, elle l'obligea à fermer les yeux pendant qu'elle l'aspergeait de solution antiseptique. Elle lui tendit ensuite la pochette de glace. « Dix minutes d'application », conseilla-t-elle. Tim retourna à sa voiture.

Sofia l'accompagna et se pencha par la vitre.

« Tout ceci reste entre nous ?

— Évidemment.

— Vous aviez raison.

— Je sais. Votre mari est un type bien. Cass et Lidia étaient dans le pétrin. J'imagine le sacrifice. Se laisser emprisonner, même à mi-temps. »

Sofia baissa les yeux un instant, comme si elle avait pu distinguer la vérité tapie sous les graviers de l'allée.

« J'ai appris beaucoup de choses sur l'amour en épousant un jumeau. Ce genre d'expérience ne convient pas à tout le monde, surtout si vous désirez être la première dans le cœur de votre partenaire. Ils grandissent dans un monde peuplé d'individus distincts et nous voudrions qu'ils se comportent comme tels. Une tâche impossible. En tout cas pour eux. Leurs fondamentaux sont différents. Ils entretiennent un rapport fusionnel. L'idée d'intervertir les rôles venait de Paul. Non seulement il était persuadé que Lidia allait se rendre, mais la perspective que son frère endure seul l'épreuve lui était insupportable.

— Vous avez donc participé à leur projet ?

— Petit à petit. Je crois que j'ai été impliquée dès que j'ai recousu Lidia. Et plus encore quand je suis tombée amoureuse de Paul. Il a évoqué la possibilité de fabriquer une prothèse nasale. Il avait besoin d'un signe distinctif suffisamment frappant pour éclipser les différences minimes entre lui et son frère. Différences qui se sont accrues avec l'âge. Vous connaissez l'expression "comme le nez au milieu de la figure". Hilda, mon orthésiste, a dû se douter de la manœuvre, mais elle a gardé le secret. Nous avons réussi car ils ne portaient la prothèse qu'à l'extérieur de la prison, quand ils étaient Paul.

— Ils ont fait ces allers-retours pendant vingt-cinq ans ?

— Il existe une route derrière Hillcrest. On peut s'y rendre en voiture. Celui qui désirait sortir se contentait d'aller faire une promenade en forêt. Vous aviez vu juste.»

Il haussa les épaules. Tous les centres ouverts situés en zone rurale, là où le travail était rare, avaient le même défaut.

«Nous avions parfois des soucis, précisa Sofia. Quelqu'un sur la route, par exemple. En vingt-cinq ans, une seule personne s'est montrée suspicieuse. Les jumeaux se rencontraient dans la salle des consultations juridiques. Paul était l'avocat de Cass. Ils avaient pris l'habitude d'échanger leurs habits entre ces quatre murs, à l'abri des regards indiscrets, jusqu'à ce qu'un gardien les surprenne tous les deux pieds nus. Il a failli rédiger un rapport. Paul est parvenu à le convaincre que son frère désirait simplement essayer ses nouveaux mocassins.

» Ils alternaient une fois par mois, en général. De temps en temps, c'était juste l'espace d'une journée, quand Paul avait une conférence ou une affaire délicate à traiter. Une période étrange.» Elle roula des yeux. «Pleine d'imprévus.

— J'imagine. Et pour plaider ?

— Paul n'était pas beaucoup plus aguerri que Cass quand il est entré au bureau du procureur. Le parquet est souvent négligé en fac de droit. Ça s'apprend sur le tas. Sandy Stern les a beaucoup aidés quand ils ont travaillé sur la défense de Cass. Quelques années plus tard, Paul s'est reconverti dans le privé. Il s'est attelé à un énorme dossier dans l'Illinois, ce qui l'a obligé à repasser l'examen du barreau dans cet État. Cass est resté six mois dans sa cellule, à étudier. C'est lui qui s'est présenté au concours.

» Donc, la pratique n'a jamais été un problème. Les détails de la vie quotidienne étaient en revanche plus difficiles à régler. Ils s'écrivaient des lettres de consignes chaque jour, mais j'ai dû m'excuser plus d'une fois pour les oublis de Paul. En ce qui concerne les enfants, c'était encore plus dur. On devait enlever la prothèse toutes les nuits et les garçons savaient différencier leur père de leur oncle depuis l'âge de trois ans. Nous avons couru un sacré risque en leur révélant la vérité. Nous, les adultes, avions passé un marché. Il n'y aurait pas de reproche si Michael ou Steve trahissait le secret. Mais les gosses n'aiment pas être différents. Ils se sont tus. Aujourd'hui, la situation leur convient. Ils ont l'impression d'avoir deux pères ; une constante chez les enfants de jumeaux.

— Et maintenant, que se passe-t-il ? Quel est le but final de cette supercherie ?

— Paul en a assez de la politique. Pas Cass. Le premier sera heureux d'ouvrir une école destinée aux anciens détenus et aux jeunes qui sortent des maisons de redressement. Un établissement réservé aux élèves de quatorze à vingt-six ans. Le programme éducatif ira du lycée aux cursus supérieurs. On mettra l'accent sur l'insertion professionnelle et les stages. En gros, les aînés apprendront aux plus jeunes à rester dans le droit chemin. Une idée astucieuse et un travail idéal pour "Cass". Un taulard qui éduque des taulards. Paul a déjà parlé du projet à Willie Dixon. Le comté est disposé à financer l'entreprise. Cass, lui, a envie d'un travail de bureau, alors tout va bien, n'est-ce pas ?

— Ce n'est pas à moi de le dire, mais j'espère que vous réussirez. Vous en êtes capables. » Tim réfléchit un instant. Beaucoup d'informations à assimiler. « Comment avez-vous géré l'arrivée des enfants, avec ces changements incessants ?

— Paul était à la maison quand ils sont nés. » Elle plongea son regard dans celui de Tim. « Et j'ai toujours su distinguer l'un de l'autre. »

Le détective éclata de rire.

« Vous avez signé pour la moitié d'un mari ?

— Beaucoup d'épouses passent du temps de leur côté. Les femmes de policiers, par exemple. Et puis j'avais vingt-quatre ans, j'étais folle amoureuse. Un homme qui adorait son frère à ce point ne pouvait que m'aimer en proportion.

— L'avenir vous a donné raison ? »

Elle eut un léger sourire, semblant aborder la question avec philosophie ainsi que Tim l'attendait d'une femme responsable.

« Je crois. Au fond, notre mariage est l'une des raisons pour lesquelles Paul abandonne les feux des projecteurs. Nous allons pouvoir bâtir une relation normale. Jusqu'à février dernier, je n'avais jamais vécu avec mon mari plus de deux mois d'affilée.

— Pourvu que ça marche.

— Tout se passe bien, Dieu merci. Je ne vais pas prétendre que nous sommes sereins. Vous savez, monsieur Brodie, je veux dire Tim, j'ai toujours songé au couple que vous formiez avec Maria, quand Kate déclinait. Et à la manière dont vous avez surmonté sa disparition. Vous incarniez à mes yeux une sorte de modèle. J'aurais voulu avoir des parents comme vous. »

L'enquêteur marqua une seconde d'étonnement. « Nous paraissions unis à ce point ?

— Oui, vraiment. Très soudés.

— Et vous pensez que Maria était heureuse ?

— J'en suis certaine. Ne laissez pas sa mort semer le doute. Je me souviens qu'à l'époque du lycée j'étais souvent chez vous. Un jour, j'ai aperçu Maria dans la cuisine. Son visage s'est tout à coup illuminé. On aurait dit que quelqu'un avait actionné un interrupteur. Elle irradiait. D'abord, je n'ai pas compris. Et puis j'ai vu qu'elle regardait par la fenêtre. Vous marchiez dans l'allée pour rentrer chez vous. J'avais quatorze ou quinze ans et j'ai songé : voilà ce que je veux. »

Tim avait les larmes aux yeux. Cela se produisait de plus en plus souvent ces temps-ci.

« Vous ne pouviez pas me faire davantage plaisir, Sofia. »

Elle sourit. « Ravie de l'apprendre. » Ensuite, elle se redressa et regarda de nouveau dans la voiture. « J'ai expliqué à Paul et à Cass que vous étiez un homme de parole. Que notre échange resterait confidentiel. »

Tim hocha la tête. Elle se pencha pour déposer un baiser sur sa joue et, comme toujours, lui demanda de transmettre ses salutations à Démétra.

Evon était toujours stationnée en face du pont. Elle bondit hors de la voiture dès que Tim arriva.

« Qui vous a frappé ?

— C'est ma faute », minimisa le détective. Il lui raconta comment il avait empoigné le nez de Paul, aussitôt défendu par Beata.

« Il porte une prothèse ? » interrogea la responsable.

Tim fit non de la tête, sans ajouter un mot.

« Votre hypothèse s'effondre, dit-elle.

— Possible. Mais j'imagine que leurs manigances ne nous regardent pas. Nous en étions convenu ainsi, n'est-ce pas ?

— Exact. Je ne vois pas pourquoi j'irais m'en mêler. »

Il était tard. Le soleil se couchait en une profusion de couleurs singulières sur la rivière. Ils s'appuyèrent sur le capot de la BM. Le spectacle grandiose passa rapidement au second plan quand Tim expliqua ce qu'il avait appris sur la nuit de l'assassinat. Il conclut :

« Soit Lidia est plus atteinte qu'elle ne veut l'admettre, soit elle se souvient de tout et c'est elle la meurtrière. À moins que Cass ne mente. Dans ce cas, il est coupable. Troisième supposition : un inconnu a décidé de se défouler sur Mlle Kronon.

— Vous penchez pour quelle solution ?

— En premier lieu, je suis persuadé de l'innocence de Cass. Ensuite, on n'a rien retrouvé sous les ongles de Dita. Elle aurait résisté à Lidia, surtout après avoir été giflée. De toute évidence, la victime n'a pas lutté. J'en déduis donc qu'elle était en confiance et que son agresseur a agi par surprise.

— Un membre de la famille ?

— On s'oriente vers cette piste. Hermione était maigre comme un clou ; elle n'aurait jamais eu la force nécessaire. Il nous reste deux hommes. »

Evon fixa son interlocuteur. « Hal ? »

V.

33.

Zeus – 5 septembre 1982

Posté entre les colonnes doriques, sous la porte cochère ruisselante de sa vaste demeure, Zeus adresse un geste d'au revoir aux invités en fuite, manière de leur signifier qu'il se soumet au bon vouloir des dieux : la réception est terminée. Abrités sous des parapluies, des journaux ou, plus rarement, des nappes plastiques chipées sur les tables, les paroissiens dévalent la colline au bas de laquelle s'embourbent leurs véhicules. La chemise du maître de maison, d'une blancheur virginale en début de journée, est à présent détrempée. Zeus affronte néanmoins le déluge, prodigue des salutations, envoie des baisers et ordonne aux employés du traiteur d'aider les vieux yiyas. Nombreux sont ceux qui prennent le temps de s'arrêter pour le bénir. Diane Trianis, qui a hérité par sa mère d'une constitution imposante, s'approche de son hôte, l'embrasse sur la joue. Elle reste adorable en dépit de sa chevelure réduite à l'état de serpillière.

« Appelle le QG de campagne mardi », lui conseille-t-il une nouvelle fois. Elle vient de divorcer, elle a besoin de travailler. Zeus a couché avec la mère de Diane vingt ans auparavant. La perspective de réitérer l'exploit avec la fille envoie une décharge d'adrénaline dans son sceptre de foudre, ainsi qu'il aime à nommer cette partie de son anatomie. Tant de choses, tant de gens – des personnes qu'il connaît depuis des

années – sous son joug. Le jour du pique-nique est toujours mémorable. Hermione pose la main sur son épaule. Il fait demi-tour et se retire dans l'ombre. Les ténèbres qui l'enveloppent dès qu'il cesse de briller en société lui sont familières.

Sa femme, Hermione, a réussi par miracle à rester sobre. Elle maîtrise toujours son apparence. Tellement, d'ailleurs, qu'elle s'est fait enlever les sourcils quelques années auparavant de manière à pouvoir les dessiner à sa convenance chaque matin. Elle est encore svelte et élégante dans ses habits taillés sur mesure, même si elle est plate comme une limande dès qu'elle les ôte. Et puis elle est fiable. Elle ne s'est pas départie de son sourire factice depuis six heures. Elle est épuisée, sans doute, mais trop fière pour se plaindre. Personne, cependant, n'oublie jamais tout à fait les pires moments d'une union. Dans le cas d'Hermione, ces souvenirs ravivent le besoin d'alcool et déclenchent des crises de colère noire qu'elle a du mal à juguler. Parfois, lorsque Zeus a lui-même un peu bu, quand il a discuté avec une amabilité excessive, s'est trop rapproché et a manifesté un appétit ostensible pour une jeune femme, son épouse le traite de monstre sans cœur. Elle prétend que son ego est un puits insondable. Il accepte ses récriminations en silence, convaincu de les mériter. En vérité, il n'est pas quelqu'un de bien. Il est fasciné par son propre pouvoir, impressionné par la façon dont la puissance a grandi en lui, pareille à un tronc d'arbre solide. Les proportions de sa voracité l'effraient. Hermione a raison. Il ne sera jamais heureux.

Chaque fois, sa femme sauve leur mariage. Elle vient le voir le lendemain et dit juste : «Je te remercie, Zeus. Je te suis reconnaissante pour la vie que je mène.» Ces paroles sont suffisantes. Elles dépassent ce que la plupart des maris sont en droit d'attendre de leur épouse. Grâce à son défunt père, Hermione saisit les avantages de leur relation. En cela, elle se comporte comme un homme.

Zeus s'est arrêté dans le salon pour admirer ses brocarts, ses richesses. Phyllos lui apporte un verre de whisky. Pete

Geronoimos, qui est allé téléphoner à l'étage, redescend en sifflant.

« J'ai obtenu un vol pour Winfield à 6 heures. Les négociations avec la confédération paysanne sont bien avancées. » Le tout-puissant syndicat des agriculteurs va soutenir Zeus. Ce dernier leur parlera de sa famille, à Kronos, au pied du mont Olympe. Il évoquera les chèvres, les moutons et les chevaux. Du moins ceux qui n'ont pas été volés. En réalité, son père a émigré aux États-Unis pour fuir la vindicte de plusieurs villageois, résolus à le traquer comme un chien. Zeus dépeindra Nikos comme un gentil berger.

Pete est importateur dans l'industrie alimentaire. Il aime la politique depuis qu'il est enfant. Le grossiste voudrait bien se présenter, mais il est bâti comme une armoire de cuisine et mesure un mètre soixante. Sans compter que, d'après les informations de Zeus, il a écopé d'au moins trois condamnations pour avoir fait des avances à des flics en civil qui prétendaient avoir seize ans. L'année dernière, Zeus a finalement accepté de céder aux demandes répétées de son ami. Il s'est lancé dans la course à l'investiture. Pete s'occupe des détails cruciaux, des manœuvres tactiques. Zeus, quant à lui, s'occupe d'être apprécié. Une tâche qu'il affectionne. Il disserte sur ses origines modestes, la guerre, le monde des affaires, et dresse l'éloge de l'Amérique. Il conte aux gens les fables qu'ils ont envie d'entendre. L'électorat est encore très remonté contre les démocrates et cette chiffe molle de Jimmy Carter. Le politicien en gilet a exhorté le petit peuple à baisser le thermostat et à se bouger les fesses. La population a besoin d'un leader fort. Quatre-vingts pour cent de ceux qui se rendront aux urnes en novembre n'ont aucune idée des missions d'un gouverneur, à part celles qui consistent à vivre dans un palace et à se rendre aux défilés. Zeus est fort. La perspective de saluer la foule depuis le balcon de la résidence d'État lui paraît aussi excitante qu'une partie de jambes en l'air.

Lorsque Hal et Mina descendent au salon dire bonne nuit, Pete rentre chez lui promener son chien avant de dormir *quelques heures. La future belle-fille de Zeus l'embrasse et loue chaque détail de cette formidable journée : la nourriture, la musique, l'accueil chaleureux des paroissiens. Hal suit son exemple, répète les compliments mot pour mot. On dirait que le discours est de lui. C'est un bon garçon. Un peu immature, mais désireux de plaire à son père. Hermione est désespérée car le couple ne peut se marier à Saint-Démétrios. Les règles sont strictes et le révérend Nik assure qu'il n'en est pas responsable. Si Mina était catholique, presbytérienne par exemple, elle aurait accepté le Christ en son sein et pourrait ainsi recevoir le divin sacrement. Zeus, lui, s'en moque. Il incarne le Grec à l'ancienne, plus attaché aux dieux de l'Olympe qu'à une quelconque Trinité spectrale. Il emmène Mina avec lui lorsqu'il procède à des allocutions dans les synagogues.*

Hal et Mina s'éclipsent. Dita, la prunelle de ses yeux, passe en coup de vent. Zeus la rappelle. Comme toujours, elle lui répond avec une certaine irritation.

« Quoi ? »

Zeus la contemple. Sa beauté est extraordinaire, son corps élancé, son regard pénétrant. Aucun amour n'égale celui qui le dévore quand il regarde sa fille, sa seule véritable progéniture. Tout est balayé. Il n'est que viande et os, mais l'amour transcende sa condition. La domination qu'exerce sur lui un tel sentiment l'a jadis égaré. L'espace d'un horrible moment, il a perdu la tête. Voilà pourquoi elle persiste à le mépriser. Pourtant, comme tous les enfants, elle a besoin de lui. Tiraillée par ces élans contradictoires, elle oscille entre la haine et le manque. Ces inclinations contrastées n'effacent pas les ombres du passé. Le cataclysme réside en Zeus, inchangé à l'image d'une guerre permanente. Il buvait beaucoup à l'époque : sa mère venait de mourir. Aujourd'hui, le silence règne autour de son incartade, mais le verrou sur la porte de sa fille est un rappel constant.

« Merci d'avoir été gentille avec nos invités, dit-il.

— De rien. Je déteste cette fête. Ces gens sont ennuyeux à mourir. Grec par-ci, Grec par-là. Ils ne se rendent pas compte qu'ils vivent dans une prison. »

*La meilleure attitude consiste à ignorer sa remarque. Elle
aura vingt-quatre ans dans quelques jours. En attendant,
elle accepte de rester au domicile familial à la condition
implicite de ne recevoir aucune critique, y compris les plus
légitimes.*

« *Ton petit ami est grec, si je ne me trompe.*

— *Cass ? Je vais rompre avec lui. Sa famille me hait.
Qu'est-ce que tu leur as fait, papa ?*

— *Rien. Un malentendu. Lidia a malheureusement
épousé un homme qui n'est pas à la hauteur. Mickey est un
plouc. Il a plus d'orgueil que de talent. Il s'est senti humilié
par ma générosité. Je ne pensais pas à mal.* »

*Zeus a parlé à Lidia aujourd'hui. Les premiers mots depuis
des lustres. Teri est persuadée que celle-ci est venue au pique-
nique car elle s'habitue à l'idée du mariage entre Cass et
Dita. Zeus aussi pourrait s'y faire, en dépit des termes cruels
employés par son inconstante jeune fille. Lidia s'est empâtée,
ses cheveux ont grisonné. Pourtant, celle qu'il a jadis tant
désirée est encore présente. Pendant des années, et plus particulièrement durant son service militaire, il a espéré des
retrouvailles glorieuses, suivies d'un mariage en bonne et due
forme malgré les réticences de son parâtre. L'union de Lidia
avec un rustre tel que Mickey a été un coup de poignard. Zeus
s'est rabattu sur Hermione seulement parce que la femme de
ses rêves n'était plus disponible. Il a eu de nombreuses amantes, mais jamais comme elle. Il peut aller quand il veut sur les
boulevards et choisir parmi la moitié des passantes. Chaque
détail troublant est susceptible d'éveiller sa libido : une belle
paire de jambes, une poitrine opulente, un joli visage. Malgré tout, Lidia demeure l'élue de son cœur. Et celle-ci a préféré écouter son père plutôt que de l'épouser. Lorsque Terisia
lui avait demandé d'embaucher son amie, il avait obéi aux
dieux : il l'avait sautée par pur esprit de vengeance.*

« *Elle est aux abois* », *avait plaidé Teri.*

*Alors, je vais la baiser, avait songé son frère. Lidia était
trop désespérée pour refuser. Aujourd'hui, Zeus comprend
que cet acte charnel n'a en rien pansé les plaies du deuil.*

Il se demande souvent si leur mariage l'aurait rendu plus indulgent envers lui-même, si la force de Lidia aurait atténué la brutalité de ses pulsions.

Dita monte dans sa chambre sans lui dire bonne nuit. Zeus gravit l'escalier, affligé par sa propre existence. Hermione dort déjà. Il enfile son pyjama et s'allonge à son côté. Son épouse l'enlace doucement. Ce geste tendre est source de réconfort. Il effleure sa main et laisse son esprit vagabonder dans les prémices du sommeil. Une clameur le réveille. Hermione a ouvert la fenêtre. La pluie rafraîchit l'atmosphère. Il entend un bris de verre. Dita pousse un cri. Au cœur de la nuit, le manque de discrétion de sa fille est chose habituelle. Sa manière à elle de le punir. Mais le cri qu'il a entendu n'est pas une manifestation de joie. Il met en hâte sa robe de chambre. La porte d'entrée claque.

Quand il tente d'ouvrir la chambre, il est surpris de constater qu'elle n'est pas verrouillée. Il pénètre dans la pièce après avoir frappé et demande à sa fille si tout va bien. Son estomac se noue lorsqu'il voit le sang sur la baie vitrée, semblable à une éclaboussure de peinture sur un mur.

« Mon Dieu, qu'est-il arrivé ? »

Dita est sur le lit. Sa robe dévoile une longue jambe, modelée à la perfection. Elle se masse la joue et accueille l'intrusion paternelle avec une expression sinistre.

« Qu'est-il arrivé ? répète-t-il.

— Tu avais raison, à propos des ploucs.

— Seigneur, de quoi tu parles ?

— La mère de Cass était là.

— Lidia ?

— Elle m'a giflée pour que j'arrête de voir son fils.

— Ici, à la maison ? Elle t'a giflée ?

— Et elle m'a raconté une histoire fantastique. » Dita paraît soudain s'apercevoir de sa mise impudique. Elle s'empare de la couette au pied du lit. *« Franchement, papa. Y a-t-il une femme que tu n'aies pas baisée ? »*

Quelque chose en lui cède. Un déferlement brutal qu'il a toujours contenu pour Dita. L'implication du terme « une

femme» *est claire et il sait que si elle parle, tout est fichu.
Non parce qu'il s'abstiendra de nier – il connaît depuis longtemps les vertus du mensonge dans l'exercice du pouvoir -,
mais parce que cette révélation sonnera le glas de leur relation. Un mélange de rage et d'effroi le submerge.*

«*Ferme ta sale petite gueule*», *rugit-il. La meilleure façon
de réparer les erreurs du passé, c'est de les enterrer.*

«*Oh, cette sale petite gueule t'a bien plu, à une époque*»,
réplique-t-elle.

*Il plaque sa main sur la bouche de sa fille, lui pousse la tête
en arrière pour qu'elle se taise. L'espace d'un instant, la colère
et la force l'aveuglent. Tandis que le crâne de Dita frappe à
répétition le chambranle du lit, il sent qu'elle n'oppose aucune
résistance. Sans doute pense-t-elle mériter ce châtiment.*

*Il relâche enfin son emprise, recule. Les battements de son
cœur se répercutent jusqu'aux épaules. Il souffle comme un
cheval épuisé par son fardeau. Elle incline le visage, se palpe
le front et le fusille du regard. Zeus comprend qu'il vient de
commettre l'irréparable. Elle ne lui pardonnera jamais.*

«*Va te faire foutre, papa. Je t'emmerde!*» *Et elle s'abandonne à une impulsion que sa Dita n'aurait jamais consenti :
elle fond en larmes. Elle gémit, son enfant, ainsi qu'elle l'a
fait plus jeune.*

Il écarte les bras, s'avance pour la consoler.

«*Dégage!*» *hurle-t-elle.*

*Il se dirige vers la porte quand il aperçoit le sang sur la
tête de lit. Une bulle ensanglantée enfle sur le cuir chevelu de
la jeune femme. Elle se rend compte qu'il la fixe.*

«*Quoi?*

— *Tu es blessée.*» *Il lève la main en un geste prévenant.*
«*Ne touche pas, tu vas t'infecter. Je vais chercher une serviette.*» *Il part en quête du nécessaire. Les événements sont
encore confus dans son esprit, mais une conclusion s'im-
pose à lui. Une certitude dont il a toujours été conscient : il
est mauvais.*

*Lorsqu'il revient dans la chambre, le regard de sa fille a
changé. Ses jolis yeux roulent dans leurs orbites. Elle est*

avachie sur le flanc. *Il comprend, à la façon dont elle agite les bras en le voyant, qu'elle a perdu son élocution.*

Il se précipite dans le couloir pour réveiller Hermione.

« Il est arrivé quelque chose à Dita. »

Plus tard, il peaufinera sa version. Il trouvera les mots adéquats, enfouira son acte odieux dans le mausolée du passé. Il s'appelle Zeus. Et Zeus trouve toujours une solution. Pour l'instant, c'est trop tôt. Lorsqu'ils pénètrent dans la chambre, sa fille chérie est morte.

34.

Adieux – 31 mai 2008

Samedi matin, aux alentours de 6 h 30, Evon fut réveillée par des coups à la porte d'entrée. Elle avait besoin de dormir et choisit d'ignorer ce raffut. La frappe était autoritaire, urgente. La crainte d'un incendie eut raison de sa torpeur. Elle se leva, enfila sa robe de chambre. Le temps de s'éclaircir les idées, elle comprit de qui il s'agissait. Heather avait eu la présence d'esprit de s'écarter pour éviter d'être reconnue dans l'œilleton. Par respect pour ses voisins, Evon entrebâilla le battant, toutefois maintenu par la chaîne de sécurité.

« S'il te plaît, implora la jeune mannequin. Je t'en prie. » Elle colla son visage à la fente. Son haleine empestait l'alcool. Comme souvent, elle avait étudié sa tenue, portée à la façon d'un négligé audacieux. Elle était vêtue du débardeur moulant en matière chatoyante qu'elle arborait lors de ses sorties nocturnes et qui, avec son échancrure à l'épaule, suggérait qu'il avait été déchiré quelques heures auparavant à l'occasion d'ébats fougueux. Ses escarpins à paillettes, rehaussés de dix centimètres de talon, se balançaient au bout de son doigt, de même qu'un jeu de clefs. Evon reconnut le trousseau du parking. Le gardien était prévenu et n'aurait pas manqué d'intercepter la jeune femme. Heather était donc passée par le garage souterrain de l'immeuble. Le code du portail électronique était encore programmé sur sa voiture. Elle avait pu monter jusqu'ici sans encombre.

« Non, fit Evon. C'est moi qui te supplie. Va-t'en, tu nous rends malheureuses. Tu sais que j'ai obtenu une injonction, alors, je t'en prie, épargne-moi ce cirque. » Le ton était certes plus prévenant que les semaines précédentes, mais elle referma tout de même la porte. Heather frappa de nouveau du plat de la main, puis, d'après ce qu'entendit Evon, s'employa à martyriser l'huis à coups de talon. Le silence se fit au bout d'une minute.

Evon regagna son lit sans grand espoir. Elle essaya en vain de se rendormir, jusqu'à ce que son téléphone vibre. Un texto. « Regarde en bas. »

Elle songea à répondre « non », puis décida que la meilleure tactique consistait encore à s'abstenir. Elle demeura allongée une seconde avant d'être assaillie par un sinistre pressentiment. Elle se rendit à la fenêtre du salon et jeta un coup d'œil dans la rue. À cette hauteur, les allées ressemblaient à un modèle réduit. Les piétons ne mesuraient guère plus de deux centimètres, les voitures rampaient sur la chaussée, pareilles à des scarabées. Malgré un examen minutieux, elle ne vit rien de suspect. La circulation était faible. Seuls un ou deux passants, doublés par des joggers matinaux, promenaient leur chien sur le trottoir.

Elle aperçut alors sa BMW devant le garage, le capot dirigé vers la rue. De toute évidence, Heather avait aussi gardé les clefs du véhicule. Evon était perplexe. Devait-elle se mettre à genoux pour sauver sa BM ?

La voiture avança. Doucement d'abord, puis à la vitesse d'une flèche pour aller percuter un vieux lampadaire au bout de Grand Street. L'avant de la Sedan ploya comme une canette écrasée. Le lampadaire s'inclina sur le côté, vomissant ses câbles, uniques soutiens apparents du dispositif, sur l'asphalte. Si la conductrice avait négligé d'attacher sa ceinture, comme c'était souvent le cas, elle serait sérieusement amochée.

Evon prit l'ascenseur, pieds nus et en robe de chambre. Elle ignorait à quoi s'attendre. Le capot de la BM crachait un panache de fumée. Le moteur tournait encore. On l'entendait racler contre un objet non identifié. Evon ouvrit la portière. Son ex était clouée au siège. L'airbag et la ceinture de sécurité, qu'elle avait en fin de compte mise, l'avaient protégée. La jeune femme pleurait à chaudes larmes ; elle avait eu peur. Ses yeux bleus étaient grands ouverts. Elle les tourna vers Evon, le regard légèrement perdu.

« Dis-moi que tu ne m'as jamais aimée. Dis-le-moi et je te laisse tranquille. Mais bien sûr, tu ne peux pas. Tu ne peux pas faire une chose pareille.

— Non, je ne peux pas », confirma Evon. Elle s'accroupit au niveau de Heather, lui tint la main. Une sensation étrange. Elle n'avait plus touché cette femme, dont chaque caresse l'excitait tant, depuis des mois. Elles enlacèrent leurs doigts. Evon avait reproché à son amante de lui avoir caché sa folie mais un autre sentiment naissait à présent en elle. « Je n'aurais pas dû tomber amoureuse de toi. C'est ma faute, pas la tienne. Je n'ai pas pu t'accepter telle que tu étais, alors j'ai agi comme si tu étais quelqu'un d'autre. Pire, je me suis trompée sur moi-même. La situation était tellement excitante. Mais je ne peux pas me fuir éternellement. Impossible. Alors pardonne-moi, trésor. J'aurais voulu mieux me connaître. »

Les sirènes approchaient. Un des promeneurs avait sans doute appelé les urgences. Une grosse ambulance apparut, suivie de près par une voiture de patrouille. Les gyrophares tournoyaient, chantaient en chœur une mélodie dissonante. Leurs gémissements conjugués étaient agressifs, déstabilisants. Ils rappelaient à Evon ceux d'un engin de torture conçu pour garder les prisonniers éveillés pendant les interrogatoires. Tout le quartier allait être furieux après elle.

Les infirmiers installèrent Heather sur une civière tandis que le flic commençait à recueillir le témoignage de la responsable. La jeune femme fut embarquée à l'arrière du véhicule. Evon l'entendit crier son nom avant que les portes ne se referment et que l'ambulance ne s'éloigne, sirènes hurlantes, en direction de l'hôpital public le plus proche.

La responsable répondit sans détour aux questions de l'agent, lui livra autant de détails que nécessaire. Oui, la voiture lui appartenait. Non, elle n'avait pas donné à son amie l'autorisation de l'emprunter. Mais elle avait en effet omis de reprendre les clefs du véhicule et du parking. En conséquence, elle ne porterait pas plainte. Son refus n'était pas un problème pour le policier. Il avait senti l'haleine de la jeune femme. On pratiquerait une prise de sang à l'hôpital, en vue d'un traitement approprié. Heather écoperait d'une condamnation pour conduite en état d'ivresse, infraction au code de la route et détérioration de biens publics. Après avoir fouillé le sac de la jeune femme, consulté son permis de conduire et contacté le central pour un complément d'informations, le flic avait en outre appris qu'elle était soumise à une interdiction d'approcher.

« Elle a aussi piqué une centaine de dollars en tickets de parking », ajouta le fonctionnaire, un grand Noir d'apparence calme. Il rapporterait le sac à main à l'hôpital et attendrait que la jeune femme ait terminé ses examens. Si elle sortait rapidement, il lui passerait aussitôt les menottes, direction la prison du comté.

« Peu de chances que vous entendiez à nouveau parler d'elle, expliqua-t-il. Avec une violation d'injonction à son palmarès, elle n'aura pas de liberté sous caution. Elle devra attendre l'audition du juge, ce qui signifie qu'elle rencontrera toutes sortes de nanas derrière les barreaux. Le magistrat lui fera comprendre qu'elle y retournera illico si elle s'approche encore de vous. Ça fera partie de sa peine. »

La condamnation la plus cruelle pour Heather serait probablement d'endosser un vieil uniforme de détenu. Evon ne doutait pas de l'aspect dissuasif de la sanction.

Elle remercia le fonctionnaire de sa sollicitude, puis remonta à son appartement. Elle attendit 9 heures pour appeler Mel Tooley à son domicile. L'avocat poussa un grognement de compassion lorsqu'elle lui raconta sa mésaventure. Il enverrait un de ses assistants à la prison. Pour peu que la jeune femme ne s'attarde pas aux urgences, ils obtiendraient une présentation au tribunal en fin d'après-midi. Les comparutions immédiates étaient retransmises à la télé. Le juge siégeait dans une cour au-dessus du centre de détention tandis qu'on exhibait les prisonniers à leur sortie de cellule devant les caméras.

« Et tout cela sans maquillage », ironisa la responsable.

Mel pouffa de rire, mais Evon, elle, ne parvint pas à s'amuser de sa plaisanterie.

35.

Vérité – 1ᵉʳ juin 2008

Nella et Francine possédaient un cabanon près du lac Fowler. Evon passa le week-end en leur compagnie. Nella était elle aussi une ancienne sportive. Elle avait tenté de convaincre Evon de se mettre au golf. La responsable considérait qu'il s'agissait d'un sport de pantouflard, mais elle se laissa prendre au jeu et finit par s'exercer pendant deux jours.

Lorsqu'elle rentra chez elle dimanche soir, elle décida d'appeler Teri. Il était plus de 21 heures et elle avait envie de voir la vieille dame. Le domestique lui passa la maîtresse de maison, qui invita la responsable à lui rendre visite.

Quand Evon arriva, Teri l'attendait à la porte, appuyée sur sa canne et vêtue d'un cafetan en brocard. Elle inclinait la tête de manière à l'entendre approcher. Son visage était recouvert d'un masque laiteux. Elle avait attaché ses cheveux pour la nuit. Les bigoudis en plastique rose laissaient transparaître son cuir chevelu livide, à l'exception de l'arrière du crâne, recouvert d'un filet extra-fin. La vieille dame n'avait pas ses lunettes. Ses yeux s'enfonçaient dans des renflements de peau brune semblables à des sachets de thé usagés.

Teri effleura le visage de son hôte. « Si vous veniez pour une partie de jambes en l'air, c'est râpé. »

Evon rit malgré elle. « Désolée, Teri. Tout est une question de timing. »

Les plaisanteries grivoises ne la dérangeaient pas, mais Evon avait toujours été un peu lente d'esprit dès qu'on parlait de sexe. La drague dans les bars n'était pas son truc.

Teri utilisa sa canne pour s'orienter dans le salon luxueux. Germain avait rappliqué quand il avait entendu sa patronne. Il se tenait à présent debout, impeccable avec ses cheveux gris coupés en brosse et sa robe de chambre en cachemire. Teri le congédia.

« Il passe la nuit à regarder des émissions de télé-réalité idiotes, expliqua-t-elle quand il fut parti. Des gens qui mangent des yeux de chèvre et s'infligent des coupures avec des feuilles de papier. Ridicule. Vous voulez un verre ? »

Evon buvait rarement, sauf aux fêtes. Elle n'avait pas oublié que son père n'avait jamais réussi à décrocher. Elle estima cependant que la vieille dame serait plus à l'aise si elle l'accompagnait. Elle laissa son hôtesse choisir la boisson. Teri se dirigea à tâtons vers un chariot à thé pourvu de plusieurs bouteilles marron, puis tendit un verre en cristal à Evon avant de s'installer sur son divan moelleux.

« Bon, allez-y, fit la vieille dame. *Ti yenaety* ? » Hal utilisait souvent cette phrase pour demander « quoi de neuf ? ».

Evon se rendit compte qu'elle n'avait rien prévu. Elle expliqua comment Tim avait finalement retrouvé Cass Gianis.

« Il affirme qu'il n'a pas tué Dita. J'ai l'impression, quant à moi, que vous avez une idée précise sur le sujet. »

Teri but une gorgée de whisky. « Ah.

— J'ai besoin d'être sûre de l'innocence de Hal.

— Hal ? Oh, non, non, non, s'amusa Teri. Mon neveu serait sans doute plus efficace en affaires s'il possédait un tant soit peu l'âme d'un tueur. D'après ce que je sais, il était dehors à bécoter Mina au moment où Dita a été assassinée. Il a découvert le drame quand il est rentré.

C'est lui qui a contacté la police, si je me souviens bien. Tim ne vous a rien dit ? »

Le détective privé ignorait sans doute l'information. Il n'avait intégré l'enquête qu'une semaine après les faits. Les analyses de sang avaient mis les Kronon hors de cause.

« Eh bien, Tim est presque certain que Lidia n'y est pour rien. » Evon répéta à Teri les propos de Cass.

« Cette version correspond à celle que Lidia m'a donnée, renchérit la vieille dame.

— D'accord. » Evon se tut un instant avant de reprendre : « Je suis venue vous voir parce que je pensais que vous aviez discuté du meurtre avec elle.

— Pas tout de suite. Elle s'est confiée disons trois mois après les événements. Elle était dans tous ses états. On se voyait chaque jour, à l'époque. Elle n'arrivait plus à finir ses phrases, elle fondait en larmes pour des broutilles. Je lui ai finalement dit : *"Afto einae anoeto.* C'est n'importe quoi. Tu dois me parler, Lidia."* On s'est rencontrées à la paroisse, on s'est assises sur les bancs et on a bavardé pendant des heures. Elle a pleuré encore et encore. Moi aussi. Dita était ma nièce. Je me reconnaissais en elle.

» Lidia a évoqué Zeus, les jumeaux, et sa tentative de dissuader la jeune femme de poursuivre sa relation avec Cass. Elle ne pouvait rien révéler à ses enfants. En revanche, je ne comprenais pas pourquoi elle ne s'était pas adressée à moi. J'aurais pu, mieux que personne, convaincre ma nièce. Lidia était probablement gênée de m'avoir caché la vérité si longtemps. Elle avait peut-être peur que je ne la croie pas. Quoi qu'il en soit, Dita n'avait pas su tenir sa langue et elle avait reçu une correction. Je pense que ça lui aurait fait du bien d'être remise à sa place plus souvent, mais pas de manière aussi violente. Lidia n'y était pas allée de main morte. Elle avait été choquée par sa propre brutalité. »

Evon demanda à la vieille femme si, d'après elle, Lidia n'avait frappé qu'une fois. Teri confirma que son amie ne s'était pas acharnée, mais pas pour les raisons qu'on aurait pu imaginer.

« Lidia savait combien je chérissais Hal et Dita. Malgré la colère, elle n'aurait jamais pris le risque de les mettre en danger. Quand je lui ai demandé qui d'autre aurait pu molester ma nièce, elle est demeurée évasive.

— Elle soupçonnait Cass ?

— Eh bien, ma nièce était vivante lorsque Lidia s'est enfuie. Ce qui n'était pas le cas après le départ de son fils. La conclusion me semblait logique. Mon amie elle-même paraissait douter. Je n'ai pas été surprise lorsque, quelques mois plus tard, Cass a plaidé coupable. Il avait toujours été le plus impétueux des garçons. J'en ai eu le cœur brisé pour Lidia.

— Tim est persuadé de son innocence. » Evon sirota son verre. Un prétexte pour baisser les yeux. « Votre frère, Zeus, est donc le dernier suspect. »

La vieille dame se tut. En dépit de sa vision déplorable, elle évitait de regarder son interlocutrice. Le silence se prolongea de façon inconfortable, puis Teri répondit enfin :

« Croyez-vous que nous ayons des devoirs envers les morts ?

— Je me recueille sur la tombe de mes parents chaque fois que je retourne dans mon village natal, si c'est ce que vous voulez dire. » Elle mentait à moitié, vu qu'elle passait beaucoup plus de temps à honorer la mémoire de son père que celle de sa mère.

« Non, pas vraiment. » La vieille dame leva son verre pour appuyer son propos. « Mon frère est toujours resté une énigme pour moi. Je l'aimais beaucoup, évidemment. C'était une obligation. On l'a toujours considéré comme la septième merveille du monde et il a assumé ce statut. Un bon frère, loyal, attentif. Et un excellent père pour Hal, qui le mettait sur un piédestal. Zeus avait des qualités indéniables, mais il avait un peu trop de points communs avec notre propre père, un gros abruti. »

Elle eut un mouvement de tête, mélange d'incrédulité et de vague mépris. Elle marqua une nouvelle pause avant de continuer :

« J'ai parfois l'impression que nous sommes tous des jumeaux. Dans ce que nous incarnons et dans la perception que les autres ont de nous. Ils se ressemblent et la plupart des gens admirent leur reflet dans un miroir avec une certaine indulgence. Étrangement, mon frère n'était pas dans ce cas-là. Il connaissait ses pires défauts. Il ne les affrontait pas souvent, les oubliait vite, mais ses travers demeuraient en lui comme une bombe à retardement. Et il était bien résolu à ne laisser personne les découvrir. Je sais tout cela. »

Evon avait dit la vérité à Teri, ainsi qu'elle le souhaitait.

« Je comprends vos accusations, fit la vieille dame, mais il y a un petit problème, ma chère. Vous avez sans doute remarqué combien je suis âgée. Mon avis importerait peut-être si tout ce cirque reprenait. Je vais donc me fier à votre jugement. Mais vos conclusions vont blesser beaucoup de gens.

— Hal ?

— Lui le premier. Vous devez taire vos soupçons, sauf si vous n'avez pas le choix.

— Dois-je en parler à Tim ?

— Je vous laisse le soin d'en décider. Mais Tim souffrirait aussi de cette révélation. »

Evon était trop stupéfaite pour répondre. Teri leva les yeux au plafond surchargé de dorures qu'elle ne pouvait plus voir. « D'accord, trancha-t-elle. Finissons-en. » Elle se redressa sur le divan et s'octroya une lampée d'alcool. « Vous savez qu'à l'époque du décès de ma nièce Zeus voulait l'inhumer au pied du mont Olympe.

— Pour qu'elle puisse reposer auprès des dieux et déesses traditionnels ?

— Je l'ignore. Il pensait sans doute lui-même siéger en leur compagnie lorsque l'heure sonnerait. Mon frère semblait croire en ces divinités. Du moins quand ça l'arrangeait. Il appréciait leurs manières odieuses, bien loin du monothéisme chrétien. Lorsqu'il avait bu, il traitait Jésus de poule mouillée. Zeus, le dieu des dieux. Le seul véritable modèle de mon frère. Un être tout-puissant et pervers.

» Au cinquième anniversaire de la mort de Dita, Hermione et lui ont décidé qu'ils pourraient supporter le voyage. Hal et Mina sont restés ici : ils avaient trois enfants en bas âge. Moi, par contre, je les ai accompagnés. Le mont Olympe est en grande partie un parc national, mais les gens ont construit des chapelles un peu partout. Zeus en a trouvé une : un petit bâtiment attenant à un cimetière. Un vieux prêtre s'est chargé de l'office. La cérémonie était très réussie. Quelques-uns des Vasilikos ont fait le déplacement jusqu'en Thessalie. J'ai cueilli du thym sur place, que je garde en souvenir dans ma chambre.

» Nous sommes ensuite retournés à la villa que Zeus avait louée. Des membres de la famille d'Hermione ainsi que des habitants du coin sont passés présenter leurs respects sans toutefois s'attarder. Mon frère était d'une humeur massacrante. "Je suis mauvais", répétait-il, assis sur le divan. Ce n'était pas la première fois que je l'entendais tenir ce genre de propos, mais jamais en présence de cette stupide maigrichonne qui lui servait de femme. Je me rappelle qu'il a levé les yeux et a lâché sur le ton de la constatation, comme s'il parlait de la pluie et du beau temps : "J'ai tué notre fille." »

À mesure qu'elle relatait cet épisode, Teri s'enflammait. Elle se penchait en avant. Sa main, celle avec le verre de whisky, s'agitait à intervalles réguliers. Son frère avait fourni une brève description du meurtre. Dita, énervée par la visite de Lidia, s'était répandue en invectives contre son père. Zeus n'avait pas précisé la teneur de ses paroles, mais avait admis les coups portés à sa fille dans un mouvement de colère.

« Par peur d'être découvert, il a intrigué auprès des autorités pour que Tim prenne les rennes de l'enquête. Son ami refuserait d'envisager sa culpabilité. Mon frère s'est assuré de ses bonnes grâces en lui donnant une enveloppe confortable tous les ans.

— Seigneur », murmura Evon. Maintenant, elle comprenait mieux l'avertissement de Teri. Le détective serait dévasté s'il apprenait la vérité. Elle sirota son verre du bout des lèvres. À ses yeux, l'alcool avait un goût d'essence. « Zeus ignorait que Cass était son fils, ajouta-t-elle, mais ça ne lui faisait rien qu'un innocent aille en prison à sa place ?

— À un moment donné, il a eu cette réflexion étrange. Selon lui, aucun expert ne pourrait certifier que le coup mortel n'avait pas été porté par Lidia. Comme si cette remarque justifiait l'incarcération de son fils. Je crois qu'en fait il se moquait bien du sort de Cass. Je vous le répète, il ressemblait beaucoup à notre père. Il s'est convaincu lui-même qu'il n'avait rien fait. L'inhumation de Dita sur sa terre natale a sans doute éveillé des scrupules. Il a prétendu qu'il irait se dénoncer à notre retour.

» Avant que je ne puisse réagir, Hermione s'est emportée. Je ne l'ai jamais vue dans cet état. Elle s'est mise à crier, à jeter des objets. Elle lui a craché dessus, l'a giflé. Il est resté impassible. Elle était dans son bon droit. Il avait assassiné leur fille. Quand elle s'est calmée, après l'avoir traité de monstre, elle lui a expliqué que sa reddition n'arrangerait rien. Hermione serait abandonnée, vieille et seule, et il jetterait le discrédit sur la famille, sur Hal. Tout ça pour quoi ? Pour épargner Lidia qui, elle le sentait, avait la préférence de son mari.

» Je suis montée dormir. Leur dispute a duré une grande partie de la nuit. Le lendemain matin, Zeus paraissait avoir apaisé la situation. Hermione a accepté de se rendre à pied avec lui au cimetière. Ils sont partis et, une heure plus tard, j'ai entendu des hurlements, des sirènes sur le mont. Les domestiques de la villa étaient affolés. Ils m'ont emmenée avec eux. J'ai vu Hermione, qui racontait à la police que des hommes louches avaient suivi son mari. Elle marchait une cinquantaine de mètres devant lui et avait entendu un cri. Les suspects s'étaient enfuis tandis que la carcasse de Zeus gisait en contrebas, brisée comme un jouet d'enfant.

— Vous y avez cru? Des étrangers balancent un vieil homme dans un ravin?

— *Ohee*», pouffa Teri. Elle bougea la tête de droite à gauche, à l'évidence amusée par cette idée saugrenue. Les ennemis de Zeus n'auraient jamais tué un père en plein deuil. Cependant, Hermione était une Vasilikos. Les autorités ne pouvaient donc traiter l'affaire à la légère.

«Hermione a campé sur ses positions. Quand nous sommes revenus, je ne l'ai plus vue, sauf à des fêtes de famille. Elle s'est réfugiée dans un veuvage typique, fuyant tout contact à l'exception de son fils et de ses petits-enfants. Toujours vêtue de noir. Un costume sur mesure, bien entendu. Mais noir.

— Et Cass est resté en prison.

— Oui. C'est triste. J'étais résolue à honorer les dernières volontés de mon frère. Je comptais tout révéler au procureur de Greenwood. J'ai engagé un avocat. Masson, vous connaissez?

— George?» L'homme était juge à présent, mais Evon demeurait proche de lui. «Un excellent choix.

— Eh bien, il m'a écoutée, puis a demandé : "Est-ce que votre belle-sœur confirmera cette histoire?" "Bon Dieu non", j'ai répliqué. J'imaginais déjà le tableau. Elle devrait avouer qu'elle avait une raison de supprimer son mari, son nom serait sali, son fils anéanti. Et puis elle aiderait Lidia, une femme qu'elle détestait. Je n'étais pas spécialiste en droit, mais je voyais ce qui allait se passer. Votre ami George a secoué la tête. "Le procureur va bien rire. Vous accusez votre frère après sa mort, lorsqu'il n'encourt plus aucune peine. Son épouse, présente au moment de la confession, nie qu'il ait jamais tenu ces propos. Et qui espérez-vous faire libérer? Le fils de votre meilleure amie. On peut tenter le coup, mais je vous dis tout de suite que personne ne vous croira. Pour être franc, on aura de la chance si on échappe à une accusation de faux témoignage." Personnellement, je serais allée jusqu'au bout, mais votre ami Masson m'a convaincue de l'inutilité de la démarche. Hal aurait été blessé pour rien et Cass ne serait pas sorti de prison.

— Vous en avez discuté avec Lidia ?

— Impossible. Elle m'aurait suppliée, comme n'importe quelle mère, d'aller voir le procureur. Certains pensaient que Hermione était faible, mais ils se trompaient. Elle était taillée pour la survie. Elle m'avait coincée. »

La vieille dame vida son verre, puis ajouta, en guise de point final à son récit : « Un secret. »

Evon posa son whisky sur la table basse. Teri s'en empara, fit une remarque sur le gâchis d'alcool et but une grande rasade.

« Excusez-moi de ne pas vous raccompagner. Je crois que je vais dormir ici. »

La responsable proposa de l'aider à regagner sa chambre, mais la vieille dame paraissait ravie d'entretenir ses mauvaises habitudes.

« Et vous, comment allez-vous ? demanda-t-elle à Evon, tandis que celle-ci récupérait son sac à main. Qu'est devenue Betty Boop ? »

L'intéressée raconta en détail les péripéties de la veille. « Elle est sûrement sortie de prison cette nuit, je n'ai pas vérifié.

— Comment vous sentez-vous ?

— J'ai l'impression d'avoir été enfermée dans une machine à laver en mode essorage. »

Teri apprécia l'image et rit sans retenue.

« Il vous faudra un peu de temps pour vous en remettre. En attendant, ne perdez pas espoir.

— C'est ce que Tim m'a dit. De toute manière, je ne peux pas me voiler la face : l'amour est tout ce que je désire.

— Bien entendu. Et le bonheur vous sauvera. Même en période de doute, vous devez persévérer en l'honneur de celles qui ont dû y renoncer. »

Evon n'avait jamais envisagé les choses sous cet angle. Les mots de Teri lui chavirèrent le cœur.

« Serrez donc votre vieille tante Teri dans les bras », suggéra la vieille dame.

Evon s'exécuta. Elle eut l'impression d'étreindre tout un assortiment de produits cosmétiques. Teri leva ses yeux opaques et toucha la joue de la responsable, avant de lui rappeler qu'elle était une gentille fille.

Lorsqu'elle se rendit à son travail lundi matin, Evon fit un crochet par la maison de Tim. Le détective était levé. Il l'accueillit chaleureusement et l'invita à s'installer sous la véranda. Evon s'inquiétait de l'impact que ses révélations pourraient avoir sur son ami, mais celui-ci avait déjà tout deviné. Il prit les devants :

« Inutile de tourner autour du pot. C'était Zeus, hein ? Il m'a gardé à sa botte pendant toutes ces années. J'ai souvent avalé des couleuvres, mais jamais pour de l'argent.

— Tim...

— Ne vous inquiétez pas, tout va bien. J'aurais dû me méfier de son cadeau empoisonné. Je savais de quoi il était capable et, pourtant, je me suis laissé avoir par son numéro de père éploré. Les types comme Zeus connaissent toujours vos points faibles. Qu'il aille au diable.

— Je me doutais que vous auriez du mal à encaisser.

— Bien sûr que j'ai du mal. J'ai envoyé un innocent derrière les barreaux. Mince alors ! Vous parlez d'un couronnement de carrière. J'arrête de travailler pour ZP.

— Pas besoin d'aller jusque-là.

— Si. De toute façon, il est temps de tirer un trait. Je déménage à Seattle, histoire de voir si j'apprécie les collines et les jeunes gens. Je ne suis pas encore certain que ce soit l'endroit idéal pour un vieux débris dans mon genre. Je vais sans doute me dégoter une de ces piaules mortelles. Au début, on vous aide et, à la fin, vous partez dans une caisse en sapin.

— On appelle ça une résidence troisième âge.

— Peu importe. »

Elle avait du travail au bureau, mais promit au vieux détective d'être de retour à l'heure du déjeuner. Tim la raccompagna, puis s'assit sous la véranda pour écouter un disque de Kai Winding et J. J. Johnson. Lorsqu'il était petit et s'exerçait au trombone, il était persuadé de parvenir, un jour, à être aussi bon qu'eux. Aujourd'hui, cet espoir était aussi vain que celui de devenir pilote de 747. De la même façon, il avait toujours eu la conviction d'être un flic honnête doublé de quelqu'un de bien. Il s'était pourtant laissé berner par Zeus au profit d'un peu de confort matériel. En raison des traces de sang, aucun enquêteur n'avait envisagé la culpabilité du futur gouverneur. Tim, lui, était censé posséder assez d'expérience pour ne pas tomber dans le panneau.

La vérité était si cruelle, parfois, que la plupart des gens refusaient de la regarder en face. Se leurrer était tellement plus facile. Tim avait longtemps cru être du bon côté de la barrière. Mais personne ne l'était.

Restaient la musique et la lumière du soleil. Sans oublier la possibilité de rencontrer un joli brin de femme. Evon prétendait qu'il existait des endroits où ceux qui étaient encore capables de conduire étaient aussi riches que des millionnaires. Maria lui pardonnerait. Les paroles rassurantes de Sofia lui revinrent en mémoire. Assis sur son divan en tissu écossais, il se souvint de son amour pour sa femme. Ce sentiment durerait jusqu'à sa mort.

Il mit la main sur son visage, laissa monter en lui la honte et l'indignation d'avoir été manipulé, puis cette sensation s'estompa. L'inconfort se prolongerait quelques jours. Il se frappa les cuisses. Même à quatre-vingt-deux ans, la vie continuait.

Lorsque Evon arriva à ZP, Hal était enfermé dans la salle de conférences en compagnie d'une légion de banquiers et d'avocats. La responsable apercevait de temps à autre un employé s'éclipser dans la pièce adjacente pour téléphoner à ses supérieurs ou consulter ses homologues.

La réunion, prévue pour durer deux heures, s'éternisait le double. Un silence pesant régnait dans les bureaux. Tout le monde paraissait retenir son souffle. Après déjeuner, l'assistante du P-DG, Sharize, vint prévenir Evon que le patron était disponible. Les hommes et les femmes en costume bleu, juristes ou conseillers financiers, quittaient la salle avec des mines de croque-morts.

Elle pénétra dans la vaste pièce, théoriquement divisée en trois parties distinctes. Hal était au téléphone avec Mina. Il lui fit signe d'attendre. Evon retourna donc dans le couloir et s'installa sur une chaise, où elle patienta un bon quart d'heure.

Quand Sharize introduisit de nouveau la responsable dans la salle de conférences, Hal avait suspendu sa veste au dossier du fauteuil et ôté sa cravate. Sa chemise blanche s'auréolait de taches de transpiration. Il fixait le mur d'un air absent, dos à la baie vitrée à travers laquelle on distinguait les reflets argentés du fleuve. Sur le mur lambrissé trônait un portrait de Zeus. Peut-être Hal s'était-il perdu dans la contemplation de ce tableau. Il se rongeait l'ongle du majeur et, lorsque ses yeux se posèrent enfin sur Evon, il enleva le doigt de sa bouche avec un bref sourire, proche d'une grimace.

« C'est fini, dit-il.

— Quoi ?

— ZP. »

Evon avait machinalement pris place à trois ou quatre mètres de lui.

« Comment ça ?

— Les prix du foncier se sont écroulés. YourHouse a été emporté dans la tourmente. Les banquiers ont fermé les vannes. Ils exigent cent cinquante millions de dollars de garantie supplémentaire, à provisionner sur les projets commerciaux. Les autres organismes de prêt, représentés par les mêmes mauviettes, refusent de revoir leurs positions. L'immobilier s'effondre et, d'après les spécialistes, la situation ne va pas s'améliorer. La diminution des loyers entraîne une dévalorisation des centres commerciaux. Je pensais qu'on était plutôt à l'abri de ce genre d'aléas, mais à moins d'un changement radical, on sera en faillite d'ici la fin de l'année. Les actionnaires de ZP, à commencer par moi, vont boire la tasse. J'envisage carrément de voter pour Obama.» Il eut un sourire triste. «Je plaisante.»

Evon demanda à nouveau comment une telle catastrophe pouvait se produire.

«Eh bien, j'ai moi-même interrogé les responsables. C'est une simple question d'arithmétique. Personne n'avait prévu une déroute pareille. Les banquiers vont renégocier l'échéancier à la fin de l'année, mais on doit faire une déclaration publique maintenant. Les actions vont plonger. On est foutus.

— Comment vous vous sentez?

— Pas bien. Mon père a débuté avec un baluchon rempli de billets emprunté à mon grand-père, il a travaillé d'arrache-pied, a bâti un empire et j'ai tout perdu en quelques mois. Je suis content qu'il ne soit plus là pour assister à cette déconfiture, vraiment. Je n'ose pas imaginer le scandale.

— S'il était honnête, tempéra Evon, il vous dirait qu'il a lui aussi commis des erreurs.

— J'en doute.» Hal recommença à se ronger les ongles. Evon songea à expliquer à son patron que c'était l'honnêteté de Zeus qui était douteuse, pas ses erreurs. Elle jugea cependant sa réflexion inutile.

«Vous voulez qu'on parle des Gianis?»

Il l'incita à s'exprimer d'un geste las.

«Pour faire court, Cass prétend qu'il est innocent. Il a plaidé coupable car il a estimé qu'au vu du dossier Lidia et lui risquaient de finir tous les deux en prison.

— Donc, Lidia a tué ma sœur?»

Evon lui fit part de son scepticisme. Il acquiesça comme s'il comprenait, mais son employée s'aperçut qu'il écoutait à peine.

«Alors, qui l'a frappée à mort?» demanda-t-il enfin.

Evon attendit un instant avant de donner la réponse qu'elle avait préparée :

«Aucune idée. Nous l'ignorons.

— Mmh», dit Hal. Il suffisait d'un peu de logique – s'interroger sur les personnes présentes dans la maison, sur la force nécessaire à l'accomplissement du meurtre – pour obtenir l'identité de l'assassin. Mais le P-DG n'aurait pas assez d'une vie pour accepter la conclusion qui s'imposait. Si le fils voulait préserver son intégrité, le père devait conserver sa place au sommet de l'Olympe.

«Vous savez ce que ma femme m'a dit quand je lui ai annoncé que j'avais perdu un milliard?»

Un classique du genre, songea Evon. «Non. Quoi?

— Que c'était encore ce qui pouvait nous arriver de mieux. Qu'en pensez-vous? Il nous restera assez pour vivre. Nous n'avons pas d'avion. Je devrai bien entendu me débarrasser du ranch et d'autres broutilles, mais je ne serai plus obligé d'honorer la mémoire de mon père. Désormais, je peux faire ce qui me chante plutôt que d'essayer de lui ressembler. Voilà ce qu'elle m'a expliqué. Elle a peut-être raison. À l'heure actuelle, je me sens trop misérable pour avoir les idées claires.

— Un bon point pour Mina.

— Une femme modèle.»

Evon était désolée pour son patron. Et les informations dont elle disposait n'arrangeaient rien. Malgré ses défauts, le P-DG était sans doute la personne la plus irréprochable de toute cette histoire. Il avait agi avec la loyauté d'un frère, d'un fils en quête de vérité. Et aujourd'hui, arrivé à la soixantaine, il allait devoir puiser en lui la force d'être quelqu'un d'autre.

«Faites circuler votre CV», conseilla-t-il.

Elle n'avait pas encore réfléchi à la question. Si les prédictions de son employeur se révélaient exactes, elle allait perdre son boulot. La boîte qui rachèterait ZP ferait sans doute le ménage. Tout cela n'avait pas d'importance. Elle s'était constitué une solide épargne grâce à son salaire.

Deux ans de répit. Et puis elle n'aurait aucun mal à dégoter un autre travail. Les chasseurs de têtes la courtiseraient. Sa mission la plus délicate consisterait à trouver l'amour.

« Je vais vous écrire une lettre de recommandation, proposa Hal. Vous le méritez.

— Merci. »

Elle se leva pour gratifier son patron d'une accolade. Une première.

« Je suis sincèrement convaincue que votre père ne s'en serait pas mieux sorti, Hal. Ne vous faites pas de reproches.

— Je n'ai rien vu venir, se fustigea le P-DG. Et pourtant, j'aurais dû. J'avais tous les éléments en main. Le discours était unanime. Les spécialistes qui prévoyaient une crise de l'immobilier parlent à présent d'une hécatombe imminente. Les gens ne vont plus pouvoir rembourser leurs emprunts. Les banques, les organismes de crédit vont danser sur des braises. Comment avons-nous pu être aveugles à ce point ? »

Evon plissa les lèvres. Elle aurait volontiers répété sa tirade favorite, mais celle-ci commençait à sentir le réchauffé. Les gens ne voyaient que ce qui les arrangeait.

« Je dois m'absenter une heure ou deux », indiqua-t-elle. Evon avait promis à Tim de manger avec lui. Elle préférait ne pas le laisser seul aujourd'hui. Et puis elle avait besoin de prendre l'air. Peut-être irait-elle courir sur les berges.

Hal marmonna quelques mots en grec.

« Ce qui signifie ? demanda Evon.

— Mon père disait ça tout le temps. "Puissent les dieux nous être cléments." »

Note de l'auteur et remerciements

Ma fascination pour les jumeaux remonte à la naissance de ma sœur Vicki, lorsque j'avais trois ans. Vicki a eu une sœur jumelle, mort-née. Cet événement a marqué mon enfance. Je n'ai jamais cessé, depuis, de m'interroger sur la gémellité et le deuil, sur le rapport affectif paradoxal engendré par cette dualité. D'une manière ou d'une autre, j'ai toujours eu l'intuition que j'aborderais ce thème dans un de mes romans.

Je travaillais sur *Identique* depuis quelques mois quand j'ai eu connaissance des circonstances abominables de l'un des meurtres non résolus les plus célèbres à Chicago. Celui de Valerie Percy en septembre 1996, à quelques kilomètres à peine de la maison de mes parents. Valerie était la fille de l'industriel Charles Percy, alors en lice pour les sénatoriales, qu'il remporta par la suite. La jeune femme fut tuée dans la villa parentale, sur les bords du lac Michigan, à Kenilworth, Illinois, tandis que le reste de la famille, y compris sa sœur jumelle, dormait à côté. Bien qu'ayant emprunté plusieurs éléments liés à cette affaire, je dirai sans hésitation qu'il n'existe aucun rapport entre la famille Percy et les personnages inventés pour les besoins de l'intrigue, qu'il s'agisse des Kronon ou des Gianis.

Une inspiration beaucoup plus claire à mes yeux est tirée de la légende de Castor et Pollux, sans doute l'une des histoires les plus bouleversantes de la mythologie grecque. Ces deux vrais jumeaux étaient, dit-on, le fruit du viol de Léda, reine de Sparte, par Zeus, qui avait pris l'apparence d'un cygne afin de la surprendre. La légende varie selon les sources, mais l'une des versions les plus connues stipule que Pollux a hérité de l'immortalité de son père, tandis que Castor reste mortel par sa mère. Le jour où ce dernier est mortellement blessé, son frère ne peut se résoudre à accepter sa disparition. Il demande à Zeus de partager son immortalité et, depuis ce jour-là, les jumeaux alternent entre les Enfers et l'Olympe. Même si le parallèle entre mon roman et cette légende paraîtra évident à celles et ceux qui connaissent l'histoire, le mythe original n'est guère qu'une bande de tissu sur laquelle j'ai brodé mon récit.

J'ai bénéficié d'une aide précieuse pour écrire ce livre. D'abord celle de deux amies : le docteur Julie Segre, chercheuse au département Génome humain du National Institute of Health, et Lori Andrews, romancière et professeur au Chicago-Kent College, établissement réputé dans le domaine du droit et de la génétique. Julie et Lori ont passé beaucoup de temps à me renseigner sur les dernières avancées en matière de séquençage durant l'année 2008. Certaines répliques du docteur Yavem viennent d'un discours que Lori a prononcé le 7 novembre 2012, au symposium annuel de l'American Society of Human Genetics, à San Francisco. J'assume l'entière responsabilité des inexactitudes qui pourraient subsister en dépit des enseignements patients de Julie et Lori.

Je voudrais aussi remercier Camille Rea, titulaire d'un master de l'Associated Medical Sciences, spécialisée en anaplastologie et membre du conseil de santé de la clinique de reconstruction maxillo-faciale, à l'hôpital universitaire de Chicago. Mme Rea a eu la gentillesse de m'accueillir dans son laboratoire. Plusieurs anecdotes de son cru ont trouvé leur place dans mon récit. Comme précédemment, il va de soi que les erreurs factuelles qui se seraient glissées dans le roman me sont entièrement imputables.

Je suis également reconnaissant à Emi Battaglia, de Grand Central, à mon pote Nick Markopoulos et à son ami George Chalkias ainsi qu'à Tina Andreatis pour avoir corrigé mes bévues concernant les expressions ou les coutumes grecques.

Enfin, plusieurs bêta lecteurs m'ont prodigué leurs conseils, à différents stades du manuscrit. Par ordre alphabétique : Steve Drewry, Adriane Glazier, qui a aussi contribué au titre de l'ouvrage, Jim McManus, Dan Pastern, Julian Solotorovsky, Ben

Schiffrin, Eve Turow, et ma plus fidèle lectrice, Rachel Turow. Mon éditrice, Deb Futter, a été tout ce qu'une excellente éditrice peut être : patiente, incisive, inestimable. De même que mon merveilleux agent, Gail Hochman.

Mille remerciements à tous.

CET OUVRAGE A ÉTÉ COMPOSÉ PAR DATAMATICS
POUR LE COMPTE DES ÉDITIONS J.-C. LATTÈS
ET ACHEVÉ D'IMPRIMER
PAR CAYFOSA
À BARCELONE (ESPAGNE)
EN AOÛT 2014

**PAPIER À BASE DE
FIBRES CERTIFIÉES**

JC Lattès s'engage pour
l'environnement en réduisant
l'empreinte carbone de ses livres.
Celle de cet exemplaire est de :
929 g éq. CO_2
Rendez-vous sur
www.jclattes-durable.fr

N° d'édition : 01
N° d'éc Dépôt légal : septembre 2014
Imprimé en Espagne